7일 끝

중간고

7일 끝으로 끝내자!

중학 수학 1-2

BOOK 1

천재교육

언제나 만점이고 싶은 친구들

Welcome!

숨 돌릴 틈 없이 찾아오는 시험과 평가,
성적과 입시 그리고 미래에 대한 걱정.
중·고등학교에서 보내는 6년이란 시간은
때때로 힘들고, 버겁게 느껴지곤 해요.

그런데 여러분, 그거 아세요?
지금 이 시기가 노력의 대가를
가장 잘 확인할 수 있는 시간이라는 걸요.

안 돼, 못하겠어, 해도 안 될 텐데-
이렇게 생각하지 말아요. 천재교육이 있잖아요.
첫 시작의 두려움을 첫 마무리의 뿌듯함으로 바꿔줄게요.

펜을 쥐고 이 책을 펼친 순간
여러분 앞에 무한한 가능성의 길이 열렸어요.

우리와 함께 꽃길을 향해 걸어가 볼까요?

#시험대비
#핵심정복

7일 끝
중간고사
기말고사

Chunjae
Makes
Chunjae

[7일 끝] 중학 수학 1-2

저자	최용준, 해법수학연구회
제작	황성진, 조규영
발행일	2021년 6월 15일 초판 2021년 6월 15일 1쇄
발행인	(주)천재교육
주소	서울시 금천구 가산로9길 54
신고번호	제2001-000018호
고객센터	1577-0902
교재 내용문의	(02)3282-8852

※ 정답 분실 시에는 천재교육 홈페이지에서 내려받으세요.

7일 끝으로 끝내자!

중학 **수학 1-2**

BOOK 1

중 간 고 사 대 비

7일 끝 중학 수학

구성과 활용

시험 공부 시작

생각 열기

공부할 내용을 만화로 가볍게 살펴보며 학습을 준비해 보세요.

❶ 공부할 내용을 살피며 핵심 학습 요소를 확인해 보세요.

❷ 이것만은 꼭꼭!을 통해 실수하기 쉬운 개념을 짚어 보세요.

본격 공부 중

교과서 핵심 정리 + 시험지 속 개념 문제

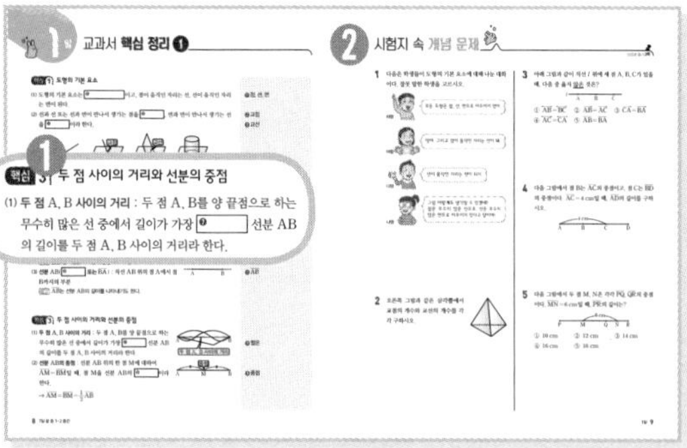

꼭 알아야 할 교과서 핵심 내용을 익히고 시험지 속 개념 문제를 풀며 제대로 이해했는지 확인해 보세요.

❶ 빈칸을 채우며 교과서 핵심 내용을 다시 한번 확인해 보세요.

❷ 교과서 핵심과 관련된 시험지 속 개념 문제를 풀며 공부한 내용을 확인해 보세요.

교과서 기출 베스트 1회, 2회

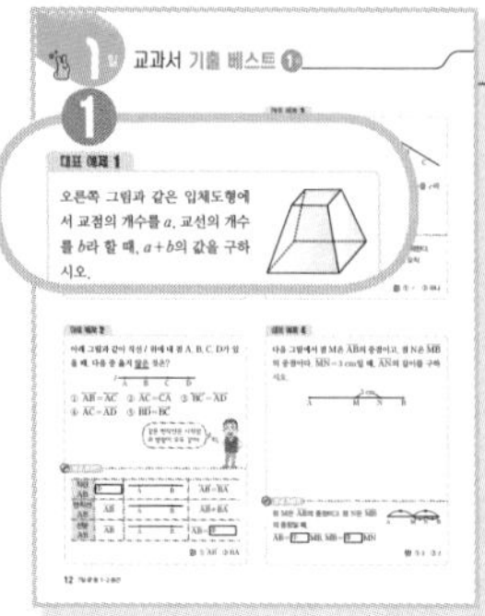

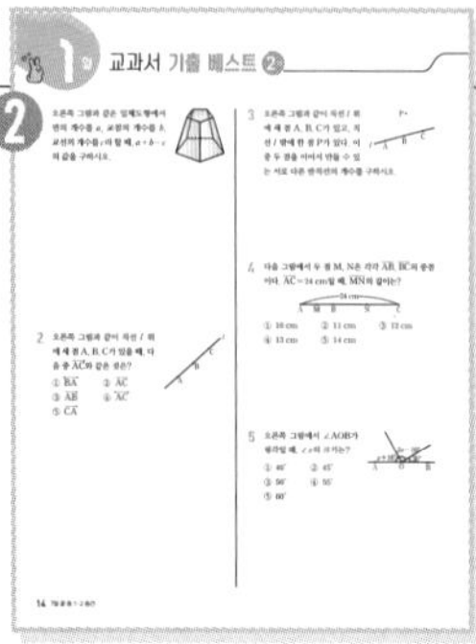

다양한 유형의 문제를 풀어 보며 공부한 내용을 점검해 보세요.

❶ 교과서 기출 베스트 1회에서는 대표 예제 문제를 풀며 시험에 자주 나오는 문제를 확인해 보세요.

❷ 교과서 기출 베스트 1회와 쌍둥이 문제로 구성된 교과서 기출 베스트 2회를 한번 더 풀면서 실력을 다져 보세요.

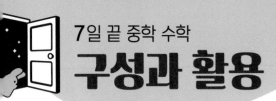

시험 공부 마무리

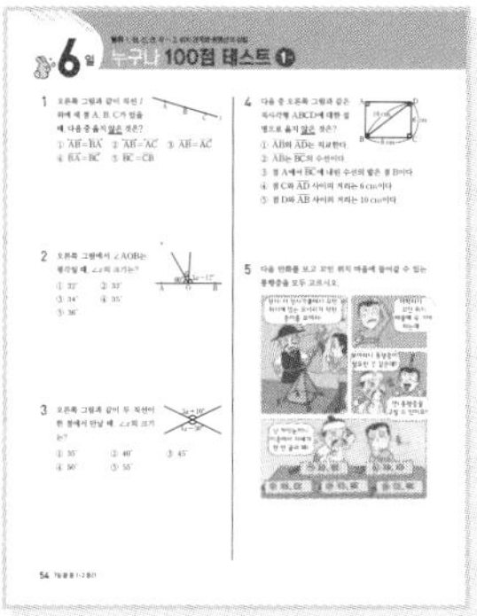

누구나 100점 테스트 1회, 2회

앞에서 공부한 개념을 이해했는지 문제를 풀어 점검해 보세요.

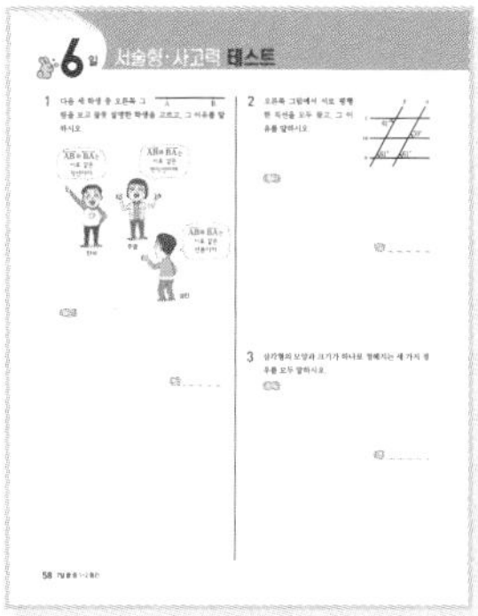

서술형·사고력 테스트

서술형·사고력 문제를 집중적으로 풀며 서술형·사고력 문제에 대한 적응력을 높여 보세요.

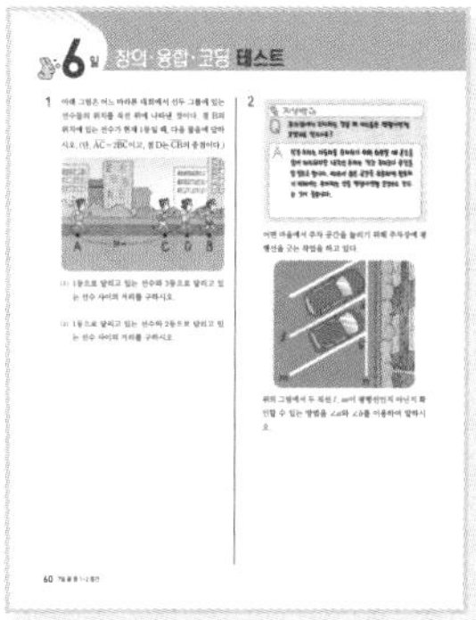

창의·융합·코딩 테스트

앞에서 공부한 개념이 어떻게 이용되는지 알고 문제 해결력을 키워 보세요.

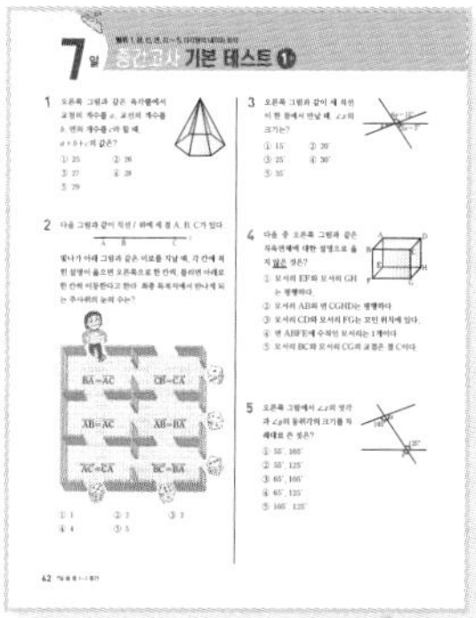

중간고사 기본 테스트 1회, 2회

시험 문제에 가까운 예상 문제를 풀며 실전에 대비해 보세요.

튼튼이·짬짬이 공부하기

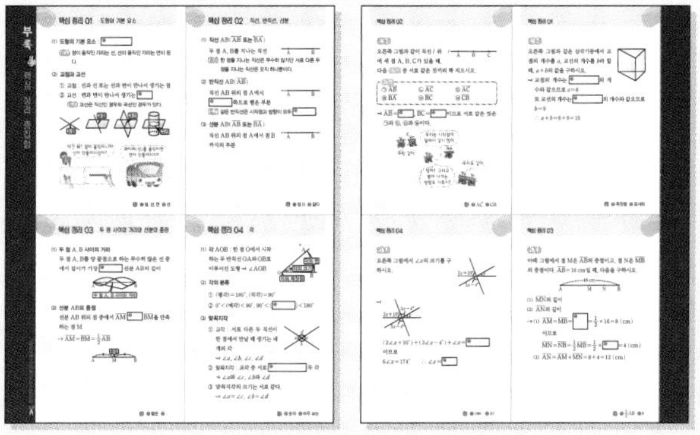

핵심 정리 총집합 카드를 휴대하며 이동하는 중이나 시험 직전에 활용해 보세요.

차례

1일 점, 선, 면, 각

이것 봐! 점이 움직이니까
선이 만들어지잖아!
와이퍼(선)를 움직이면
면이 만들어지지?
같은 것끼리 짝을
지어 봅시다.
AB
BA
AB
BA
AB
BA
$\overrightarrow{AB}$ A B
$\overrightarrow{BA}$ A B
$\therefore \overrightarrow{AB} \neq \overrightarrow{BA}$
우리는 시작점이
달라서 안돼.
맞아! 그리고 뻗어
나가는 방향도 다르지!
평각은 180°
평각의 $\frac{1}{2}$, 즉 90°
0°보다 크고
90°보다 작은 각
90°보다 크고
180°보다 작은 각

공부할 내용

❶ 점, 선, 면, 직선, 반직선, 선분
❷ 두 점 사이의 거리와 선분의 중점
❸ 각
❹ 직교, 수직이등분선, 수선의 발

다음 그림에서 ∠a와 ∠c, ∠b와 ∠d는 서로 마주 보고 있으니까 맞꼭지각 아닌가요?
a
b
c
d
∠a와 ∠c, ∠b와 ∠d는 두 직선이 만나서 생기는 교각이 아니므로 맞꼭지각이 아니다.
그럼 다음 그림에서 ∠AOB=∠COD=60°이므로 ∠AOB와 ∠COD는 맞꼭지각 아닌가요?
A
B
C
D
O
60°
60°
∠AOB와 ∠COD는 두 직선이 만나서 생기는 교각이 아니므로 맞꼭지각이 아니다.

이것만은 꼭꼭!

(1) 다음 도형을 기호로 나타내시오.

① 
P
Q
→ ❶ ☐

② 

→ ❷ ☐

(2) 오른쪽 그림에서 ∠AOC=90°일 때, 다음 각을 예각, 직각, 평각, 둔각으로 분류하시오.

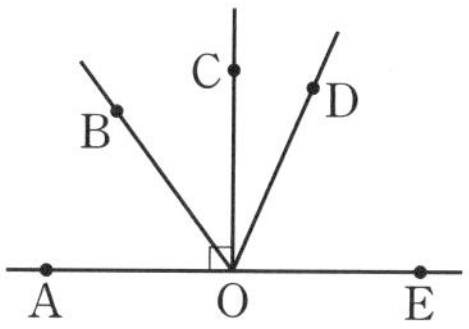

	∠AOB	∠AOC	∠AOE	∠BOE
각의 분류	❸ ☐	직각	평각	❹ ☐

답 ❶ $\overleftrightarrow{PQ}$ ❷ $\overrightarrow{BA}$ ❸ 예각 ❹ 둔각

1일 교과서 **핵심 정리 1**

핵심 1 도형의 기본 요소

(1) 도형의 기본 요소는 ❶ [　　　　] 이고, 점이 움직인 자리는 선, 선이 움직인 자리는 면이 된다.

(2) 선과 선 또는 선과 면이 만나서 생기는 점을 ❷ [　　　　], 면과 면이 만나서 생기는 선을 ❸ [　　　　] 이라 한다.

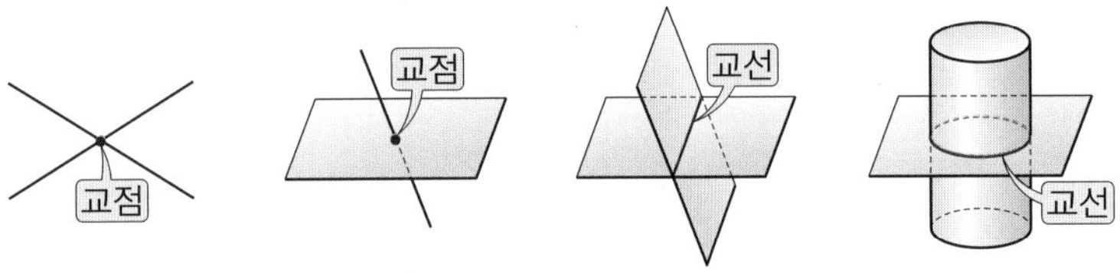

참고 교선은 직선인 경우와 곡선인 경우가 있다.

핵심 2 직선, 반직선, 선분

(1) **직선** AB($\overleftrightarrow{AB}$ **또는** ❹ [　　　　]) : 두 점 A, B를 지나는 직선

참고 한 점을 지나는 직선은 무수히 많지만 서로 다른 두 점을 지나는 직선은 오직 하나뿐이다.

(2) **반직선** AB($\overrightarrow{AB}$) : 직선 AB 위의 점 A에서 ❺ [　　　　] 쪽으로 뻗은 부분

참고 같은 반직선은 시작점과 방향이 모두 같다.

(3) **선분** AB(❻ [　　　　] **또는** $\overline{BA}$) : 직선 AB 위의 점 A에서 점 B까지의 부분

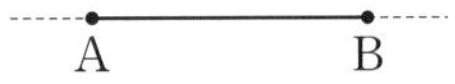

참고 $\overline{AB}$는 선분 AB의 길이를 나타내기도 한다.

핵심 3 두 점 사이의 거리와 선분의 중점

(1) **두 점 A, B 사이의 거리** : 두 점 A, B를 양 끝점으로 하는 무수히 많은 선 중에서 길이가 가장 ❼ [　　　　] 선분 AB의 길이를 두 점 A, B 사이의 거리라 한다.

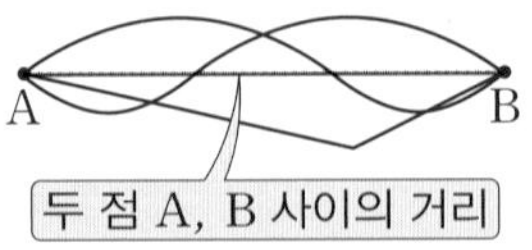

(2) **선분 AB의 중점** : 선분 AB 위의 한 점 M에 대하여 $\overline{AM}=\overline{BM}$일 때, 점 M을 선분 AB의 ❽ [　　　　] 이라 한다.

→ $\overline{AM}=\overline{BM}=\frac{1}{2}\overline{AB}$

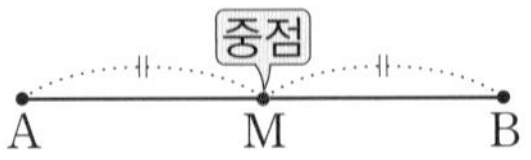

❶ 점, 선, 면
❷ 교점
❸ 교선
❹ $\overleftrightarrow{BA}$
❺ 점 B
❻ $\overline{AB}$
❼ 짧은
❽ 중점

정답과 풀이 2쪽

1 다음은 학생들이 도형의 기본 요소에 대해 나눈 대화이다. 잘못 말한 학생을 고르시오.

모든 도형은 점, 선, 면으로 이루어져 있어.
하랑
맞아. 그리고 점이 움직인 자리는 선이 돼.
아랑
선이 움직인 자리는 면이 되지.
다랑
그럼 이렇게도 생각할 수 있겠네? 점은 무수히 많은 선으로, 선은 무수히 많은 면으로 이루어져 있다고 말이야!
나랑

2 오른쪽 그림과 같은 삼각뿔에서 교점의 개수와 교선의 개수를 각각 구하시오.

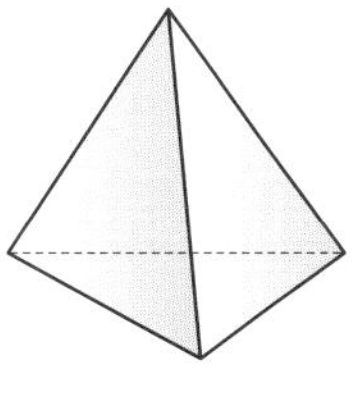

3 아래 그림과 같이 직선 l 위에 세 점 A, B, C가 있을 때, 다음 중 옳지 <u>않은</u> 것은?

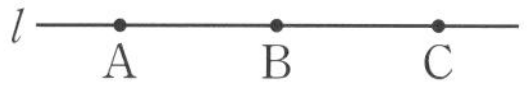

① $\overleftrightarrow{AB}=\overleftrightarrow{BC}$ ② $\overrightarrow{AB}=\overrightarrow{AC}$ ③ $\overrightarrow{CA}=\overrightarrow{BA}$
④ $\overleftrightarrow{AC}=\overleftrightarrow{CA}$ ⑤ $\overline{AB}=\overline{BA}$

4 다음 그림에서 점 B는 $\overline{AC}$의 중점이고, 점 C는 $\overline{BD}$의 중점이다. $\overline{AC}=4$ cm일 때, $\overline{AD}$의 길이를 구하시오.

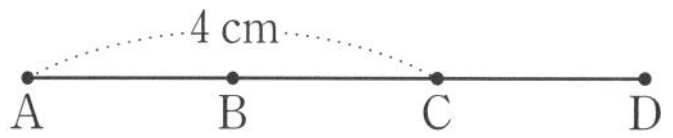

5 다음 그림에서 두 점 M, N은 각각 $\overline{PQ}$, $\overline{QR}$의 중점이다. $\overline{MN}=6$ cm일 때, $\overline{PR}$의 길이는?

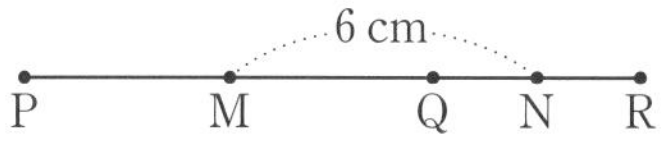

① 10 cm ② 12 cm ③ 14 cm
④ 16 cm ⑤ 18 cm

핵심 4 각

(1) **각 AOB** : 한 점 O에서 시작하는 두 반직선 OA와 OB로 이루어진 도형을 각 AOB라 하고, 기호로 ❶ ______ 와 같이 나타낸다.

참고 ∠AOB는 ∠BOA, ∠O, ∠a와 같이 나타내기도 한다.

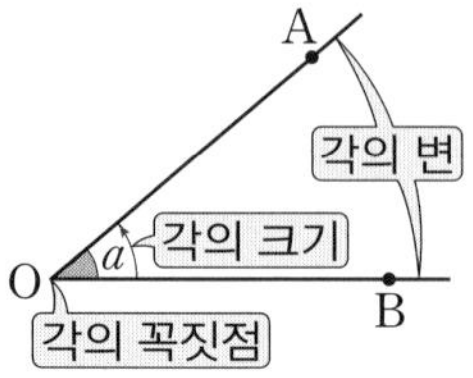

(2) **각의 분류**

① (평각)= ❷ ______ , (직각)=90°

② 0°<(❸ ______)<90°, 90°<(둔각)<180°

(3) **맞꼭지각**

① 교각 : 서로 다른 두 직선이 한 점에서 만날 때 생기는 네 개의 각 ➞ ∠a, ∠b, ∠c, ∠d

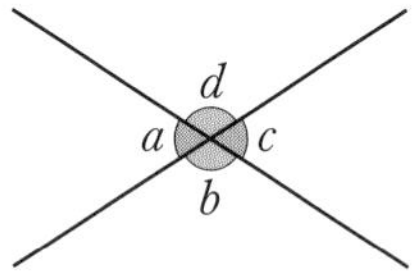

② 맞꼭지각 : 교각 중 서로 ❹ ______ 두 각
➞ ∠a와 ∠c, ∠b와 ∠d

③ 맞꼭지각의 성질 : 맞꼭지각의 크기는 서로 ❺ ______ .
➞ ∠a=∠c, ∠b=∠d

핵심 5 직교, 수직이등분선, 수선의 발

(1) **직교** : 두 직선 AB와 CD의 교각이 직각일 때, 두 직선은 서로 ❻ ______ 한다고 한다. ➞ $\overleftrightarrow{AB}$ ❼ ______ $\overleftrightarrow{CD}$

참고 두 직선 AB와 CD는 서로 수직이고, 한 직선은 다른 직선에 대한 수선이다.

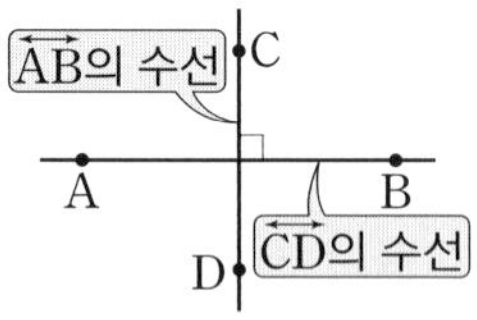

(2) **수직이등분선** : 선분 AB의 중점 M을 지나고 이 선분에 수직인 직선 l을 선분 AB의 ❽ ______ 이라 한다.
➞ $\overline{AM}=\overline{BM}$, $\overline{AB}\perp l$

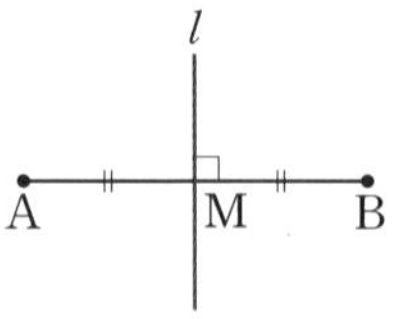

(3) **수선의 발** : 직선 l 위에 있지 않은 점 P에서 직선 l에 수선을 그었을 때, 그 교점 H를 점 P에서 직선 l에 내린 ❾ ______ 이라 한다. 이때 점 P와 직선 l 위의 점을 이은 선분 중에서 길이가 가장 짧은 선분인 $\overline{PH}$의 길이를 점 P와 직선 l 사이의 거리라 한다.

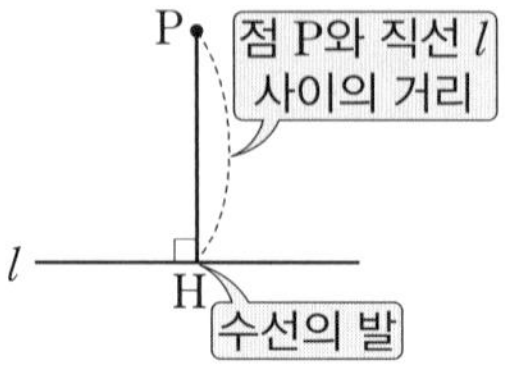

❶ ∠AOB
❷ 180°
❸ 예각
❹ 마주 보는
❺ 같다
❻ 직교
❼ ⊥
❽ 수직이등분선
❾ 수선의 발

6 다음 그림과 같이 폭탄과 스위치가 전선들로 연결되어 있다. 오른쪽 그림과 같은 각을 올바른 기호로 나타낸 전선을 모두 자르면 폭탄이 터지지 않는다고 할 때, 잘라야 하는 전선을 모두 고르시오.

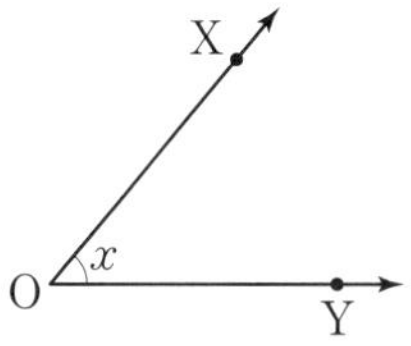

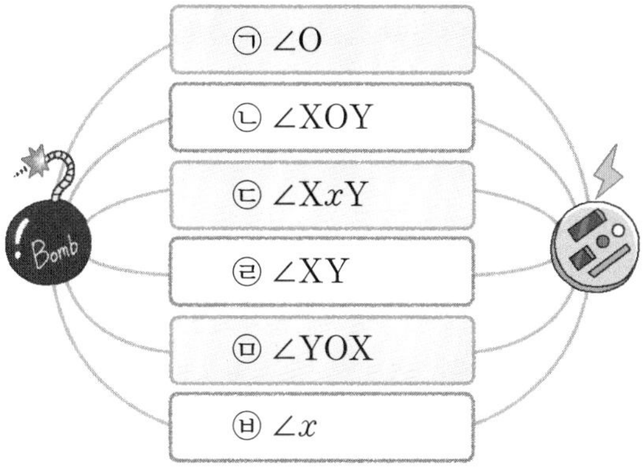

7 오른쪽 그림에서 ∠AOE는 평각일 때, 다음 중 둔각은?

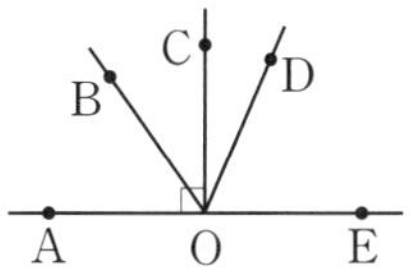

① ∠AOB ② ∠AOD
③ ∠BOC ④ ∠COE
⑤ ∠DOE

8 오른쪽 그림과 같이 $\overleftrightarrow{AB}$와 $\overleftrightarrow{CD}$가 한 점 O에서 만날 때, ∠AOD의 맞꼭지각은?

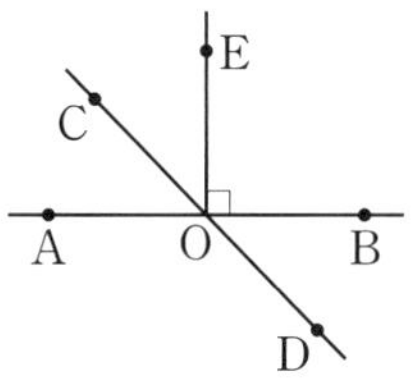

① ∠AOC ② ∠BOC
③ ∠BOE ④ ∠COE
⑤ ∠DOE

9 오른쪽 그림에서 두 직선 AB와 CD가 서로 수직일 때, 다음 중 옳지 않은 것은?

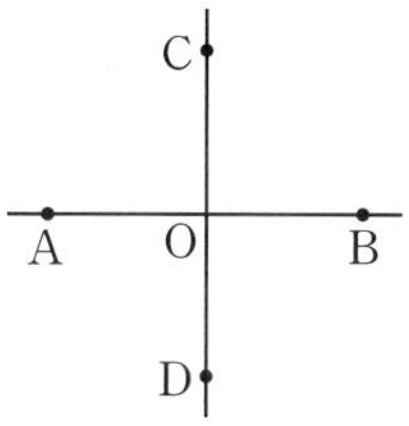

① $\overleftrightarrow{AB} \perp \overleftrightarrow{CD}$
② $\angle AOC = 90^{\circ}$
③ $\overleftrightarrow{AB}$는 $\overleftrightarrow{CD}$의 수선이다.
④ 점 C와 $\overleftrightarrow{AB}$ 사이의 거리는 $\overline{AC}$의 길이와 같다.
⑤ 점 A에서 $\overleftrightarrow{CD}$에 내린 수선의 발은 점 O이다.

10 다음 중 오른쪽 그림과 같은 직사각형 ABCD에 대한 설명으로 옳지 않은 것을 모두 고르면? (정답 2개)

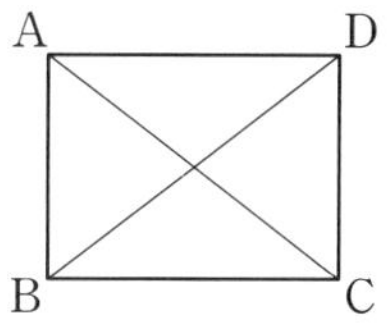

① $\overline{AB} \perp \overline{BC}$
② $\overline{BC} \perp \overline{DC}$
③ $\overline{AD}$의 수선은 오직 $\overline{AB}$뿐이다.
④ 점 C는 점 D에서 $\overline{BC}$에 내린 수선의 발이다.
⑤ 점 B와 $\overline{CD}$ 사이의 거리를 나타내는 선분은 $\overline{BD}$이다.

1일 교과서 기출 베스트 1회

대표 예제 1

오른쪽 그림과 같은 입체도형에서 교점의 개수를 a, 교선의 개수를 b라 할 때, $a+b$의 값을 구하시오.

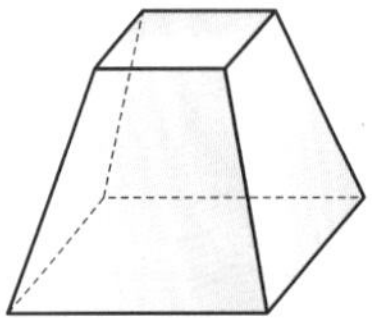

개념 가이드

입체도형에서

(1) (교점의 개수)=(① ☐의 개수)

(2) (교선의 개수)=(② ☐의 개수)

답 ① 꼭짓점 ② 모서리

대표 예제 2

아래 그림과 같이 직선 l 위에 네 점 A, B, C, D가 있을 때, 다음 중 옳지 않은 것은?

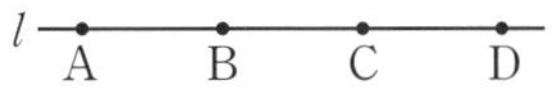

① $\overleftrightarrow{AB}=\overleftrightarrow{AC}$ ② $\overline{AC}=\overline{CA}$ ③ $\overleftrightarrow{BC}=\overleftrightarrow{AD}$
④ $\overline{AC}=\overline{AD}$ ⑤ $\overrightarrow{BD}=\overrightarrow{BC}$

개념 가이드

직선 AB	① ☐	A B	$\overleftrightarrow{AB}=\overleftrightarrow{BA}$
반직선 AB	$\overrightarrow{AB}$	A B	$\overrightarrow{AB}\neq\overrightarrow{BA}$
선분 AB	$\overline{AB}$	A B	$\overline{AB}=$ ② ☐

답 ① $\overleftrightarrow{AB}$ ② $\overline{BA}$

대표 예제 3

오른쪽 그림과 같이 직선 l 위에 세 점 A, B, C가 있다. 이 중 두 점을 골라 만들 수 있는 서로 다른 직선의 개수를 a, 서로 다른 반직선의 개수를 b, 서로 다른 선분의 개수를 c라 할 때, $a+b+c$의 값을 구하시오.

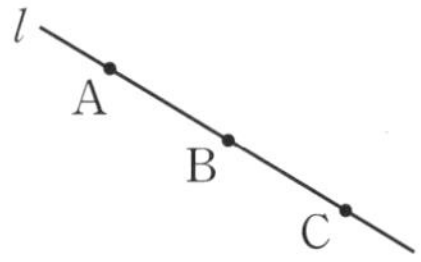

개념 가이드

(1) $\overleftrightarrow{AB}=\overleftrightarrow{BA}$, $\overrightarrow{AB}$ ① ☐ $\overrightarrow{BA}$, $\overline{AB}=\overline{BA}$임에 주의한다.

(2) 한 직선 위에 있는 점들로 만들 수 있는 직선은 오직 ② ☐뿐이다.

답 ① ≠ ② 하나

대표 예제 4

다음 그림에서 점 M은 $\overline{AB}$의 중점이고, 점 N은 $\overline{MB}$의 중점이다. $\overline{MN}=3$ cm일 때, $\overline{AN}$의 길이를 구하시오.

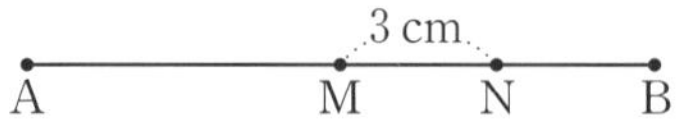

개념 가이드

점 M은 $\overline{AB}$의 중점이고 점 N은 $\overline{MB}$의 중점일 때,

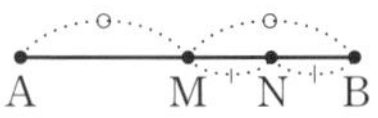

$\overline{AB}=$ ① ☐ $\overline{MB}$, $\overline{MB}=$ ② ☐ $\overline{MN}$

답 ① 2 ② 2

대표 예제 5

오른쪽 그림에서 ∠AOB가 평각일 때, ∠COD의 크기를 구하시오.

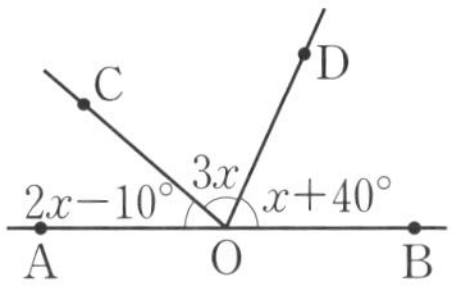

개념 가이드

평각의 크기는 ① ______ 이므로
∠AOC+∠COD+∠DOB= ② ______

답 ① 180° ② 180°

대표 예제 6

오른쪽 그림은 체조 선수가 뜀틀을 넘는 모습이다. ∠ABE는 평각이고 ∠ABD=30°, ∠DBC$=\frac{1}{5}$∠DBE일 때, ∠DBC의 크기를 구하시오.

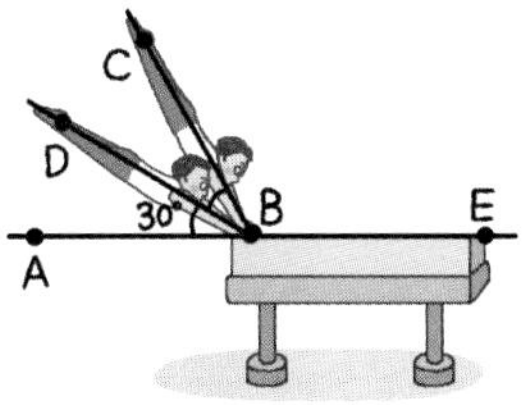

개념 가이드

평각의 크기는 ① ______ 임을 이용한다.

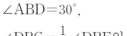

답 ① 180°

대표 예제 7

오른쪽 그림과 같이 세 직선이 한 점에서 만날 때, $\angle x$의 크기를 구하시오.

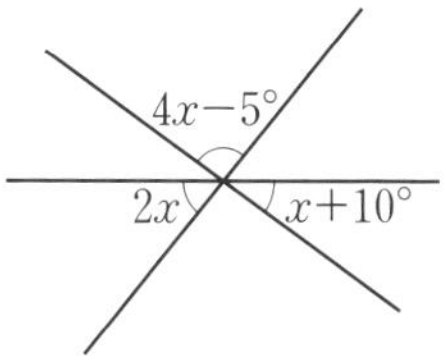

개념 가이드

① ______ 의 크기는 서로 같으므로
$\angle a+\angle b+\angle c=$ ② ______

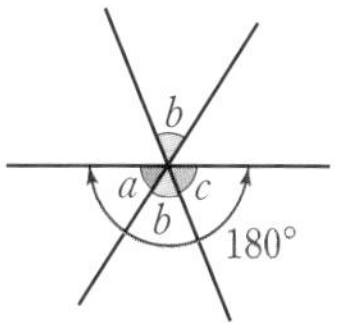

답 ① 맞꼭지각 ② 180°

대표 예제 8

다음 중 오른쪽 그림과 같은 삼각형 ABC에 대한 설명으로 옳지 않은 것은?

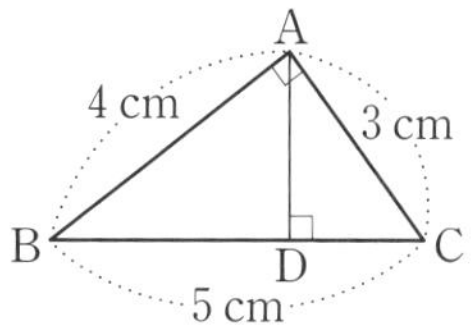

① $\overline{AB}$는 $\overline{AC}$의 수선이다.
② ∠ADB=∠BAC=90°
③ 점 C와 $\overline{AB}$ 사이의 거리는 5 cm이다.
④ 점 B와 $\overline{AC}$ 사이의 거리는 4 cm이다.
⑤ 점 A에서 $\overline{BC}$에 내린 수선의 발은 점 D이다.

개념 가이드

오른쪽 그림에서
(1) $l\perp\overline{PH}$
(2) 점 P에서 직선 l에 내린 수선의 발
→ 점 ① ______
(3) 점 P와 직선 l 사이의 거리 → ② ______ 의 길이

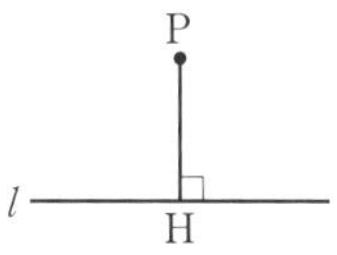

답 ① H ② $\overline{PH}$

교과서 기출 베스트 2회

1 오른쪽 그림과 같은 입체도형에서 면의 개수를 a, 교점의 개수를 b, 교선의 개수를 c라 할 때, $a+b-c$의 값을 구하시오.

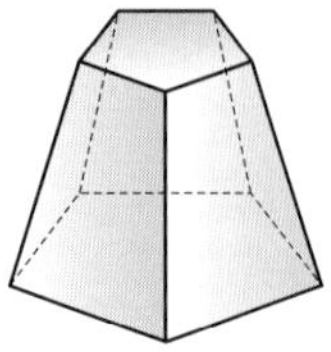

2 오른쪽 그림과 같이 직선 l 위에 세 점 A, B, C가 있을 때, 다음 중 $\overrightarrow{AC}$와 같은 것은?

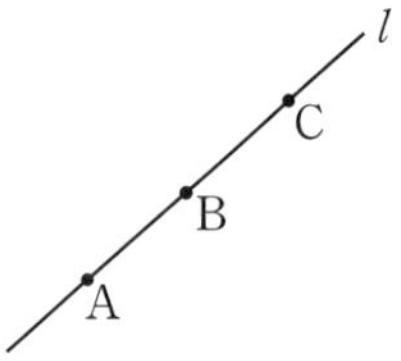

① $\overleftrightarrow{BA}$ ② $\overline{AC}$
③ $\overrightarrow{AB}$ ④ $\overleftrightarrow{AC}$
⑤ $\overrightarrow{CA}$

3 오른쪽 그림과 같이 직선 l 위에 세 점 A, B, C가 있고, 직선 l 밖에 한 점 P가 있다. 이 중 두 점을 이어서 만들 수 있는 서로 다른 반직선의 개수를 구하시오.

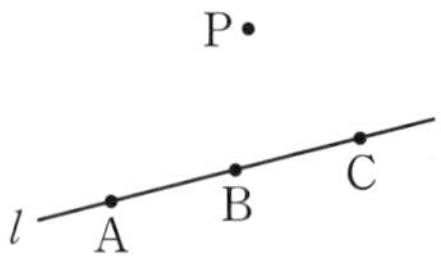

4 다음 그림에서 두 점 M, N은 각각 $\overline{AB}$, $\overline{BC}$의 중점이다. $\overline{AC}=24$ cm일 때, $\overline{MN}$의 길이는?

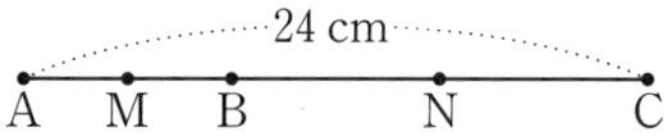

① 10 cm ② 11 cm ③ 12 cm
④ 13 cm ⑤ 14 cm

5 오른쪽 그림에서 ∠AOB가 평각일 때, $\angle x$의 크기는?

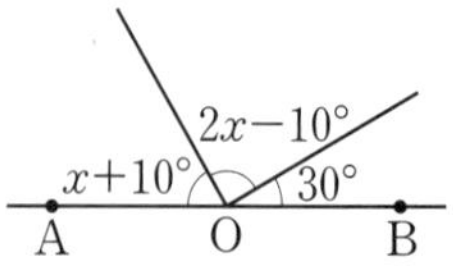

① 40° ② 45°
③ 50° ④ 55°
⑤ 60°

6 오른쪽 그림에서 $\angle AOB$는 평각이고 $\overleftrightarrow{AB} \perp \overrightarrow{OC}$이다. $\angle AOC = 5\angle COD$, $\angle EOB = 2\angle DOE$일 때, $\angle DOE$의 크기는?

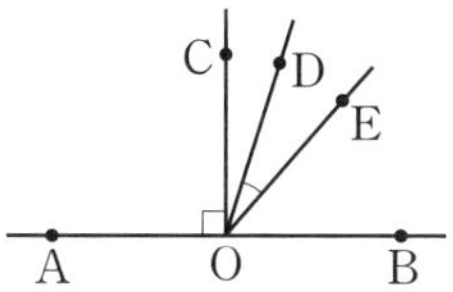

① 16° ② 18° ③ 20°
④ 22° ⑤ 24°

7 다음은 펜싱 경기 중인 두 선수의 모습이다. 두 개의 펜싱 칼이 한 점에서 만날 때, $\angle x$의 크기를 구하시오. (단, 펜싱 칼은 직선이고, 두께는 무시한다.)

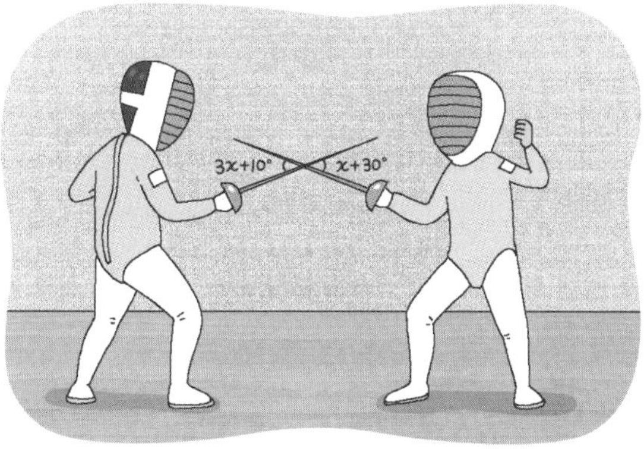

8 오른쪽 그림과 같이 세 직선이 한 점에서 만날 때, $\angle x$의 크기는?

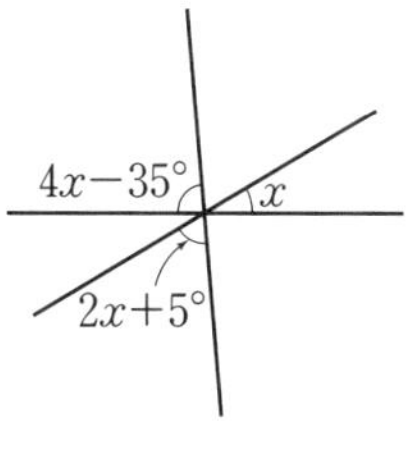

① 30° ② 35°
③ 40° ④ 45°
⑤ 50°

9 아래 그림과 같이 직선으로 나 있는 해안 도로와 섬의 P지점을 잇는 가장 짧은 다리를 만들려고 한다. 다음 중 옳은 것은? (단, 세 점 A, H, B는 해안 도로 위의 점으로 한 직선 위에 있다.)

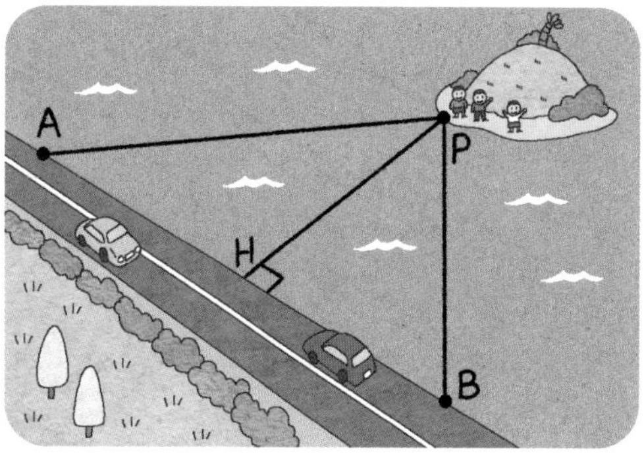

① $\overline{PH}$는 $\overline{AB}$의 수직이등분선이다.
② $\overline{PH}$의 길이와 $\overline{HB}$의 길이는 서로 같다.
③ 점 H는 점 P에서 해안 도로에 그은 수선이다.
④ 점 P와 해안 도로를 잇는 가장 짧은 다리의 길이는 $\overline{PH}$의 길이와 같다.
⑤ 점 A와 $\overline{PH}$ 사이의 거리는 $\overline{AP}$의 길이와 같다.

10 다음 중 오른쪽 그림과 같은 사다리꼴 ABCD에 대한 설명으로 옳지 않은 것은?

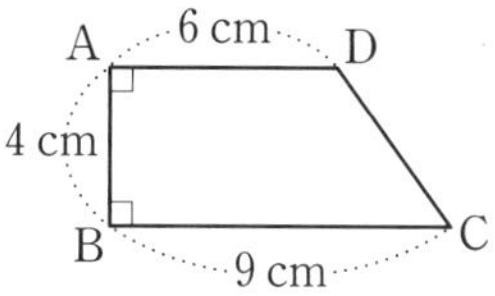

① 평행한 두 변 사이의 거리는 4 cm이다.
② $\angle C = 53°$이면 $\angle D = 127°$이다.
③ 변 BC와 수직인 변은 변 AB이다.
④ 점 C와 변 AB 사이의 거리는 9 cm이다.
⑤ 점 C에서 변 AB에 내린 수선의 발은 점 A이다.

2일 위치 관계와 평행선의 성질

공부할 내용

❶ 위치 관계
❷ 동위각과 엇각
❸ 평행선의 성질
❹ 두 직선이 평행할 조건

이것만은 꼭꼭!

(1) 평행사변형 ABCD의 변 AB는 변 ❶ ☐ 와 평행하고, 변 BC는 변 ❷ ☐ 와 평행하다. 또 변 AB와 변 BC는 점 ❸ ☐ 에서 만난다.

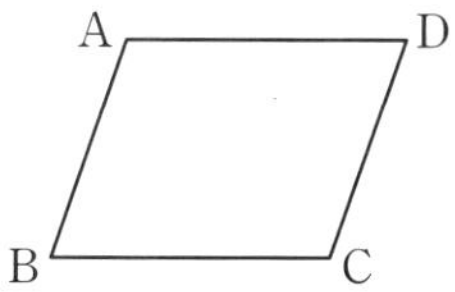

(2) 오른쪽 그림과 같이 두 직선 AB, CD가 직선 EF와 두 점 P, Q에서 만날 때, ∠EPB의 동위각은 ❹ ☐ 이다. 또 ∠PQC의 엇각은 ❺ ☐ 이다.

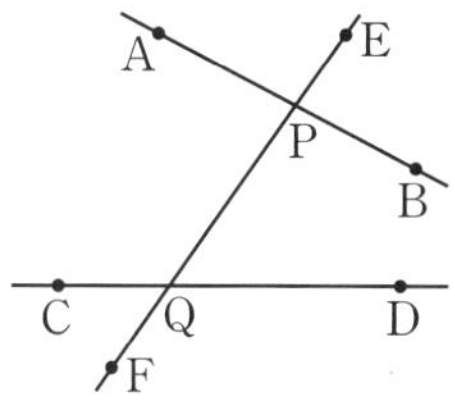

답 ❶ DC ❷ AD ❸ B ❹ ∠PQD ❺ ∠BPQ

교과서 핵심 정리 ❶

핵심 1 위치 관계

위치 관계

(1) 점과 직선의 위치 관계

① 점 P가 직선 l 위에 ❶ [ ].

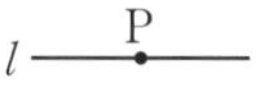

② 점 P가 직선 l 위에 있지 않다.

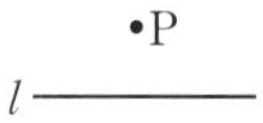

평면

(2) 한 평면에서 두 직선의 위치 관계

① 한 ❹ [ ]에서 만난다.

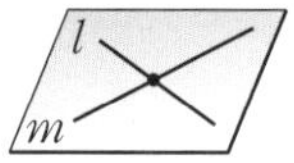

② ❺ [ ]하다. → 만나지 않는다.

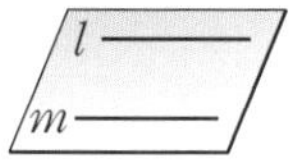

③ 일치한다.

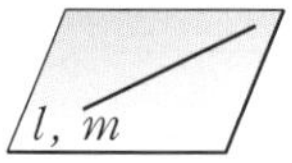

공간

(3) 공간에서 두 직선의 위치 관계

① 한 점에서 만난다.

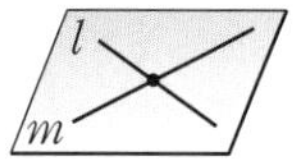

② 평행하다.

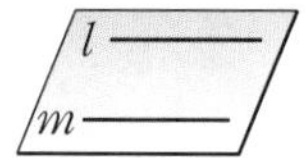

③ ❷ [ ]한다.

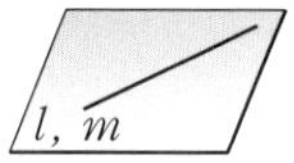

④ ❸ [ ]에 있다. ← 두 직선이 한 평면 위에 있지 않다.

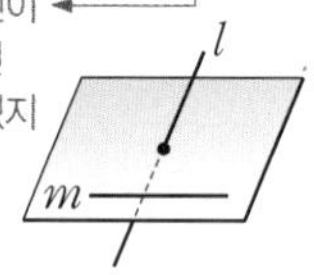

(4) 공간에서 직선과 평면의 위치 관계

① 한 점에서 만난다.

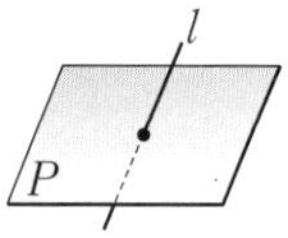

② 평행하다.

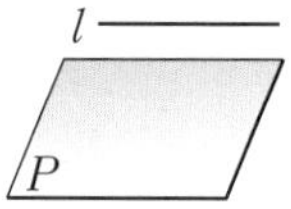

③ 직선이 평면에 ❻ [ ]된다.

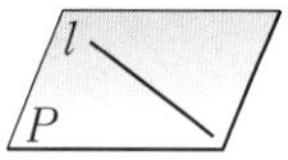

(5) 공간에서 두 평면의 위치 관계

① 한 직선에서 만난다.

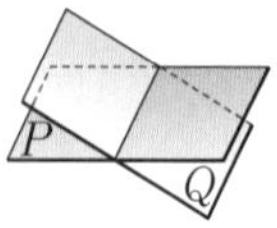

② ❼ [ ]하다.

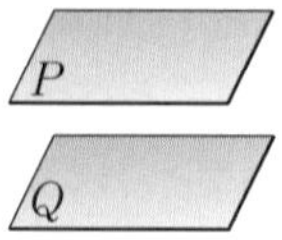

③ ❽ [ ]한다.

두 직선 l, m이
수직 → $l \perp m$
평행 → $l /\!/ m$

❶ 있다
❷ 일치
❸ 꼬인 위치
❹ 점
❺ 평행
❻ 포함
❼ 평행
❽ 일치

시험지 속 개념 문제

정답과 풀이 4쪽

1 다음은 동요 '구슬비'의 악보의 일부이다. 음표 머리를 점으로 보았을 때, 직선 l 위에 있는 점에 해당하는 글자를 차례대로 말하시오.

권오순 작사, 안병원 작곡

송알송알 싸리잎에 은 구 슬

2 다음 중 오른쪽 그림에 대한 설명으로 옳은 것은?

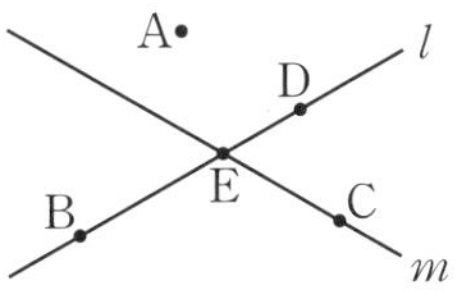

① 점 A는 직선 l 위에 있다.
② 점 B는 직선 l 위에 있지 않다.
③ 점 C는 직선 l 위에 있지 않다.
④ 두 직선 l과 m은 평행하다.
⑤ 점 D는 두 직선 l, m의 교점이다.

3 다음은 공간에서 서로 다른 두 직선의 위치 관계에 대한 학생들의 대화이다. 잘못 말한 학생을 모두 고르시오.

4 오른쪽 그림과 같은 직육면체에 대하여 다음을 모두 구하시오.

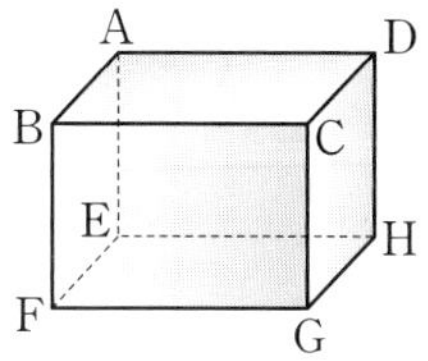

(1) 모서리 CD와 꼬인 위치에 있는 모서리

(2) 모서리 EH와 평행한 모서리

(3) 모서리 CD와 꼬인 위치에 있으면서 모서리 EH와 평행한 모서리

꼬인 위치에 있다는 것은 만나지도 않고 평행하지도 않다는 뜻이야.

5 오른쪽 그림과 같은 정육면체에서 면 ABCD와 평행한 면의 개수를 a, 수직인 모서리의 개수를 b라 할 때, $a+b$의 값을 구하시오.

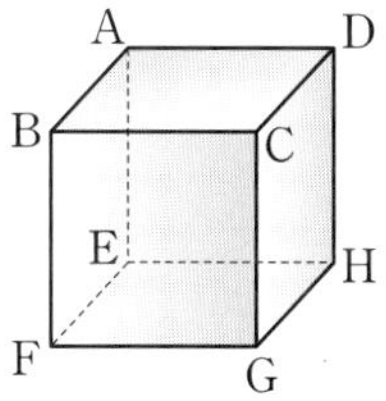

2일 교과서 **핵심 정리 ②**

핵심 2 동위각과 엇각

한 평면 위에서 서로 다른 두 직선 l, m이 다른 한 직선 n과 만날 때 생기는 8개의 교각 중에서

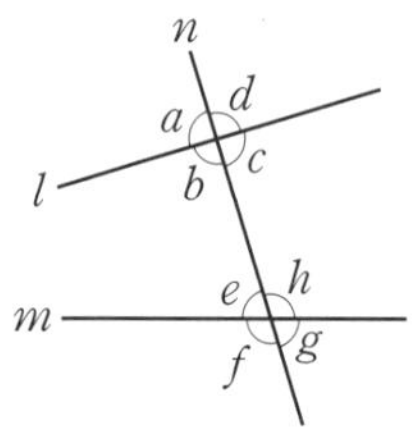

(1) **동위각** : ❶ [　　] 쪽에 위치한 두 각

➡ $\angle a$와 $\angle e$, $\angle b$와 $\angle f$, $\angle c$와 ❷ [　　], $\angle d$와 $\angle h$

(2) **엇각** : ❸ [　　] 쪽에 위치한 두 각

➡ $\angle b$와 ❹ [　　], $\angle c$와 $\angle e$

❶ 같은
❷ $\angle g$
❸ 엇갈린
❹ $\angle h$

핵심 3 평행선의 성질

서로 다른 두 직선 l, m이 다른 한 직선 n과 만날 때

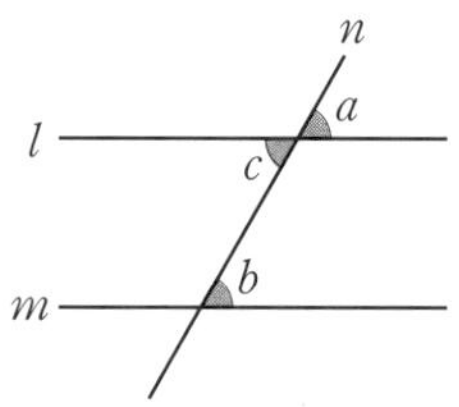

(1) 두 직선이 평행하면 동위각의 크기는 서로 같다.

➡ $l /\!/ m$이면 $\angle a=$ ❺ [　　]

(2) 두 직선이 평행하면 엇각의 크기는 서로 같다.

➡ $l /\!/ m$이면 $\angle b=$ ❻ [　　]

참고 다음 그림에서 $l /\!/ m$이면 $\angle x+\angle y=180^\circ$

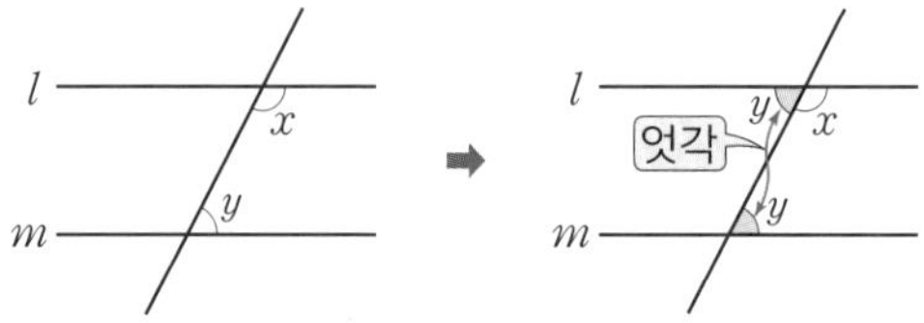

❺ $\angle b$
❻ $\angle c$

핵심 4 두 직선이 평행할 조건

서로 다른 두 직선 l, m이 다른 한 직선 n과 만날 때

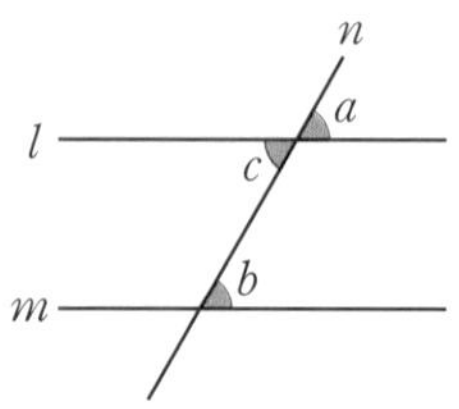

(1) 동위각의 크기가 서로 같으면 두 직선은 평행하다.

➡ $\angle a=\angle b$이면 ❼ [　　]

(2) 엇각의 크기가 서로 같으면 두 직선은 평행하다.

➡ $\angle b=\angle c$이면 ❽ [　　]

❼ $l /\!/ m$
❽ $l /\!/ m$

시험지 속 개념 문제

정답과 풀이 4쪽

6 오른쪽 그림과 같이 세 직선이 만날 때, 동위각끼리 짝 지어진 것을 모두 고르면? (정답 2개)

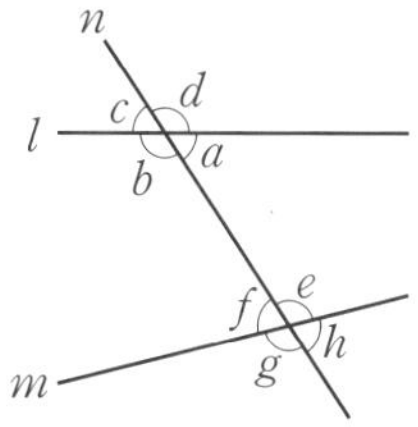

① $\angle a$와 $\angle f$

② $\angle b$와 $\angle g$

③ $\angle c$와 $\angle b$

④ $\angle d$와 $\angle h$

⑤ $\angle e$와 $\angle d$

7 다음 그림에서 $l \parallel m$일 때, $\angle x$의 크기를 구하시오.

(1)

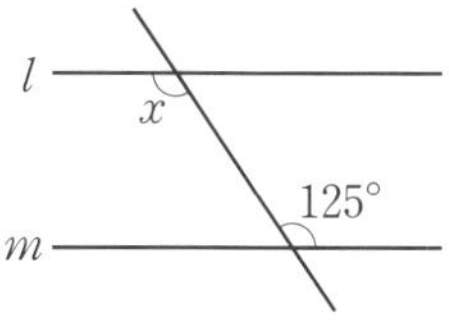

(2)

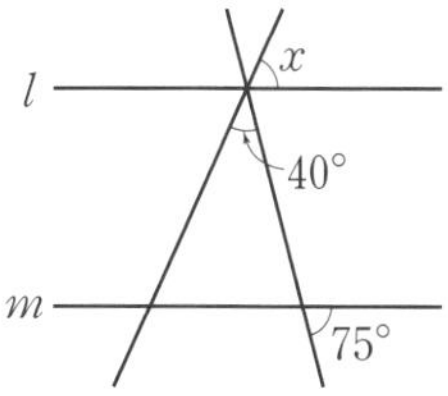

(3)

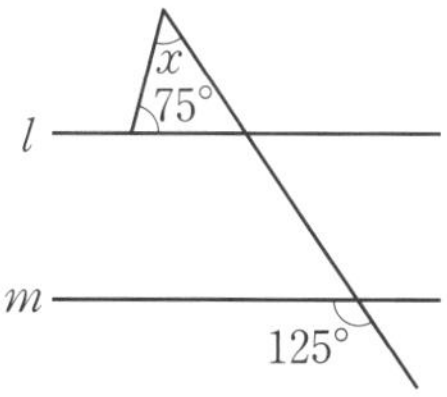

8 다음 그림에서 $l \parallel m$일 때, $\angle x$의 크기를 구하시오.

(1)

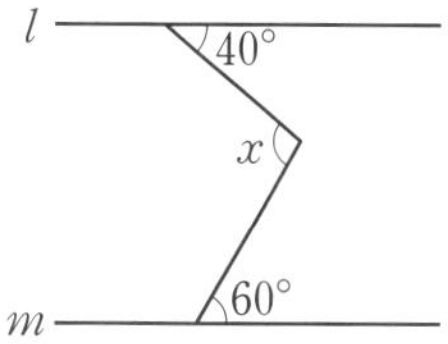

(2)

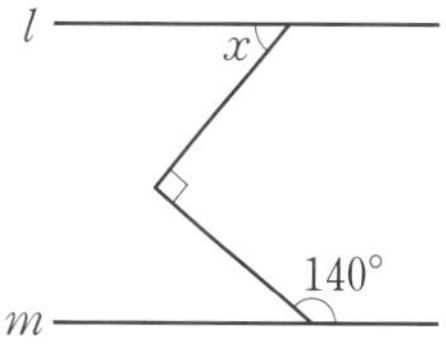

9 다음 중 두 직선 l, m이 서로 평행한 카드를 들고 있는 학생을 고르시오.

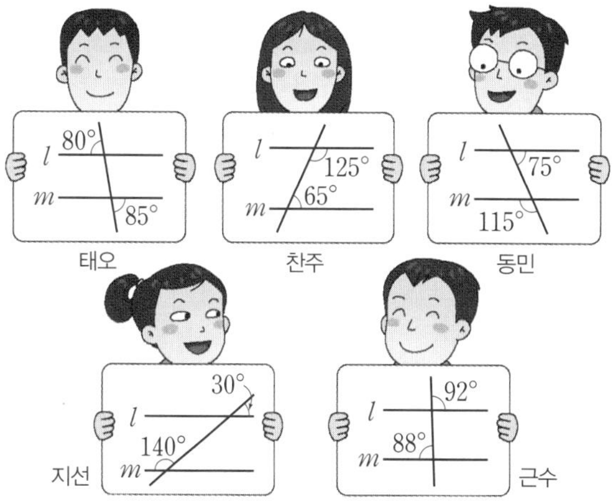

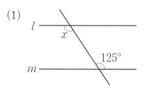

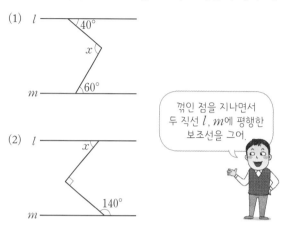

2일 교과서 기출 베스트 1회

대표 예제 1

다음 중 오른쪽 그림과 같은 사다리꼴 ABCD에 대한 설명으로 옳지 않은 것을 모두 고르면? (정답 2개)

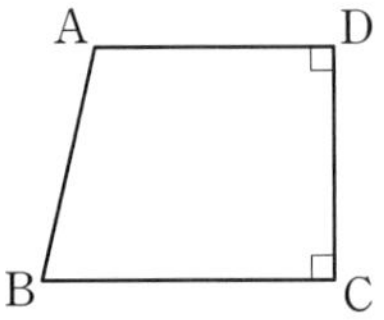

① 변 AB와 변 BC는 한 점에서 만난다.
② 변 AB와 변 DC는 서로 평행하다.
③ 변 AD와 변 BC는 서로 평행하다.
④ 변 AD와 변 DC는 한 점에서 만난다.
⑤ 변 BC와 변 DC는 일치한다.

개념 가이드

평면에서 두 직선의 위치 관계

한 점에서 만난다.	① ☐하다.	② ☐한다.
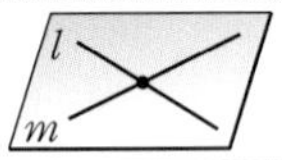	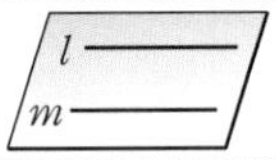	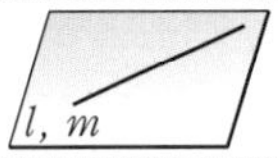

답 ① 평행 ② 일치

대표 예제 2

다음 중 오른쪽 그림과 같은 사각뿔에서 모서리 AB와의 위치 관계가 나머지 넷과 다른 하나는?

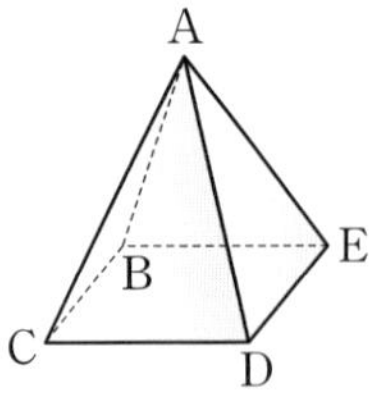

① $\overline{AC}$ ② $\overline{AD}$
③ $\overline{BC}$ ④ $\overline{BE}$
⑤ $\overline{CD}$

개념 가이드

공간에서 만나지 않는 두 직선이 ① ☐하지 않을 때, 두 직선을 ② ☐에 있다고 한다.

답 ① 평행 ② 꼬인 위치

대표 예제 3

다음 중 오른쪽 그림과 같은 삼각기둥에 대한 설명으로 옳은 것은?

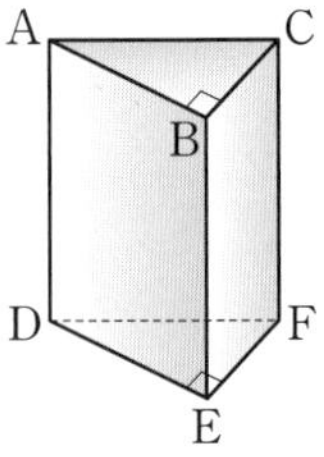

① 모서리 AB와 면 ADFC는 수직이다.
② 모서리 AC와 꼬인 위치에 있는 모서리는 2개이다.
③ 모서리 BE는 면 ADFC와 한 점에서 만난다.
④ 면 ADEB에 수직인 모서리는 4개이다.
⑤ 면 ABC와 평행한 모서리는 3개이다.

개념 가이드

공간에서 직선과 평면의 위치 관계

한 점에서 만난다.	① ☐하다.	직선이 평면에 ② ☐된다.
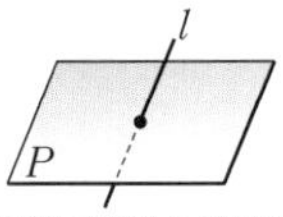	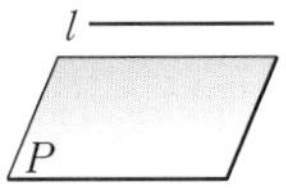	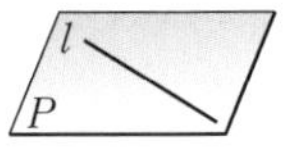

답 ① 평행 ② 포함

대표 예제 4

오른쪽 그림은 정육면체를 세 꼭짓점 B, F, C를 지나는 평면으로 잘라서 만든 입체도형이다. 면 DEFG와 평행한 모서리의 개수를 a, 모서리 AB와 꼬인 위치에 있는 모서리의 개수를 b라 할 때, $a+b$의 값을 구하시오.

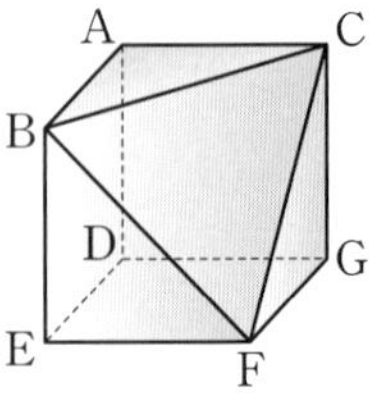

개념 가이드

입체도형에서 꼬인 위치에 있는 모서리를 쉽게 찾는 방법
→ ① ☐한 모서리와 한 점에서 만나는 모서리를 모두 제외한 나머지 ② ☐를 찾는다.

답 ① 평행 ② 모서리

대표 예제 5

오른쪽 그림에서 $\angle a$의 동위각과 $\angle b$의 엇각 및 그 크기를 차례대로 쓴 것은?

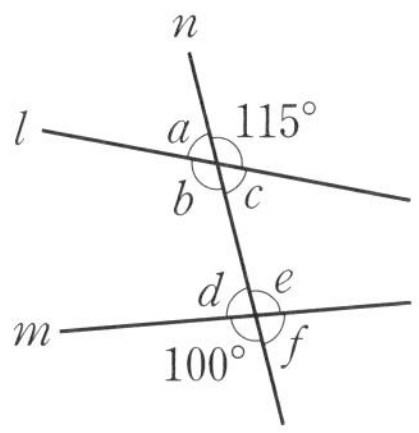

① $\angle b=115^\circ$, $\angle c=65^\circ$
② $\angle c=65^\circ$, $\angle d=80^\circ$
③ $\angle c=65^\circ$, $\angle e=100^\circ$
④ $\angle d=80^\circ$, $\angle f=80^\circ$
⑤ $\angle d=80^\circ$, $\angle e=100^\circ$

개념 가이드

한 평면 위의 서로 다른 두 직선이 다른 한 직선과 만날 때 생기는 8개의 교각 중에서

(1) 동위각 : ① [ ] 쪽에 위치한 두 각
(2) ② [ ] : 엇갈린 쪽에 위치한 두 각

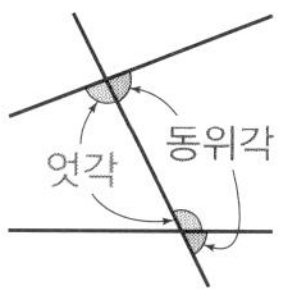

답 ① 같은 ② 엇각

대표 예제 7

오른쪽 그림에서 $l /\!/ m$일 때, $\angle x$의 크기를 구하시오.

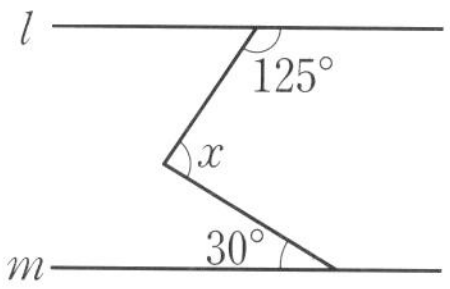

개념 가이드

❶ 꺾인 점을 지나면서 주어진 평행선과 ① [ ] 한 직선을 긋는다.
❷ 평행선에서 ② [ ] 의 크기는 각각 같음을 이용한다.

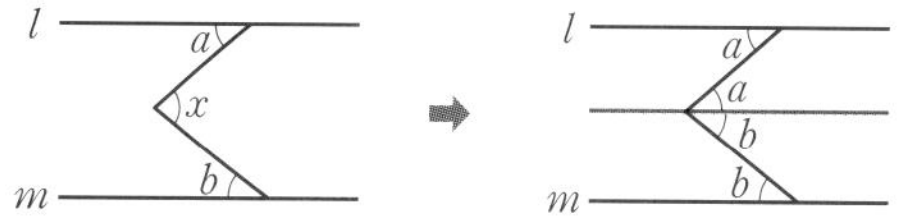

$l /\!/ m$이면 $\angle x=\angle a+\angle b$

답 ① 평행 ② 엇각

대표 예제 6

오른쪽 그림에서 $l /\!/ m$일 때, $\angle x$, $\angle y$의 크기를 각각 구하시오.

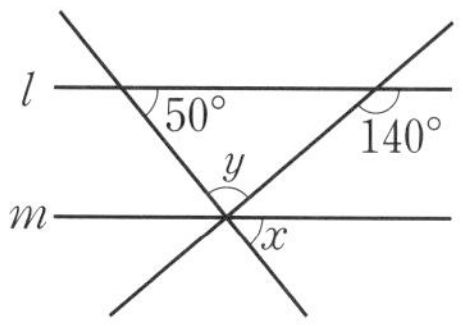

개념 가이드

서로 평행한 두 직선 l, m이 다른 한 직선 n과 만날 때

(1) 동위각의 크기는 서로 같다.
➡ $\angle a=$ ① [ ]

(2) 엇각의 크기는 서로 같다.
➡ $\angle b=$ ② [ ]

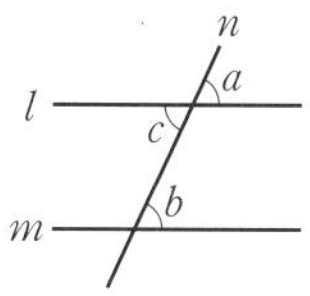

답 ① $\angle b$ ② $\angle c$

대표 예제 8

오른쪽 그림과 같이 직사각형 모양의 종이 테이프를 $\overline{EF}$를 접는 선으로 하여 접었더니 $\angle FGE=80^\circ$가 되었다. 이때 $\angle x$의 크기를 구하시오.

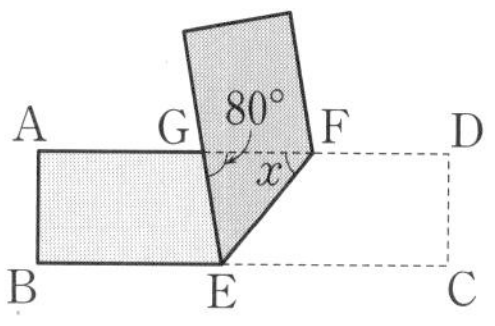

개념 가이드

직사각형 모양의 종이를 접으면 접은 각의 크기가 같고, ① [ ] 의 크기가 같으므로 접는 선을 밑변으로 하는 ② [ ] 이 생긴다.

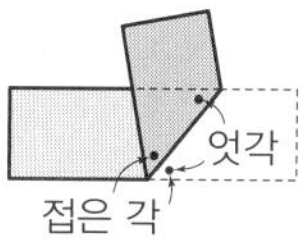

답 ① 엇각 ② 이등변삼각형

1 다음 대화에서 잘못 말한 학생을 찾고, 바르게 고치시오.

이 그림을 보고 점과 직선의 위치 관계에 대하여 한 가지씩 말해 보세요.
A
B
C
D
E
l
m
직선 m은 점 D를 지납니다.
점 A는 직선 l 위에 있지 않아요.
점 B는 두 직선 l, m 위에 있어요.
점 E는 직선 l 위에도 있지 않고, 직선 m 위에도 있지 않아요.
준석
채빈
지민
수혁

2 오른쪽 그림과 같은 직육면체에 대하여 다음 중 위치 관계가 나머지 넷과 다른 하나는?

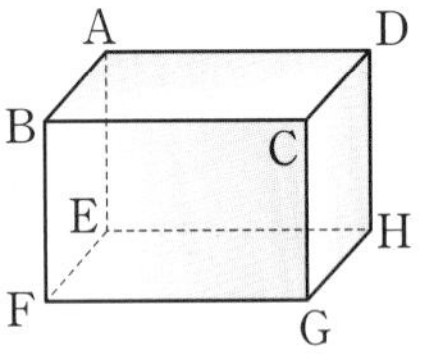

① $\overline{AD}$와 $\overline{CG}$ ② $\overline{AE}$와 $\overline{HG}$
③ $\overline{BF}$와 $\overline{EH}$ ④ $\overline{DH}$와 $\overline{EF}$
⑤ $\overline{EF}$와 $\overline{CD}$

3 다음 중 오른쪽 그림과 같은 직육면체에 대한 설명으로 옳지 않은 것은?

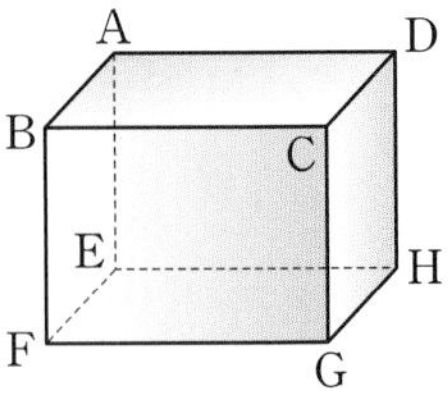

① 모서리 BC와 모서리 EH는 평행하다.
② 모서리 AB와 모서리 DH는 꼬인 위치에 있다.
③ 모서리 AB와 면 AEHD는 한 점에서 만난다.
④ 면 CGHD와 모서리 EF는 수직으로 만난다.
⑤ 면 ABCD와 면 BFGC는 수직으로 만난다.

4 오른쪽 그림은 정육면체를 세 꼭짓점 B, F, C를 지나는 평면으로 잘라서 만든 입체도형이다. 다음 중 옳은 것은?

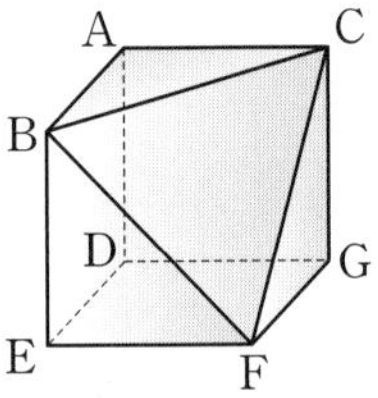

① 면 BEF와 만나는 면은 4개이다.
② 모서리 BF와 모서리 FG는 한 점에서 만난다.
③ 모서리 AB에 수직인 면은 1개이다.
④ 모서리 AD와 평행한 모서리는 1개이다.
⑤ 모서리 BE와 꼬인 위치에 있는 모서리는 3개이다.

5 오른쪽 그림과 같이 두 직선 l, m이 직선 n과 만나서 8개의 각이 생겼다. 이때 $\angle a$의 엇각과 $\angle b$의 동위각의 크기의 합을 구하시오.

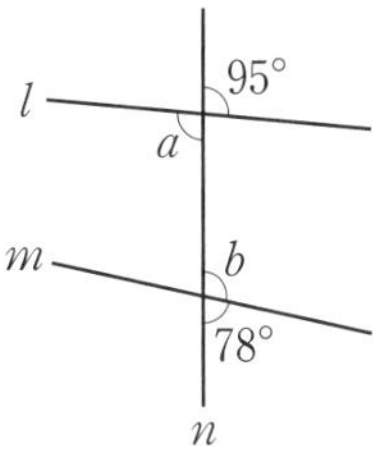

동위각은 같은 위치에 있는 각!
엇각은 엇갈린 위치에 있는 각!

6 오른쪽 그림에서 $l /\!/ m$일 때, $\angle y - \angle x$의 크기를 구하시오.

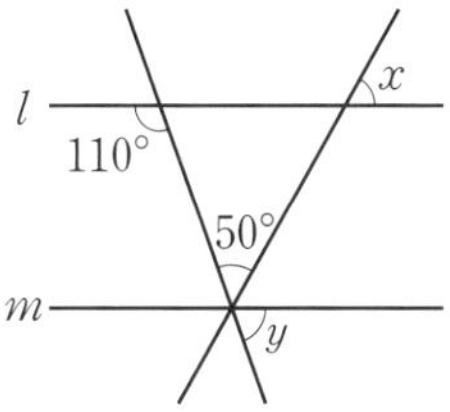

7 다음 중 두 직선 l, m이 서로 평행한 것은?

①
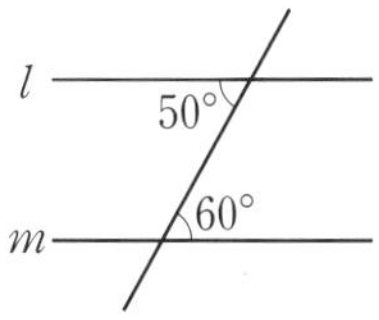

②
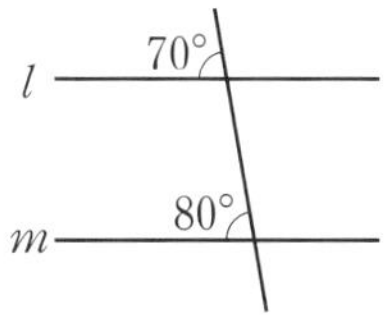

③
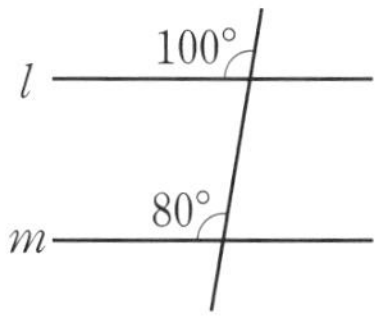

④
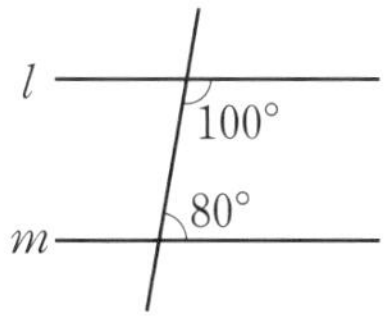

⑤
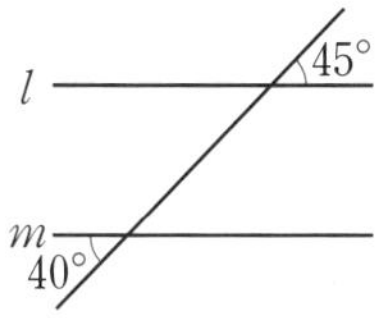

평행하면
동위각과 엇각의 크기가 같다.
동위각과 엇각의 크기가 같으면
평행하다.

8 오른쪽 그림에서 $l /\!/ m$일 때, $\angle x$의 크기는?

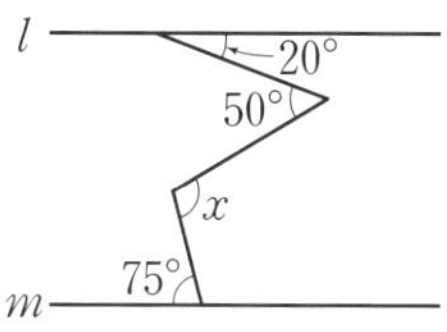

① 95°　　② 100°
③ 105°　　④ 110°
⑤ 115°

9 다음 그림과 같은 직사각형 모양의 종이를 $\overline{EG}$를 접는 선으로 하여 접었을 때, $\angle x$의 크기를 구하시오.

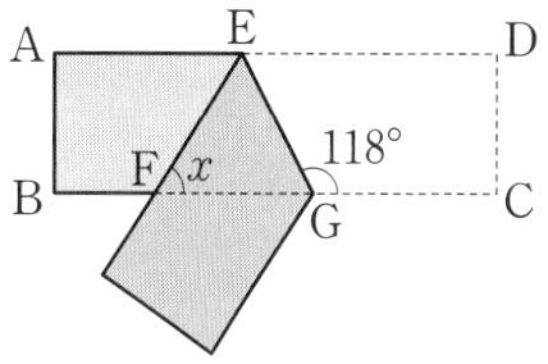

3일 작도와 합동

눈금 없는 자는 두 점을 연결하여 선분을 그리거나 주어진 선분을 연장할 수 있어.
작도에 사용되는 도구
또 컴퍼스는 원을 그리거나
너 3등신이야?
야!!
컴퍼스로 선분의 길이를 재어 다른 직선 위로 옮길 수 있지.
삼각형의 두 변의 길이의 합은 나머지 한 변의 길이보다 크다.
딩동댕♪
3cm
4cm
5cm
3+4>5
삐익!
3cm
?
2cm
6cm
삐익!
3cm
2cm
5cm

공부할 내용

❶ 간단한 도형의 작도
❷ 삼각형의 작도
❸ 도형의 합동
❹ 삼각형의 합동 조건

합동인 두 도형은 넓이가 서로 같죠?
물론이지! 합동인 두 도형은 모양과 크기가 같으므로 그 넓이는 서로 같지.
그럼, 반대로 넓이가 같은 두 도형은 합동이겠네요!
틀렸어! 많이 실수하는 부분이니까 예를 들어 설명해 줄게!
왼쪽의 두 삼각형을 봐! 넓이는 같지만 서로 합동이 아니야! 실수하지 않도록!
A
2cm
B
C
5cm
(넓이)=$\frac{1}{2}$×5×2=5(cm²)
D
2cm
E
F
5cm
(넓이)=$\frac{1}{2}$×5×2=5(cm²)

이것만은 꼭꼭!

(1) 오른쪽 그림의 △ABC에서 ∠A의 대변의 길이는 ❶[   ] cm이고, $\overline{AB}$의 대각의 크기는 ❷[   ]°이다.

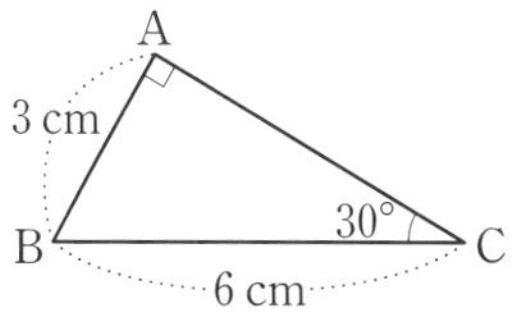

(2) 오른쪽 그림에서 △ABC≡△DEF일 때, $\overline{BC}=\overline{EF}=$ ❸[   ] cm, ∠F=∠C= ❹[   ]°이다.

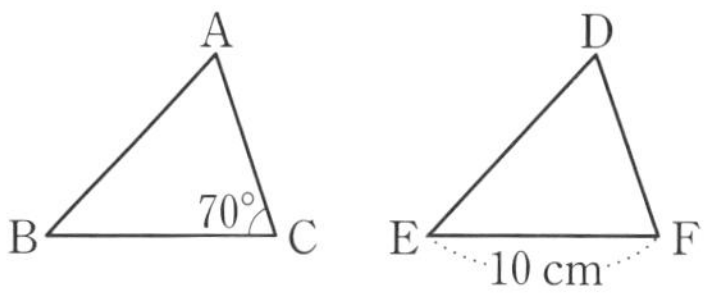

답 ❶ 6 ❷ 30 ❸ 10 ❹ 70

3일 교과서 핵심 정리 ❶

핵심 1 간단한 도형의 작도

(1) **작도 :** ❶ [   ]와 컴퍼스만을 사용하여 도형을 그리는 것

① 눈금 없는 자 : 두 점을 연결하여 선분을 그리거나 주어진 선분을 ❷ [   ]하는 데 사용한다.

② 컴퍼스 : ❸ [   ]을 그리거나 주어진 선분의 길이를 재어서 옮기는 데 사용한다.

(2) **기본 작도**

① 길이가 같은 선분의 작도

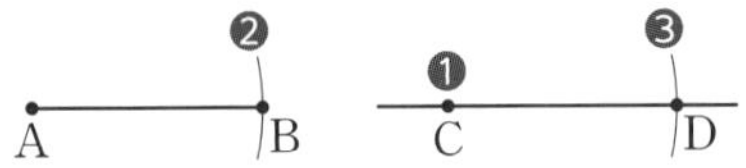

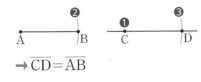

→ $\overline{CD}=\overline{AB}$

② 크기가 같은 각의 작도

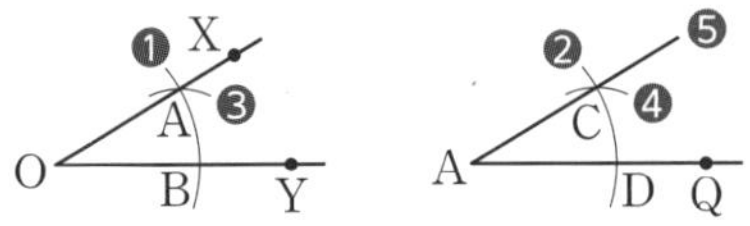

→ $\angle CAD=\angle XOY$

핵심 2 삼각형의 작도

(1) 삼각형 ABC를 기호로 ❹ [   ]와 같이 나타낸다.

① 대변 : 한 각과 마주 보는 ❺ [   ]

② 대각 : 한 변과 마주 보는 ❻ [   ]

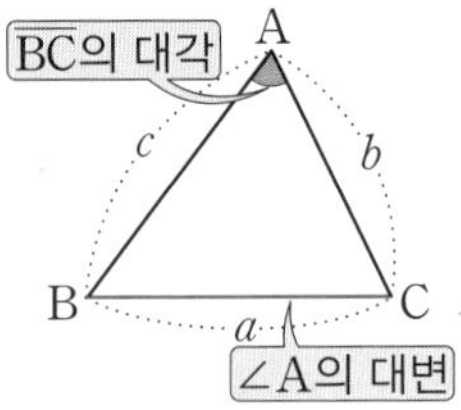

(2) **삼각형의 세 변의 길이 사이의 관계 :** 삼각형의 두 변의 길이의 합은 나머지 한 변의 길이보다 ❼ [   ].

→ (가장 긴 변의 길이) < (나머지 두 변의 길이의 합)

(3) **삼각형의 작도 :** 다음의 세 가지 경우에 삼각형을 하나로 작도할 수 있다.

① 세 변의 길이가 주어질 때

② 두 변의 길이와 그 ❽ [   ]의 크기가 주어질 때

③ 한 변의 길이와 그 양 끝 각의 크기가 주어질 때

또, 위 ①, ②, ③의 조건이 주어질 때, 삼각형의 모양과 크기는 하나로 정해진다.

참고 삼각형이 하나로 정해지지 않는 경우는 다음과 같다.

세 각의 크기가 주어진 경우	두 변의 길이와 그 끼인각이 아닌 다른 한 각의 크기가 주어진 경우	한 변의 길이와 그 양 끝 각이 아닌 각의 크기가 주어진 경우
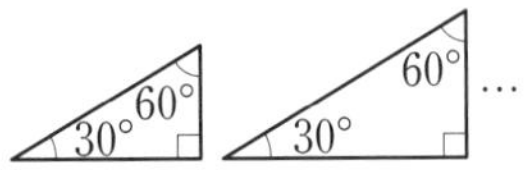	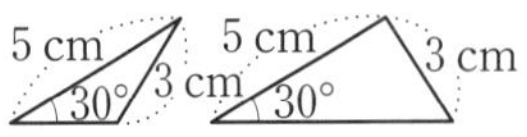	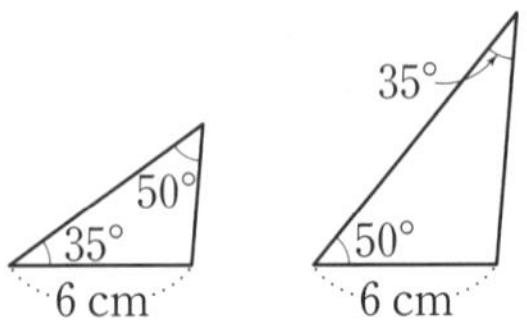

❶ 눈금 없는 자
❷ 연장
❸ 원
❹ △ABC
❺ 변
❻ 각
❼ 크다
❽ 끼인각

시험지 속 개념 문제

정답과 풀이 7쪽

1 다음 중 작도에 대한 설명으로 옳지 않은 것은?

① 눈금 없는 자와 컴퍼스만을 사용하여 도형을 그리는 것을 작도라 한다.
② 두 선분의 길이를 비교할 때에는 자를 사용한다.
③ 주어진 선분을 연장할 때에는 눈금 없는 자를 사용한다.
④ 원을 그릴 때에는 컴퍼스를 사용한다.
⑤ 주어진 선분의 길이를 재어 다른 직선 위로 옮길 때에는 컴퍼스를 사용한다.

2 다음은 선분 AB와 길이가 같은 선분 CD를 작도하는 과정이다. 작도 순서를 나열하시오.

> ㉠ 컴퍼스로 $\overline{AB}$의 길이를 잰다.
> ㉡ 자로 점 C를 지나는 직선 l을 그린다.
> ㉢ 점 C를 중심으로 하고 $\overline{AB}$의 길이를 반지름으로 하는 원을 그려 직선 l과 만나는 점 D를 잡는다.

3 다음 그림은 ∠XOY와 크기가 같은 각을 반직선 PQ를 한 변으로 하여 작도한 것이다. □ 안에 작도 순서로 알맞은 것을 써넣으시오.

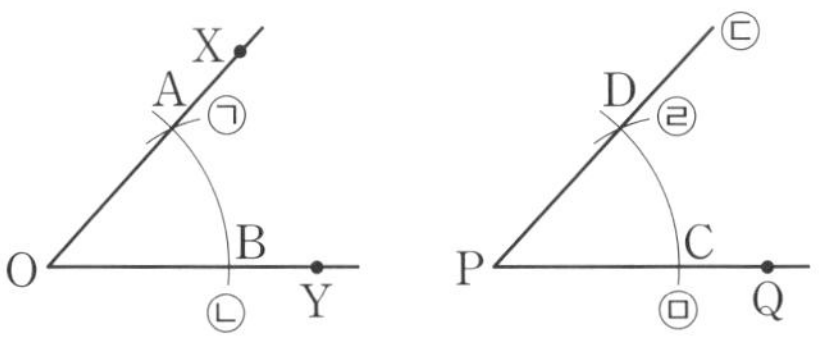

㉡ → □ → □ → ㉣ → □

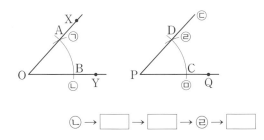

4 삼각형의 세 변의 길이가 5 cm, x cm, 7 cm일 때, 다음 중 x의 값이 될 수 없는 것은?

① 2　② 5　③ 7
④ 9　⑤ 11

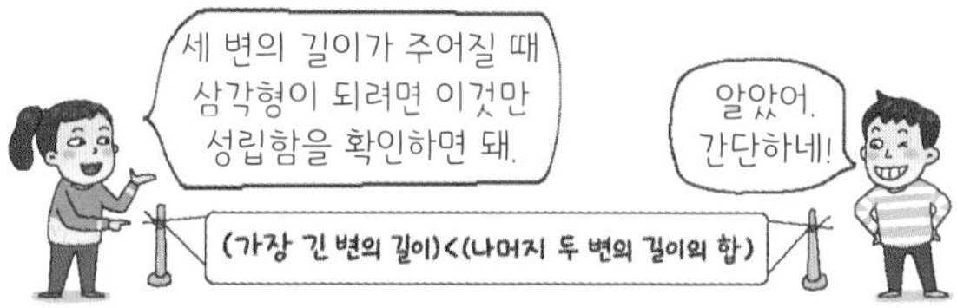

5 오른쪽 그림과 같이 두 변의 길이와 그 끼인각의 크기가 주어졌을 때, △ABC를 작도하려고 한다. 다음 중 맨 마지막으로 작도해야 하는 것은?

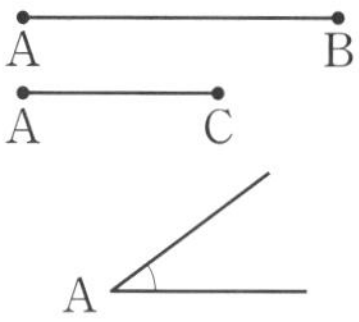

① $\overline{AB}$를 긋는다.　② $\overline{AC}$를 긋는다.
③ $\overline{BC}$를 긋는다.　④ ∠A를 그린다.
⑤ ∠B를 그린다.

6 다음 그림과 같이 한 변의 길이와 그 양 끝 각의 크기가 주어졌을 때, △ABC를 작도하려고 한다. 작도 순서로 옳지 않은 것은?

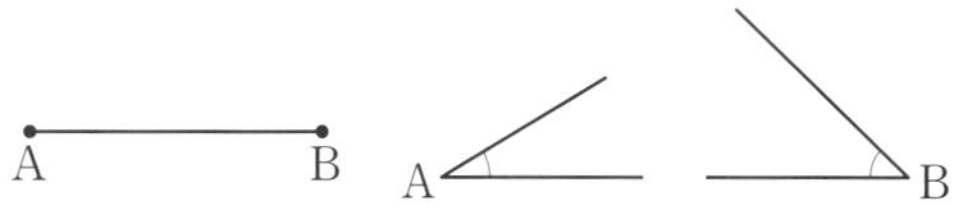

① $\overline{AB}$ → ∠A → ∠B　② $\overline{AB}$ → ∠B → ∠A
③ ∠A → $\overline{AB}$ → ∠B　④ ∠A → ∠B → $\overline{AB}$
⑤ ∠B → $\overline{AB}$ → ∠A

3일 교과서 핵심 정리 ❷

핵심 3 도형의 합동

(1) **합동** : 모양과 크기가 같아서 포개었을 때 완전히 겹쳐지는 두 도형을 서로 ❶ ______ 이라 하고, 기호 ❷ ______ 를 사용하여 나타낸다.

(2) **대응** : 합동인 두 도형에서 포개어지는 꼭짓점과 꼭짓점, 변과 변, 각과 각을 서로 ❸ ______ 한다고 한다.

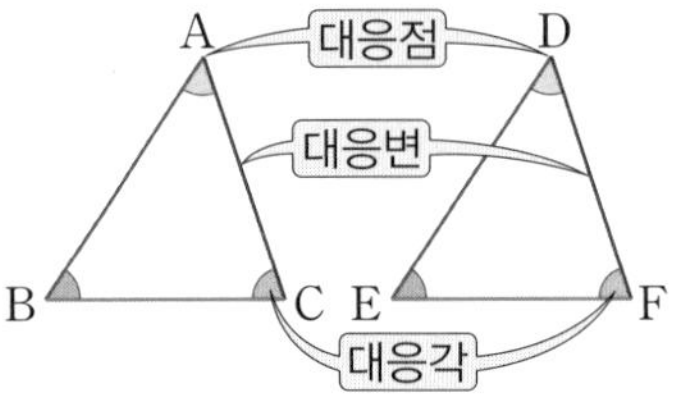

△ABC≡△DEF

참고 △ABC와 △DEF가 합동일 때, 기호로 △ABC≡△DEF와 같이 나타낸다. 이때 두 도형의 꼭짓점을 대응하는 순서로 쓴다.

(3) **합동인 두 도형의 성질** : 두 도형이 서로 합동이면

① 대응하는 세 변의 ❹ ______ 는 같다.

② 대응하는 세 각의 ❺ ______ 는 같다.

핵심 4 삼각형의 합동 조건

다음의 각 조건을 만족할 때, △ABC와 △DEF는 서로 합동이다.

(1) 대응하는 세 변의 길이가 각각 같을 때 (❻ ______ 합동)

→ $\overline{AB}=\overline{DE}$, $\overline{BC}=\overline{EF}$, $\overline{AC}=\overline{DF}$

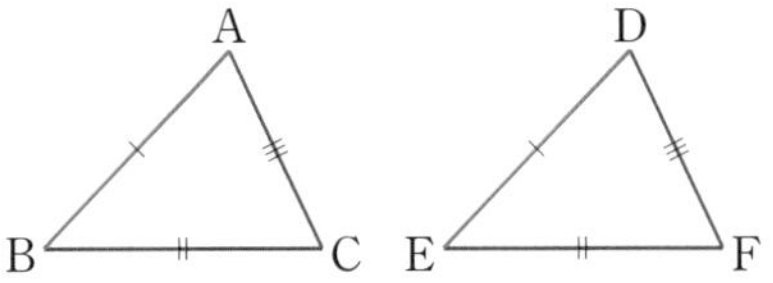

(2) 대응하는 두 변의 길이가 각각 같고, 그 끼인 각의 크기가 같을 때 (❼ ______ 합동)

→ $\overline{AB}=\overline{DE}$, $\overline{BC}=\overline{EF}$, $\angle B=\angle E$

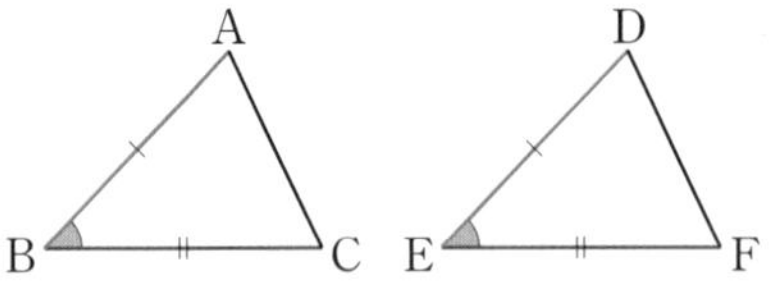

(3) 대응하는 한 변의 길이가 같고, 그 양 끝 각의 크기가 각각 같을 때 (❽ ______ 합동)

→ $\overline{BC}=\overline{EF}$, $\angle B=\angle E$, $\angle C=\angle F$

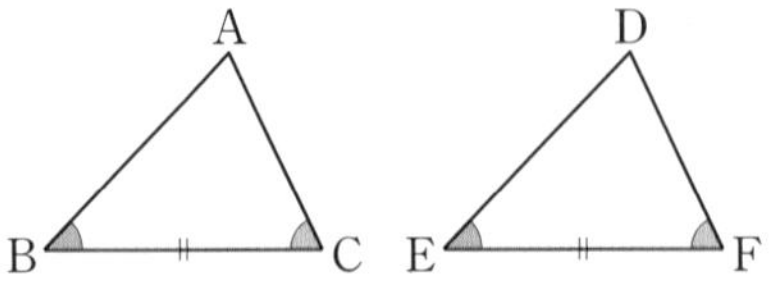

예 오른쪽 그림의 △ABC와 △DEF에서 $\overline{AB}=\overline{DE}=7$ cm, $\angle A=\angle D=70°$, $\angle B=\angle E=60°$이므로 △ABC≡△DEF (ASA 합동)

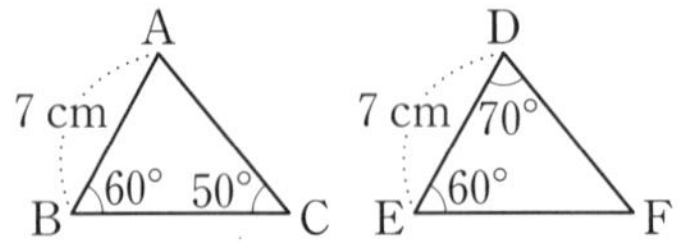

❶ 합동
❷ ≡
❸ 대응
❹ 길이
❺ 크기
❻ SSS
❼ SAS
❽ ASA

정답과 풀이 7쪽

7 다음 중 두 도형이 합동이라고 할 수 없는 것은?

① 넓이가 같은 두 직사각형
② 반지름의 길이가 같은 두 원
③ 한 변의 길이가 같은 두 정사각형
④ 세 변의 길이가 각각 같은 두 삼각형
⑤ 반지름의 길이와 중심각의 크기가 같은 두 부채꼴

8 아래 그림에서 $\triangle ABC \equiv \triangle DEF$일 때, 다음을 구하시오.

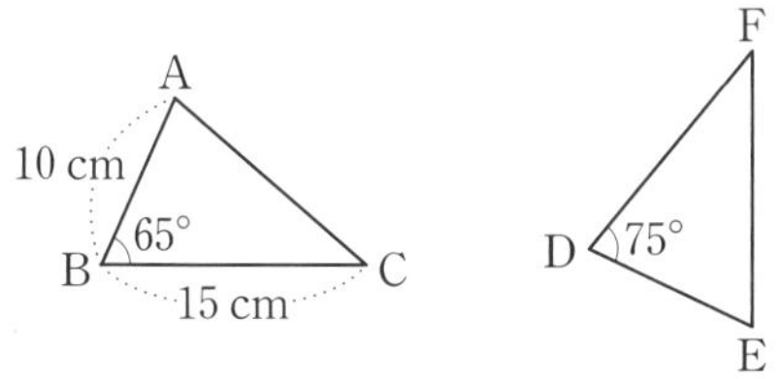

(1) $\overline{DE}$의 길이 (2) $\angle A$의 크기

9 다음 중 오른쪽 보기의 삼각형과 합동인 것은?

보기

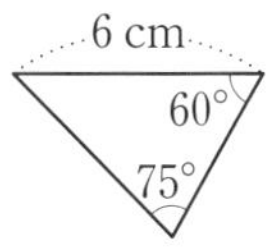

① 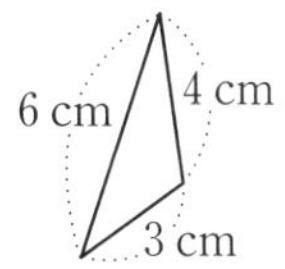

② 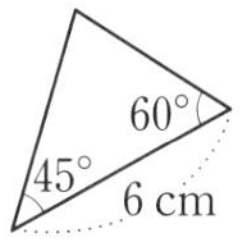

③ 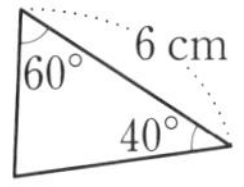

④ 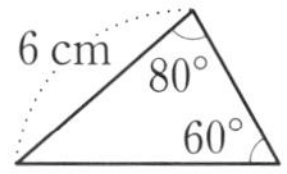

⑤ 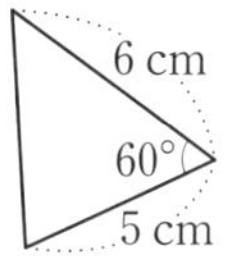

10 민호네 모둠원들이 각자 자신이 작도한 삼각형을 한 개씩 들고 있다. 서로 합동인 두 삼각형을 찾아 기호를 사용하여 나타내고, 각각의 합동 조건을 쓰시오.

11 다음 중 대응하는 세 변의 길이가 각각 같음을 이용하여 두 삼각형이 합동임을 보일 수 있는 것은?

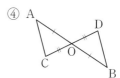

① 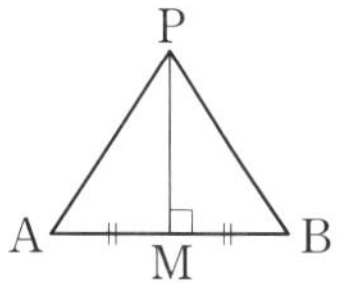

② 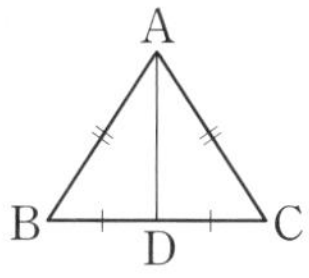

③ 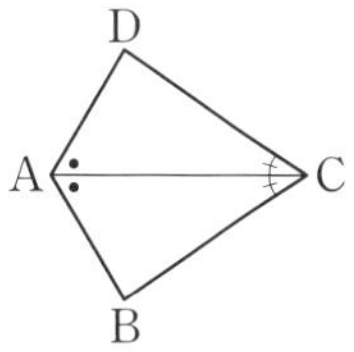

④ 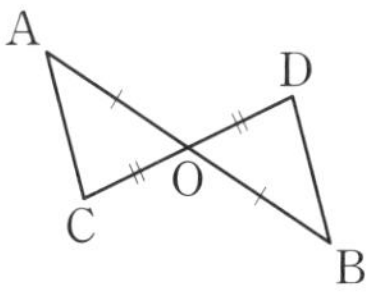

⑤ 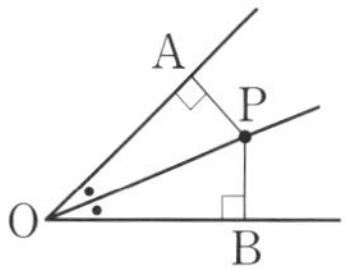

3일 교과서 기출 베스트 1회

대표 예제 1

아래 그림은 $\angle XOY$와 크기가 같은 각을 반직선 AB를 한 변으로 하여 작도한 것이다. 다음 중 옳지 않은 것은?

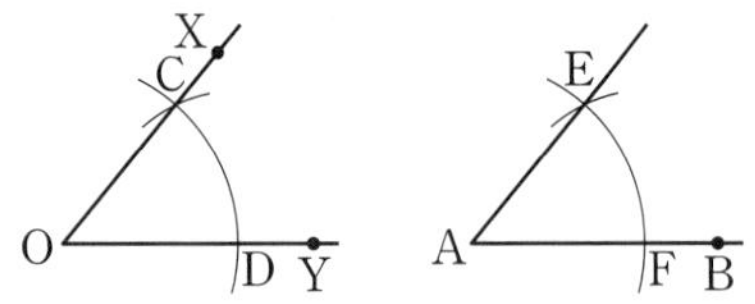

① $\overline{OC}=\overline{OD}$ ② $\overline{AE}=\overline{AF}$ ③ $\overline{CD}=\overline{EF}$
④ $\overline{OC}=\overline{AE}$ ⑤ $\overline{OD}=\overline{EF}$

개념 가이드

반지름의 길이가 같은 원을 그릴 때 생기는 선분의 길이는 같음을 이용하여 길이가 같은 [①]을 찾는다.

답 ① 선분

대표 예제 2

오른쪽 그림은 직선 l 밖의 한 점 P를 지나고 직선 l에 평행한 직선을 작도하는 과정이다. 다음 중 작도 순서로 옳은 것은?

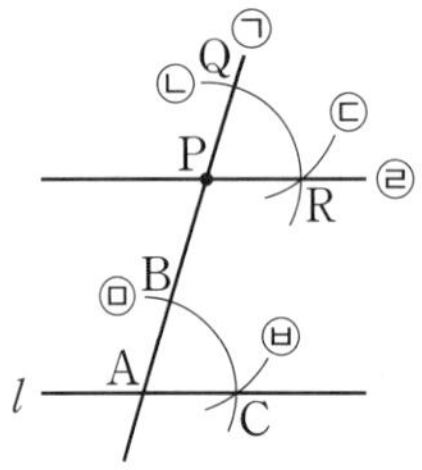

① ㉠ → ㉡ → ㉢ → ㉣ → ㉤ → ㉥
② ㉠ → ㉤ → ㉡ → ㉥ → ㉢ → ㉣
③ ㉠ → ㉣ → ㉡ → ㉤ → ㉢ → ㉥
④ ㉤ → ㉥ → ㉡ → ㉢ → ㉠ → ㉣
⑤ ㉤ → ㉥ → ㉢ → ㉣ → ㉠ → ㉡

개념 가이드

[①]가 같은 각의 작도와 '서로 다른 두 직선이 한 직선과 만날 때, [②]의 크기가 같으면 두 직선은 서로 평행하다.'는 평행선의 성질을 이용한다.

답 ① 크기 ② 동위각

대표 예제 3

다음 보기와 같이 세 변의 길이가 주어질 때, 삼각형을 작도할 수 있는 것을 모두 고르시오.

보기
㉠ 2 cm, 4 cm, 5 cm ㉡ 5 cm, 5 cm, 10 cm
㉢ 8 cm, 2 cm, 9 cm ㉣ 2 cm, 3 cm, 7 cm

개념 가이드

삼각형의 두 변의 길이의 [①]은 나머지 한 변의 길이보다 크다. → (가장 긴 변의 길이)[②](나머지 두 변의 길이의 합)

답 ① 합 ② <

대표 예제 4

다음 중 $\triangle ABC$가 하나로 정해지지 않는 것을 모두 고르면? (정답 2개)

① $\overline{AB}=5$ cm, $\overline{BC}=4$ cm, $\overline{CA}=6$ cm
② $\overline{AB}=6$ cm, $\overline{BC}=5$ cm, $\angle A=40^\circ$
③ $\overline{AB}=9$ cm, $\angle A=40^\circ$, $\angle B=60^\circ$
④ $\overline{AB}=7$ cm, $\overline{BC}=3$ cm, $\angle B=30^\circ$
⑤ $\overline{AB}=9$ cm, $\overline{BC}=3$ cm, $\overline{AC}=5$ cm

개념 가이드

(1) 세 변의 길이가 주어질 때, (가장 긴 변의 길이)[①](나머지 두 변의 길이의 합)인지 확인한다.
(2) 두 변의 길이와 한 각의 크기가 주어질 때, 주어진 각이 [②]인지 확인한다.
(3) 한 변의 길이와 두 각의 크기가 주어질 때, 주어진 두 각의 크기의 합이 180°보다 작은지 확인한다.

답 ① < ② 끼인각

대표 예제 5

다음 그림에서 사각형 ABCD와 사각형 EFGH가 서로 합동일 때, $x+y$의 값을 구하시오.

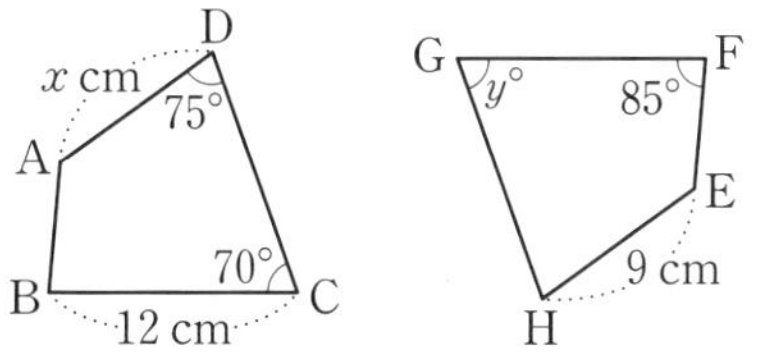

개념 가이드

합동인 두 도형의 ① [ ] 의 길이와 ② [ ] 의 크기는 각각 같다.

답 ① 대응변 ② 대응각

대표 예제 6

다음 삼각형 중 나머지 넷과 합동이 아닌 것은?

①
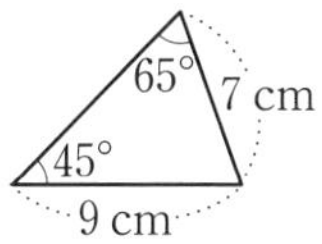

②
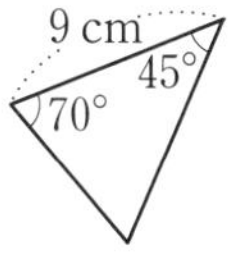

③
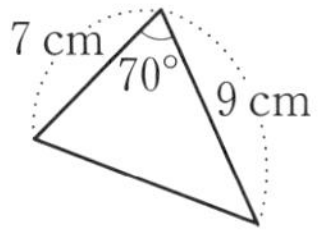

④
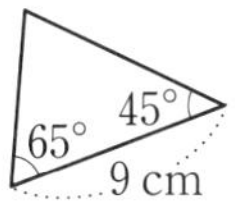

⑤
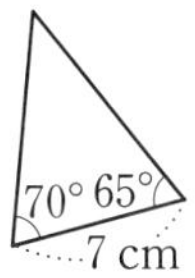

개념 가이드

(1) 대응하는 ① [ ] 의 길이가 각각 같은지 확인한다.
(2) 대응하는 두 변의 길이가 각각 같고, 그 ② [ ] 의 크기가 같은지 확인한다.
(3) 대응하는 한 변의 길이가 같고, 그 양 끝 각의 크기가 각각 같은지 확인한다.

답 ① 세 변 ② 끼인각

대표 예제 7

다음 그림에서 $\triangle ABC \equiv \triangle DEF$가 되기 위하여 필요한 조건 한 가지를 모두 말하시오.

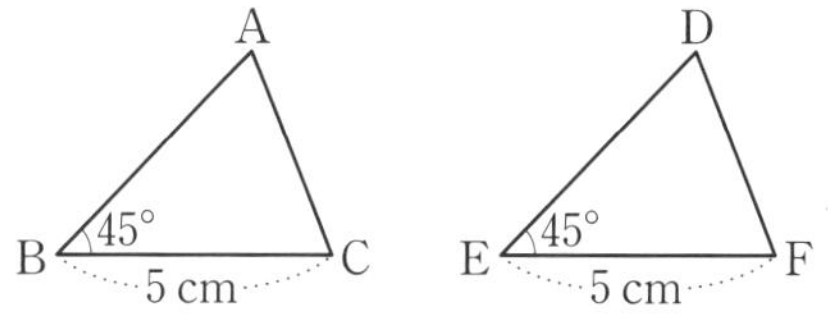

개념 가이드

합동인 삼각형을 찾을 때, 두 각의 크기가 주어지면 삼각형의 세 각의 크기의 합은 ① [ ] 임을 이용하여 나머지 한 각의 크기를 구할 수 있다.

답 ① 180°

대표 예제 8

다음 만화를 보고 두 사람의 현재 위치에서 매점까지의 거리를 구하시오.

개념 가이드

대응하는 한 변의 길이가 같고 그 양 끝 각의 크기가 각각 같은 두 삼각형은 ① [ ] 이다. → ② [ ] 합동

답 ① 합동 ② ASA

3일 교과서 기출 베스트 2회

1 다음 보기 중 작도에 대한 설명으로 옳은 것을 모두 고른 것은?

보기
㉠ 작도할 때에는 각도기를 사용한다.
㉡ 선분의 길이를 잴 때에는 자를 사용한다.
㉢ 선분의 길이를 비교할 때에는 컴퍼스를 사용한다.
㉣ 직선이나 선분을 그릴 때에는 눈금 없는 자를 사용한다.

① ㉠, ㉡ ② ㉠, ㉢ ③ ㉡, ㉢
④ ㉡, ㉣ ⑤ ㉢, ㉣

2 오른쪽 그림과 같이 직선 l 위에 $2\overline{AB}=\overline{CD}$인 $\overline{CD}$를 작도하려고 한다. 이때 사용되는 도구는?

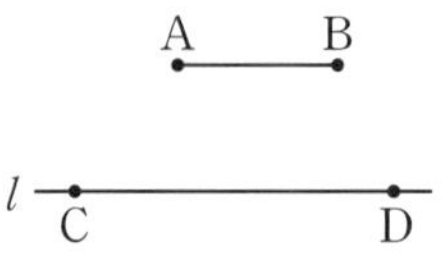

① 컴퍼스 ② 눈금 없는 자
③ 삼각자 ④ 눈금 있는 자
⑤ 각도기

3 아래 그림은 ∠XOY와 크기가 같은 각을 작도한 것이다. 다음 중 옳지 않은 것은?

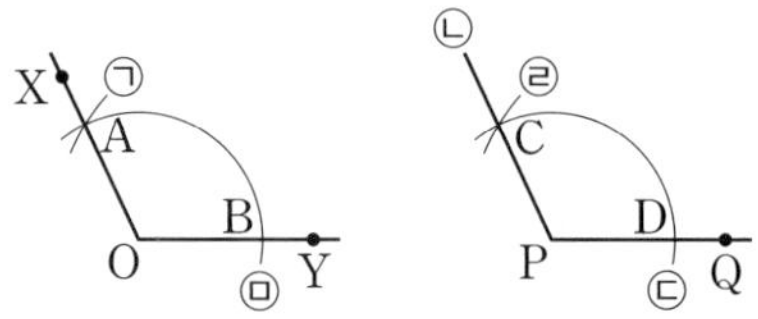

① $\overline{OA}=\overline{OB}$ ② $\overline{OA}=\overline{PD}$
③ $\overline{OB}=\overline{CD}$ ④ $\overline{AB}=\overline{CD}$
⑤ 작도 순서는 ㉤ → ㉢ → ㉠ → ㉣ → ㉡이다.

4 오른쪽 그림은 직선 l 밖의 한 점 P를 지나고 직선 l에 평행한 직선을 작도한 것이다. 다음 물음에 답하시오.

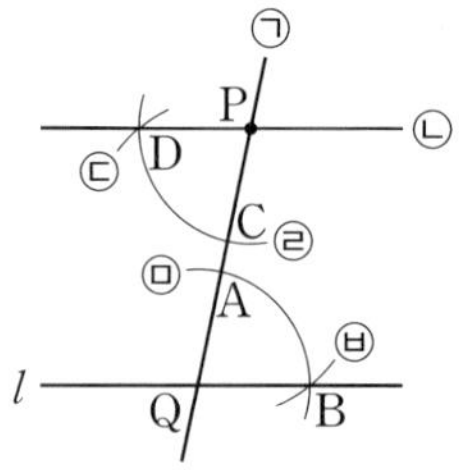

(1) 작도 순서를 쓰시오.

(2) 이 작도에 이용한 평행선의 성질을 말하시오.

5 삼각형의 세 변의 길이가 7 cm, 11 cm, x cm일 때, x의 값의 범위는?

① $4<x<18$　　② $4<x\le 18$
③ $4\le x\le 18$　　④ $x\ge 4$
⑤ $x>4$

6 수학 시간에 네 모둠의 학생들이 선생님한테 받은 삼각형의 조건을 이용하여 삼각형 ABC를 그렸다.

위에서 어느 한 모둠만 학생들이 그린 삼각형의 크기가 모두 달랐다. 그 모둠을 찾고, 이유를 말하시오.

7 아래 그림에서 $\triangle ABC\equiv\triangle DEF$일 때, 다음 중 옳지 않은 것은?

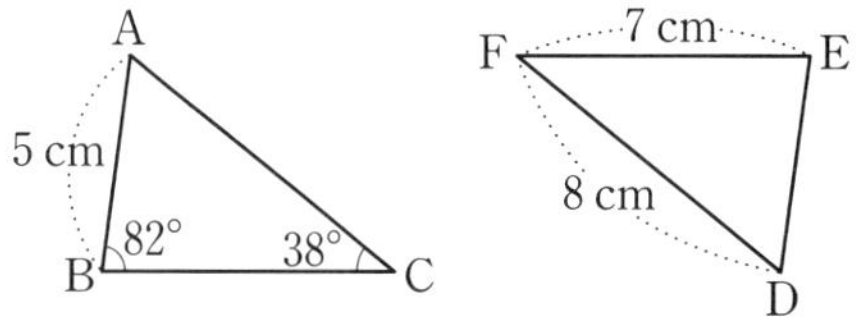

① $\overline{DE}=5$ cm　② $\overline{BC}=7$ cm　③ $\overline{AC}=8$ cm
④ $\angle D=82°$　⑤ $\angle F=38°$

8 다음 중 $\triangle ABC\equiv\triangle DEF$라 할 수 없는 것을 모두 고르면? (정답 2개)

① $\overline{AB}=\overline{DE}$, $\angle A=\angle D$, $\angle B=\angle E$
② $\overline{AB}=\overline{DE}$, $\overline{BC}=\overline{EF}$, $\overline{AC}=\overline{DF}$
③ $\overline{AB}=\overline{DE}$, $\overline{BC}=\overline{EF}$, $\angle C=\angle F$
④ $\angle A=\angle D$, $\angle B=\angle E$, $\angle C=\angle F$
⑤ $\overline{BC}=\overline{EF}$, $\overline{AC}=\overline{DF}$, $\angle C=\angle F$

4일 다각형

여러분~. 다각형 이름을 부르면 다각형을 이루는 변의 개수만큼 모여주세요~
네~
우리는 선분~
기본 중의 기본 삼각형!
얘들아 꽉 잡아!
척
척
이번에는 사각형!
잠깐, 곡선은 선분이 아니므로 실격!
너 때문이잖아.
이번에는 정다각형!
변의 길이만 모두 같거나 내각의 크기만 모두 같다고 해서 정다각형은 아니야.

공부할 내용

❶ 다각형
❷ 다각형의 대각선
❸ 삼각형의 내각과 외각

이것만은 꼭꼭!

(1) 오른쪽 그림과 같은 사각형 ABCD에서 ∠D의 외각의 크기는 ❶ ☐ 이다.

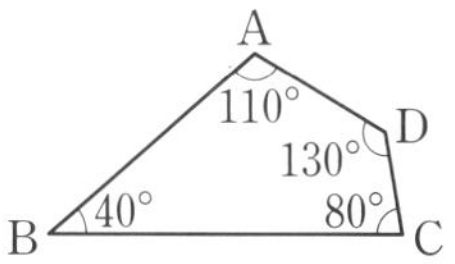

(2) 오각형의 한 꼭짓점에서 그을 수 있는 대각선의 개수는 ❷ ☐ 이고, 오각형의 대각선의 개수는 $\frac{5\times(5-3)}{2}=$ ❸ ☐ 이다.

(3) 삼각형의 세 내각의 크기의 합은 ❹ ☐ 이고, 한 외각의 크기는 그와 이웃하지 않는 두 내각의 크기의 합과 같다.

답 ❶ 50° ❷ 2 ❸ 5 ❹ 180°

교과서 핵심 정리 ❶

핵심 1 다각형

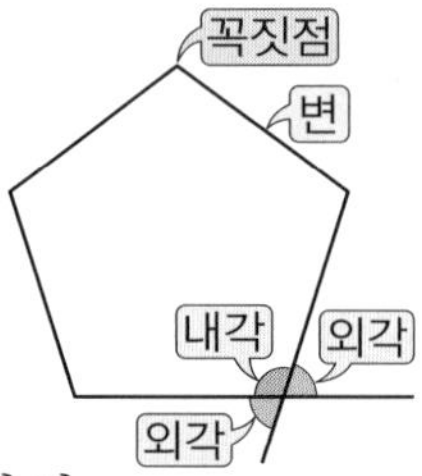

(1) **다각형** : 여러 개의 ❶ [　　] 으로 둘러싸인 평면도형

→ 선분의 개수가 3, 4, 5, ⋯, n인 다각형을 각각 삼각형, 사각형, 오각형, ⋯, n각형이라 한다.

① 변 : 다각형을 이루는 선분

② 꼭짓점 : 다각형에서 변과 변이 만나는 점

③ 내각 : 다각형에서 이웃하는 두 변으로 이루어진 ❷ [　　] 의 각

④ 외각 : 다각형의 각 꼭짓점에서 한 변과 그 변에 이웃한 변의 연장선으로 이루어진 각

참고 ① 다각형의 한 꼭짓점에서 (내각의 크기)+(외각의 크기)= ❸ [　　]

② 다각형에서 한 내각에 대한 외각은 2개가 있으나 그 크기가 같으므로 하나만 생각한다.

(2) **정다각형** : 모든 변의 ❹ [　　] 가 같고, 모든 내각의 ❺ [　　] 가 같은 다각형

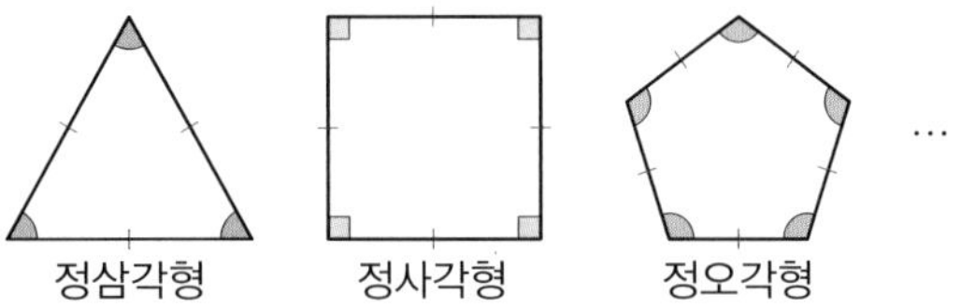

참고 정다각형은 변의 개수에 따라 정삼각형, 정사각형, 정오각형, ⋯으로 분류한다.

핵심 2 다각형의 대각선

(1) **대각선** : 다각형에서 이웃하지 않는 두 ❻ [　　] 을 이은 선분

(2) **대각선의 개수**

① n각형의 한 꼭짓점에서 그을 수 있는 대각선의 개수

→ ❼ [　　]

참고 n각형의 한 꼭짓점에서 자기 자신과 이웃하는 2개의 꼭짓점에는 대각선을 그을 수 없다.

② n각형의 대각선의 개수

꼭짓점의 개수 ↓　↓ 한 꼭짓점에서 그을 수 있는 대각선의 개수

→ $\dfrac{n(n-3)}{❽\ [\quad]}$

↑ 한 대각선을 중복하여 센 횟수

❶ 선분
❷ 내부
❸ 180°
❹ 길이
❺ 크기
❻ 꼭짓점
❼ $n-3$
❽ 2

시험지 속 개념 문제

정답과 풀이 10쪽

1 다음 중 과자의 둘레가 나타내는 도형이 다각형이 아닌 것을 모두 고르면? (정답 2개)

① 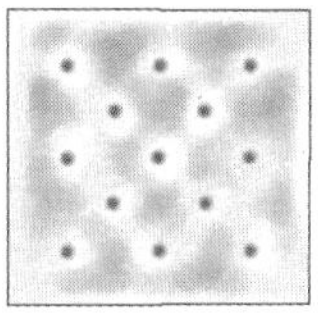

② 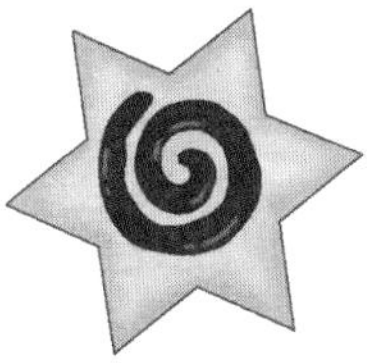

③ 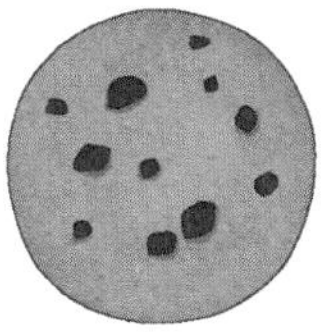

④ 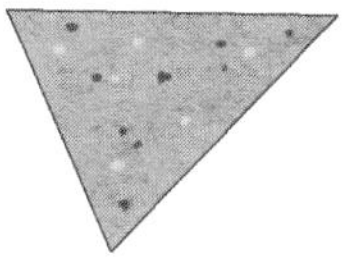

⑤ 

2 다음 중 다각형에 대한 설명으로 옳지 않은 것은?

① 여러 개의 선분으로 둘러싸인 평면도형을 다각형이라 한다.

② 다각형의 각 꼭짓점에서 이웃하는 두 변 중에서 한 변과 다른 한 변의 연장선이 이루는 각을 외각이라 한다.

③ 다각형의 외각은 한 내각에 대하여 한 개이다.

④ 변의 길이가 모두 같고 내각의 크기가 모두 같은 다각형을 정다각형이라 한다.

⑤ 정다각형의 모든 내각의 크기는 같다.

3 다음은 ∠C의 외각의 크기를 구하는 과정이다. 잘못된 부분을 찾아 바르게 고치시오.

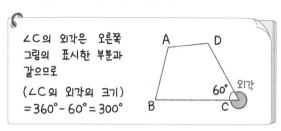

∠C의 외각은 오른쪽 그림의 표시한 부분과 같으므로
(∠C의 외각의 크기)
$=360°-60°=300°$

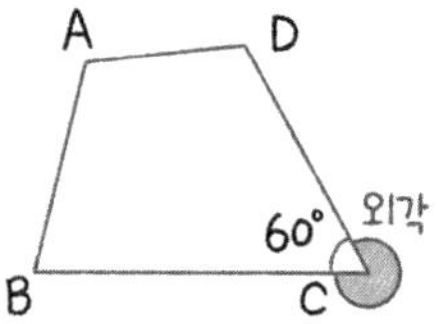

4 육각형에 대하여 다음을 구하시오.

(1) 꼭짓점의 개수

(2) 한 꼭짓점에서 그을 수 있는 대각선의 개수

5 십각형의 대각선의 개수는?

① 20 ② 27 ③ 35
④ 44 ⑤ 54

교과서 **핵심 정리 ❷**

핵심 3 삼각형의 내각

(1) △ABC에서 ∠A, ∠B, ∠C를 △ABC의 ❶ [   ]이라 한다.

(2) 삼각형의 세 내각의 크기의 합은 ❷ [   ]이다.

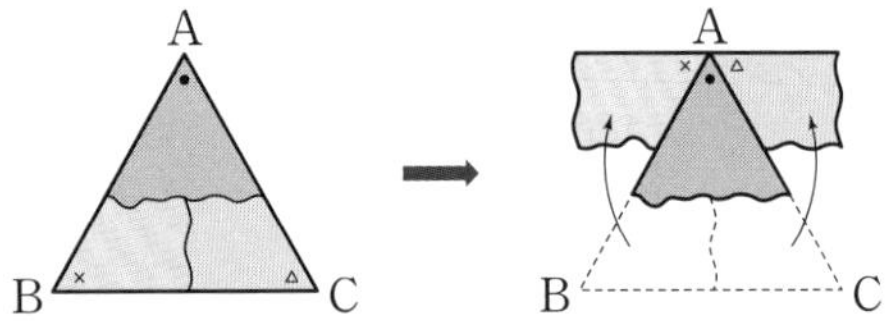

➞ ∠A+∠B+∠C= ❸ [   ]

예 $70^\circ+80^\circ+\angle x=180^\circ$

$\therefore \angle x=$ ❹ [   ]

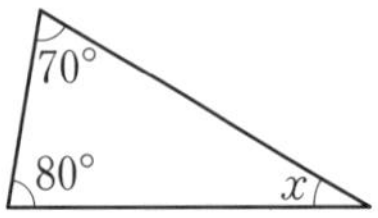

핵심 4 삼각형의 내각과 외각 사이의 관계

삼각형의 한 외각의 크기는 그와 ❺ [   ] 두 ❻ [   ]의 크기의 합과 같다.

➞ △ABC에서 ∠ACD=∠A+ ❼ [   ]

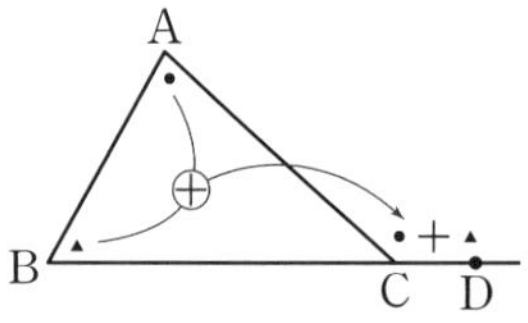

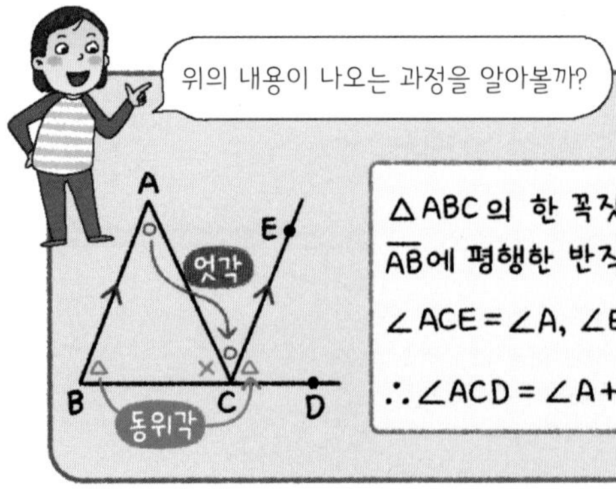

△ABC의 한 꼭짓점 C를 지나고 $\overline{AB}$에 평행한 반직선 CE를 그으면

∠ACE=∠A, ∠ECD=∠B

∴∠ACD=∠A+∠B

예 $\angle x=85^\circ+30^\circ=$ ❽ [   ]

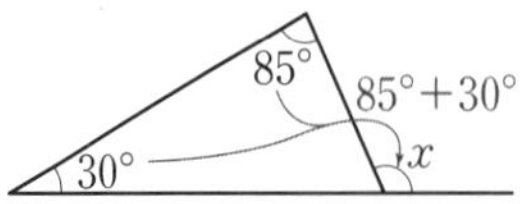

❶ 내각
❷ 180°
❸ 180°
❹ 30°
❺ 이웃하지 않는
❻ 내각
❼ ∠B
❽ 115°

시험지 속 개념 문제

6 다음 그림에서 $\angle x$의 크기를 구하시오.

(1)

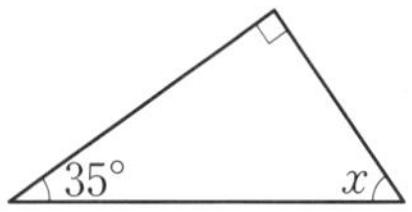

(2)

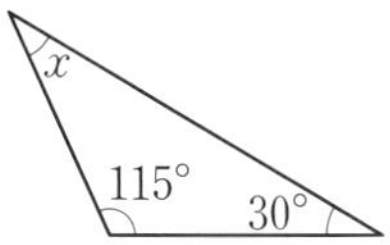

7 다음 그림에서 $\angle x$의 크기를 구하시오.

(1)

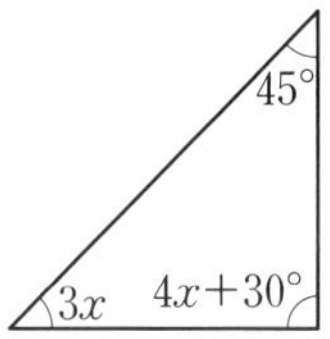

(2)

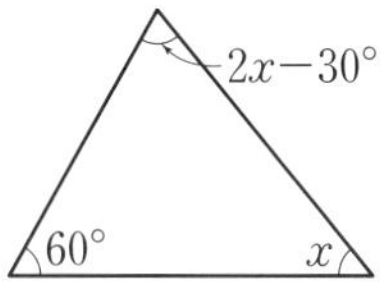

8 다음 그림에서 $\angle x$의 크기를 구하시오.

(1)

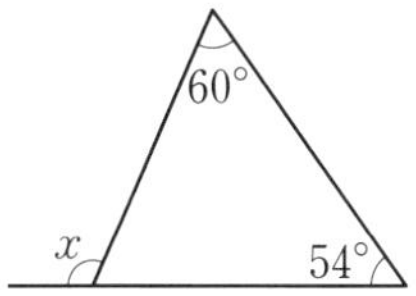

(2)

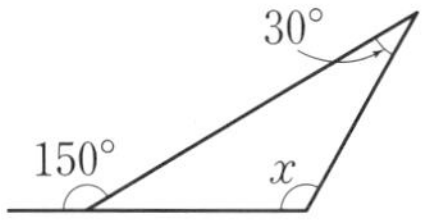

9 다음 그림에서 $\angle x$의 크기를 구하시오.

(1)

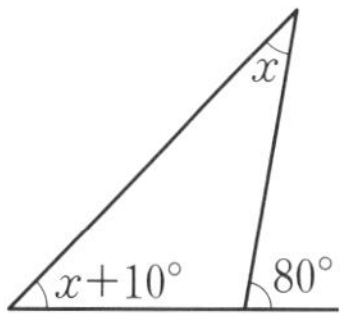

(2)

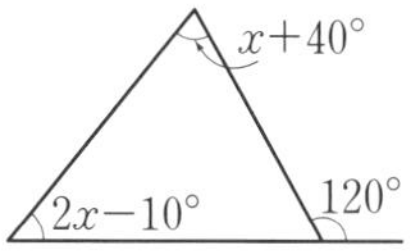

10 다음은 '삼각형의 세 내각의 크기의 합은 180°이다.'를 설명한 것이다. ㉠, ㉡에 들어갈 내용을 바르게 짝지은 것은?

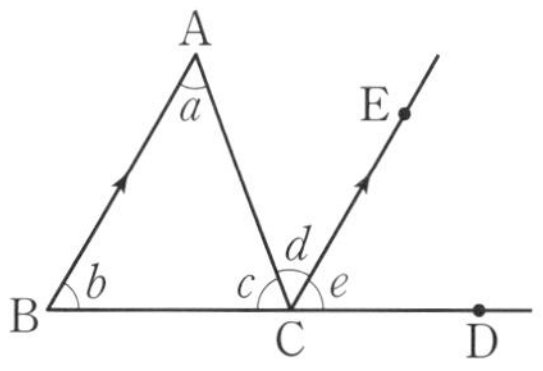

> $\triangle$ABC의 한 꼭짓점 C를 지나고 점 C에서 $\overline{AB}$에 평행한 반직선 CE를 그으면
> $\angle a=$ ㉠ (엇각), $\angle b=\angle e$ (㉡)이므로
> $\angle a+\angle b+\angle c=$ ㉠ $+\angle e+\angle c$
> $=180°$

① ㉠ : $\angle c$, ㉡ : 엇각
② ㉠ : $\angle c$, ㉡ : 동위각
③ ㉠ : $\angle d$, ㉡ : 엇각
④ ㉠ : $\angle d$, ㉡ : 동위각
⑤ ㉠ : $\angle e$, ㉡ : 동위각

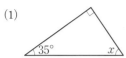

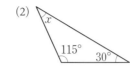

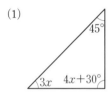

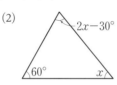

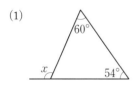

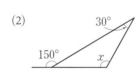

4일 교과서 기출 베스트 1회

대표 예제 1

다음 중 다각형이 아닌 것은?

① 삼각형　② 정오각형　③ 사다리꼴
④ 부채꼴　⑤ 평행사변형

개념 가이드

여러 개의 선분으로 둘러싸인 평면도형을 ① 이라 한다. 이때 ② 으로 둘러싸여 있거나 선분이 끊어져 있으면 다각형이 아니다.

답 ① 다각형 ② 곡선

대표 예제 2

팔각형의 한 꼭짓점에서 그을 수 있는 대각선의 개수를 a, 대각선의 개수를 b라 할 때, $a+b$의 값을 구하시오.

개념 가이드

(1) n각형의 한 꼭짓점에서 그을 수 있는 대각선의 개수
→ ①

(2) n각형의 대각선의 개수 → $\dfrac{n(n-3)}{②}$

답 ① $n-3$ ② 2

대표 예제 3

다음 대화를 읽고 대각선의 개수가 35인 다각형의 이름을 말하시오.

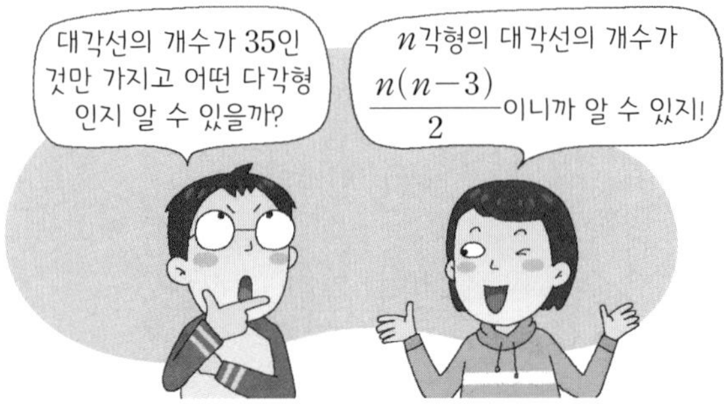
대각선의 개수가 35인 것만 가지고 어떤 다각형인지 알 수 있을까?
n각형의 대각선의 개수가 $\dfrac{n(n-3)}{2}$이니까 알 수 있지!

개념 가이드

대각선의 개수가 a인 다각형 구하기
→ 구하는 다각형을 n각형이라 하고 $\dfrac{n(①)}{2}=a$를 만족하는 n의 값을 구한다.

답 ① $n-3$

대표 예제 4

오른쪽 그림에서 $\angle x$의 크기를 구하시오.

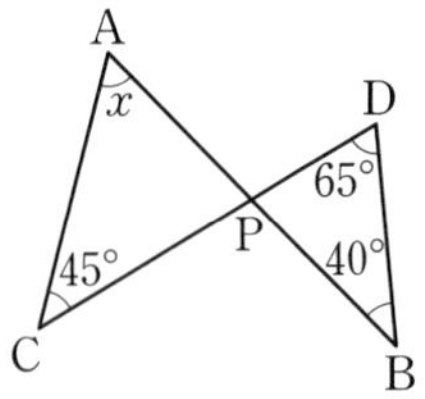
A
x
D
65°
P
40°
45°
C
B

개념 가이드

삼각형의 세 내각의 크기의 합은 ① 이다.

답 ① 180°

대표 예제 5

오른쪽 그림에서 $\angle x$의 크기를 구하시오.

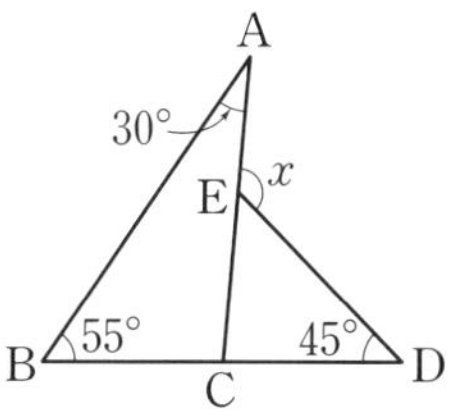

개념 가이드

삼각형의 한 ① [   ]의 크기는 그와 이웃하지 않는 두 내각의 크기의 ② [   ]과 같다.

답 ① 외각 ② 합

대표 예제 6

오른쪽 그림과 같은 $\triangle ABC$에서 $\overline{BD}$는 $\angle B$의 이등분선이고 $\angle A=65^\circ$, $\angle DCE=105^\circ$일 때, $\angle x$의 크기를 구하시오.

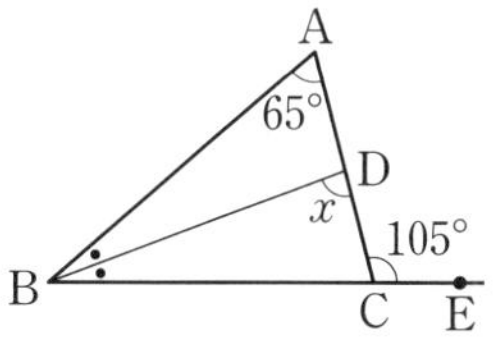

개념 가이드

$\overline{AD}$가 $\angle A$의 이등분선일 때

(1) $\triangle ABD$에서

$\angle y=\angle a+$ ① [   ]

(2) $\triangle ADC$에서

$\angle z=\angle a+$ ② [   ]

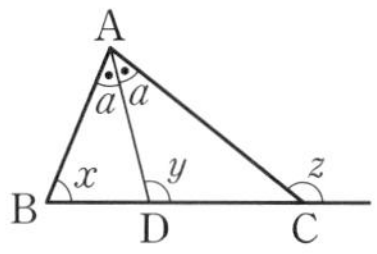

답 ① $\angle x$ ② $\angle y$

대표 예제 7

오른쪽 그림과 같은 $\triangle ABC$에서 $\angle B$와 $\angle C$의 이등분선의 교점을 D라 하자. $\angle A=80^\circ$일 때, $\angle x$의 크기를 구하시오.

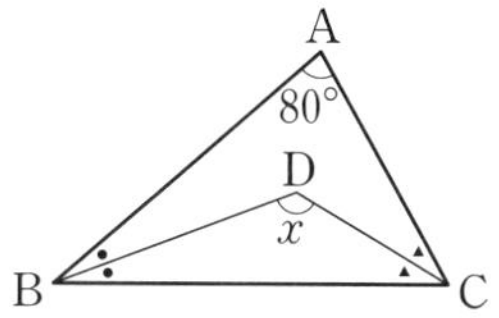

개념 가이드

$\triangle ABC$에서 $80^\circ+2●+2▲=$ ① [   ]이므로

$2●+2▲=100^\circ$, 즉 $●+▲=$ ② [   ]이다.

답 ① 180° ② 50°

대표 예제 8

오른쪽 그림에서 $\overline{AB}=\overline{AC}=\overline{CD}$이고 $\angle DCE=126^\circ$일 때, $\angle x$의 크기를 구하시오.

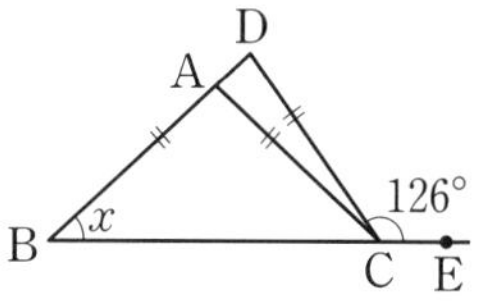

개념 가이드

이등변삼각형의 두 ① [   ]의 크기는 서로 같다.

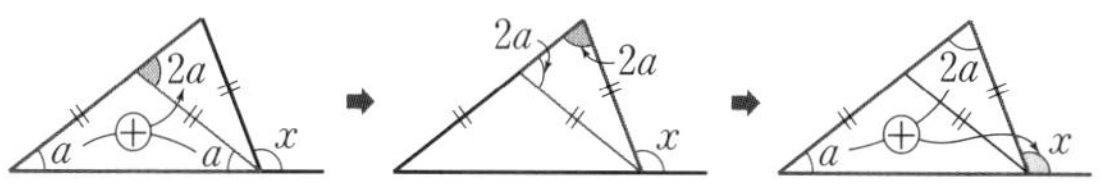

답 ① 밑각

4일 교과서 기출 베스트 2회

1 다음 보기 중 다각형은 모두 몇 개인지 구하시오.

보기

㉠ 직각삼각형	㉡ 정육면체	㉢ 마름모
㉣ 원	㉤ 부채꼴	㉥ 사다리꼴
㉦ 원기둥	㉧ 평행선	㉨ 선분

2 한 꼭짓점에서 그을 수 있는 대각선의 개수가 6인 다각형의 이름과 대각선의 개수를 차례대로 구하면?

① 십각형, 40　② 십각형, 35
③ 구각형, 32　④ 구각형, 27
⑤ 칠각형, 14

3 오른쪽 그림과 같이 6개의 도시 A, B, C, D, E, F가 도로로 연결되어 있다. 다른 도시를 거치지 않고 각 도시를 연결하는 직선 도로를 새로 만들려고 할 때, 새로 만들어야 하는 도로는 모두 몇 개인지 구하시오.

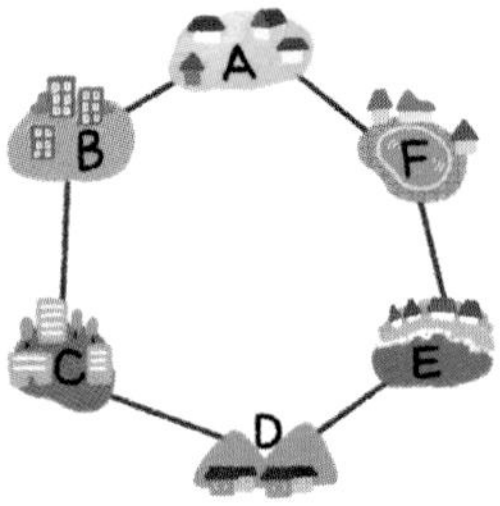

4 오른쪽 그림에서 $\angle x$의 크기는?

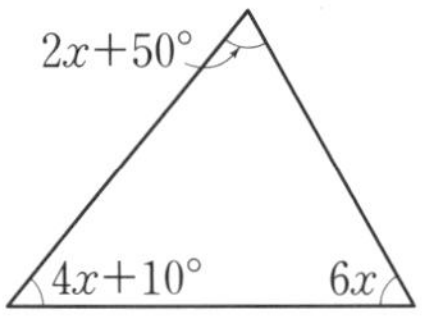

① $5°$　② $10°$
③ $15°$　④ $20°$
⑤ $25°$

5 삼각형의 세 내각의 크기의 비가 $1:2:3$일 때, 가장 작은 내각의 크기는?

① $20°$　② $25°$　③ $30°$
④ $35°$　⑤ $40°$

6 오른쪽 그림에서 $\overline{AD}$와 $\overline{BC}$의 교점을 O라 할 때, $\angle x$의 크기를 구하시오.

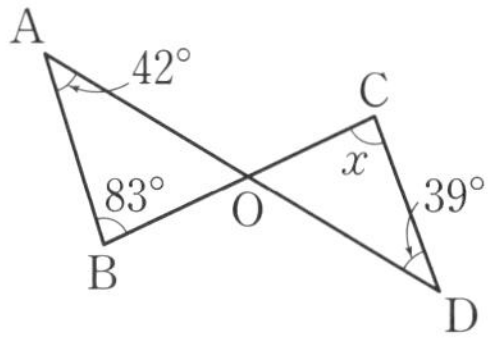

7 오른쪽 그림에서 $\angle x$의 크기는?

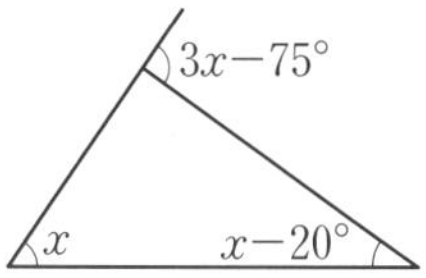

① 35°　② 40°　③ 45°　④ 50°　⑤ 55°

8 오른쪽 그림과 같은 $\triangle ABC$에서 $\overline{BD}$는 $\angle B$의 이등분선이고 $\angle A=73°$, $\angle BDC=95°$일 때, $\angle x$의 크기를 구하시오.

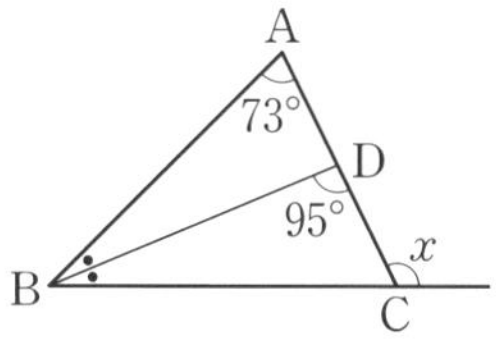

9 오른쪽 그림에서 $\angle x$의 크기를 구하시오.

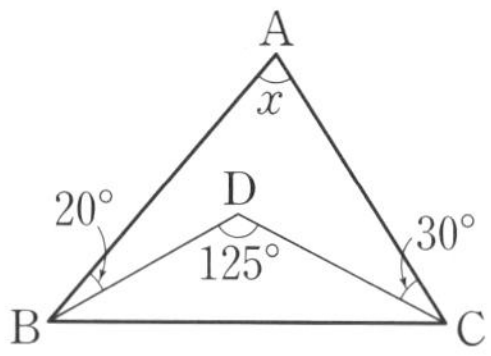

10 다음은 유리가 연습장에 푼 수학 문제의 풀이 중 일부분이다. 물음에 답하시오.

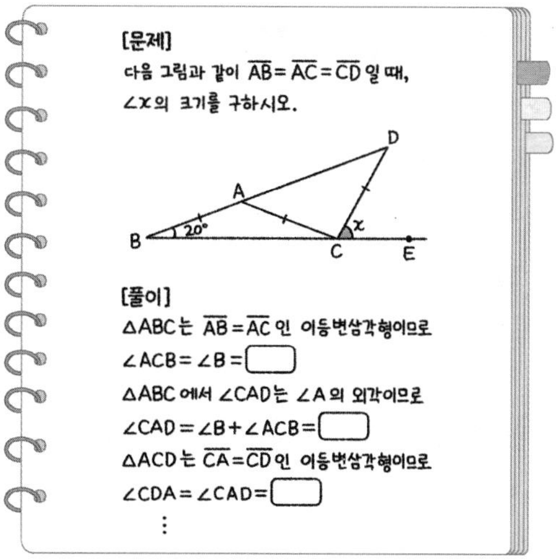

[문제]
다음 그림과 같이 $\overline{AB}=\overline{AC}=\overline{CD}$일 때, $\angle x$의 크기를 구하시오.

[풀이]
$\triangle ABC$는 $\overline{AB}=\overline{AC}$인 이등변삼각형이므로
$\angle ACB=\angle B=$ □
$\triangle ABC$에서 $\angle CAD$는 $\angle A$의 외각이므로
$\angle CAD=\angle B+\angle ACB=$ □
$\triangle ACD$는 $\overline{CA}=\overline{CD}$인 이등변삼각형이므로
$\angle CDA=\angle CAD=$ □
⋮

(1) □ 안에 알맞은 것을 차례대로 써넣으시오.

(2) 위 수학 문제의 답을 구하시오.

5일 다각형의 내각과 외각

공부할 내용
❶ 다각형의 내각의 크기의 합
❷ 다각형의 외각의 크기의 합

종이에 사각형을 그린 후 네 외각을 표시해.
네 외각을 오린 다음,
겹치지 않게 한 꼭짓점에 모으면 사각형의 외각의 크기의 합은 360° 임을 알 수 있지!
정오각형은 외각의 크기가 모두 같으므로 한 외각의 크기는 $\frac{360^\circ}{5}=72^\circ$
우리의 크기의 합은 360°!

이것만은 꼭꼭!

(1) 사각형의 내각의 크기의 합은 $180^\circ\times($ ❶ $-2)=360^\circ$이고, 정사각형의 한 내각의 크기는 $\frac{180^\circ\times(4-2)}{❷}=$ ❸ 이다.

(2) 삼각형의 외각의 크기의 합은 ❹ 이고, 정삼각형의 한 외각의 크기는 $\frac{360^\circ}{3}=120^\circ$이다.

답 ❶ 4 ❷ 4 ❸ 90° ❹ 360°

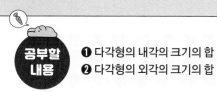

5일 교과서 핵심 정리 ❶

핵심 1 다각형의 내각의 크기의 합

(1) 다각형의 내각의 크기의 합

① n각형의 한 꼭짓점에서 대각선을 모두 그을 때 생기는 삼각형의 개수
→ ❶ [   ]

② n각형의 내각의 크기의 합 → ❷ [   ]

	사각형	오각형	육각형	⋯	n각형
한 꼭짓점에서 대각선을 모두 그을 때 생기는 삼각형의 개수	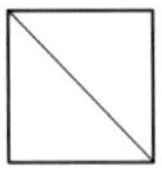 2	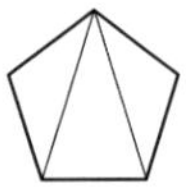 3	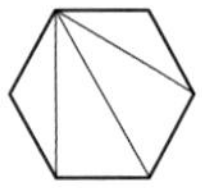 ❸ [ ]	⋯	$n-2$
내각의 크기의 합	$180^\circ \times 2 = 360^\circ$	$180^\circ \times 3 = 540^\circ$	$180^\circ \times 4 = 720^\circ$	⋯	$180^\circ \times (n-2)$

(2) 정다각형의 한 내각의 크기

정다각형은 그 내각의 크기가 모두 같으므로 정다각형에서 한 내각의 크기는 내각의 크기의 합을 꼭짓점의 개수로 나누어 구할 수 있다.

(정n각형의 한 내각의 크기) $= \dfrac{180^\circ \times (❹\ \square)}{❺\ \square}$

→ 정n각형의 내각의 크기의 합
→ 정n각형의 꼭짓점의 개수

❶ $n-2$
❷ $180^\circ \times (n-2)$
❸ 4
❹ $n-2$
❺ n

핵심 2 다각형의 외각의 크기의 합

(1) 다각형의 외각의 크기의 합

n각형의 외각의 크기의 합은 항상 ❻ [   ]이다.

참고 n각형의 한 꼭짓점에서 내각과 외각의 크기의 합은 ❼ [   ]이므로

(내각의 크기의 합)+(외각의 크기의 합)$=180^\circ \times n$

∴ (외각의 크기의 합)$=180^\circ \times n-$(내각의 크기의 합)

$=180^\circ \times n - 180^\circ \times (n-2)$

$=180^\circ \times n - 180^\circ \times n + 360^\circ$

$=360^\circ$

(2) 정다각형의 한 외각의 크기

정다각형은 그 외각의 크기가 모두 같으므로 정다각형에서 한 외각의 크기는 외각의 크기의 합을 꼭짓점의 개수로 나누어 구할 수 있다.

(정n각형의 한 외각의 크기) $= \dfrac{❽\ \square}{n}$

→ 정n각형의 외각의 크기의 합
→ 정n각형의 꼭짓점의 개수

❻ 360°
❼ 180°
❽ 360°

시험지 속 개념 문제

정답과 풀이 13쪽

1 다음 다각형의 내각의 크기의 합과 외각의 크기의 합을 차례대로 구하시오.

(1) 육각형　　(2) 칠각형

2 다음 그림에서 $\angle x$의 크기를 구하시오.

(1)

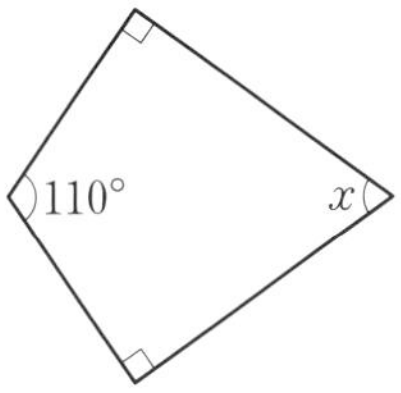

(2)

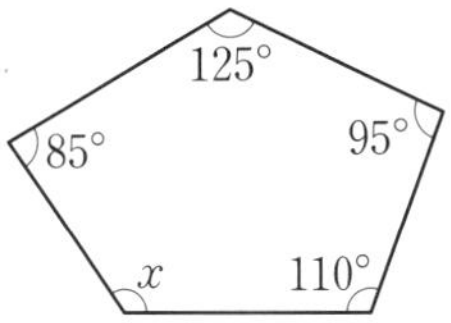

3 다음 그림에서 $\angle x$의 크기를 구하시오.

(1)

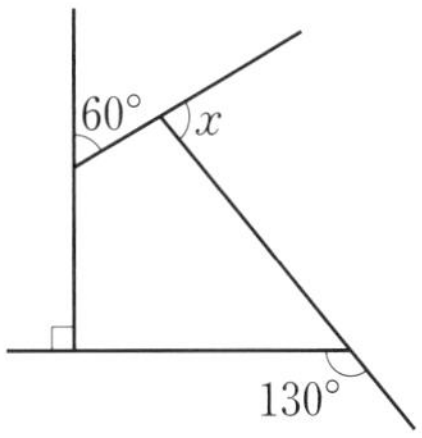

(2)

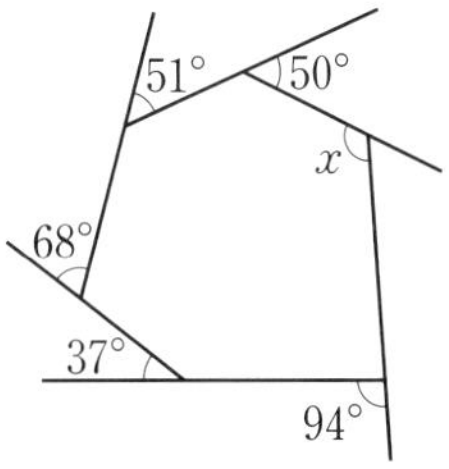

4 다음 정다각형의 한 내각의 크기와 한 외각의 크기를 차례대로 구하시오.

(1) 정오각형　　(2) 정십각형

5 한 내각의 크기가 다음과 같은 정다각형을 구하시오.

(1) 135°　　(2) 156°

6 한 외각의 크기가 다음과 같은 정다각형을 구하시오.

(1) 36°　　(2) 60°

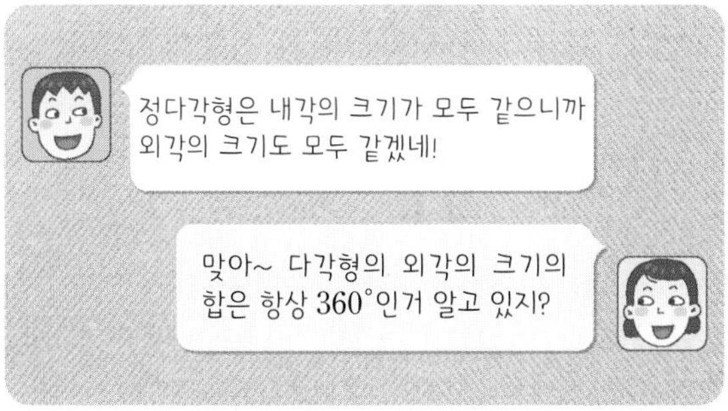

5일 교과서 기출 베스트 1회

대표 예제 1

내각의 크기의 합이 $1980°$인 다각형은?

① 팔각형 ② 구각형 ③ 십각형
④ 십이각형 ⑤ 십삼각형

개념 가이드

내각의 크기의 합이 $a°$인 다각형 구하기
→ 구하는 다각형을 n각형이라 하고 ① $\times(n-2)=a°$ 를 만족하는 n의 값을 구한다.

답 ① $180°$

대표 예제 2

오른쪽 그림에서 $\angle x$의 크기를 구하시오.

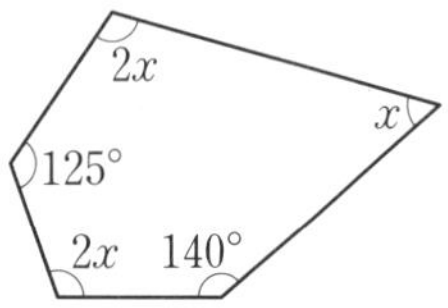

개념 가이드

n각형의 내각의 크기의 합은 $180°\times($①$)$이다. 이때 문제에서 자주 이용되는 다각형의 내각의 크기의 합을 외워두고 있으면 편리하다.

	사각형	오각형	육각형
내각의 크기의 합	$360°$	②	$720°$

답 ① $n-2$ ② $540°$

대표 예제 3

한 꼭짓점에서 그을 수 있는 대각선의 개수가 6인 다각형의 내각의 크기의 합은?

① $720°$ ② $900°$ ③ $1080°$
④ $1260°$ ⑤ $1440°$

개념 가이드

n각형의
(한 꼭짓점에서 그을 수 있는 대각선의 개수)= ①
(대각선의 개수)= $\dfrac{n(n-3)}{②}$

답 ① $n-3$ ② 2

대표 예제 4

한 내각의 크기가 $150°$인 정다각형은?

① 정팔각형 ② 정구각형 ③ 정십각형
④ 정십일각형 ⑤ 정십이각형

개념 가이드

(정n각형의 한 내각의 크기)= $\dfrac{(정n각형의 내각의 크기의 합)}{①}$
= ②

답 ① n ② $\dfrac{180°\times(n-2)}{n}$

대표 예제 5

오른쪽 그림에서 $\angle x$의 크기를 구하시오.

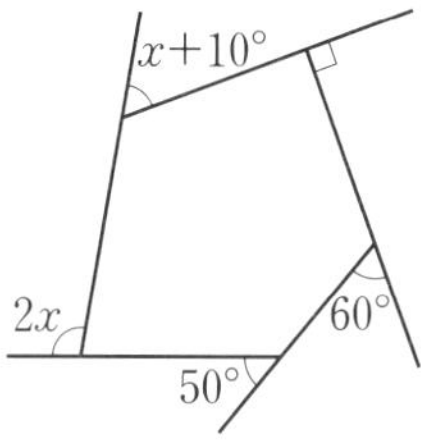

$x+10°$
$2x$
$60°$
$50°$

개념 가이드

다각형의 외각의 크기의 합은 항상 ① [　　] 이다. 외각의 크기를 이용하여 각의 크기를 구할 때에는 어떤 다각형이든 외각의 크기의 합이 ② [　　] 임을 이용한다.

답 ① $360°$ ② $360°$

대표 예제 6

다음 대화를 읽고 학생들이 말하는 조건을 만족하는 다각형의 이름을 말하시오.

이 다각형은
모든 변의 길이가 같고,
모든 내각의 크기가 같아.
한 외각의 크기는
40°야.

개념 가이드

모든 변의 길이가 같고, 모든 내각의 크기가 같은 다각형은 ① [　　] 이고, 정n각형의 한 외각의 크기는 $\dfrac{\text{②}\ [\quad]}{n}$ 이다.

답 ① 정다각형 ② $360°$

대표 예제 7

대각선의 개수가 20인 정다각형의 한 외각의 크기는?

① $45°$　　② $60°$　　③ $72°$

④ $90°$　　⑤ $120°$

개념 가이드

(1) 대각선의 개수가 k인 다각형 구하기

➡ 구하는 다각형을 n각형이라 하고 $\dfrac{n(\text{①}\ [\quad])}{2}=k$를 만족하는 n의 값을 구한다.

(2) (정n각형의 한 외각의 크기)$=\dfrac{(\text{외각의 크기의 합})}{n}$

$=$ ② [　　]

답 ① $n-3$ ② $\dfrac{360°}{n}$

대표 예제 8

한 내각의 크기와 한 외각의 크기의 비가 $3:2$인 정다각형을 구하시오.

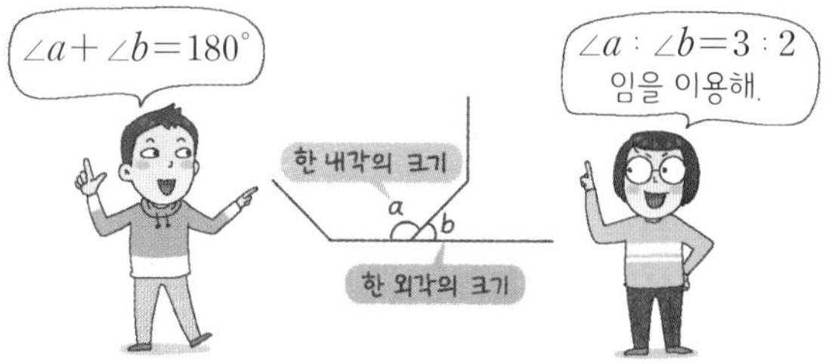

$\angle a+\angle b=180°$
한 내각의 크기
a
b
한 외각의 크기
$\angle a:\angle b=3:2$
임을 이용해.

개념 가이드

정n각형에서 (한 내각의 크기)+(한 외각의 크기)= ① [　　]

이므로 (한 내각의 크기) : (한 외각의 크기)$=a:b$이면

(한 외각의 크기)$=180°\times\dfrac{b}{\text{②}\ [\quad]}$이다.

답 ① $180°$ ② $a+b$

5일 교과서 기출 베스트 2회

1 내각의 크기의 합이 1080°인 다각형의 변의 개수를 구하시오.

2 오른쪽 그림에서 $\angle x$의 크기는?

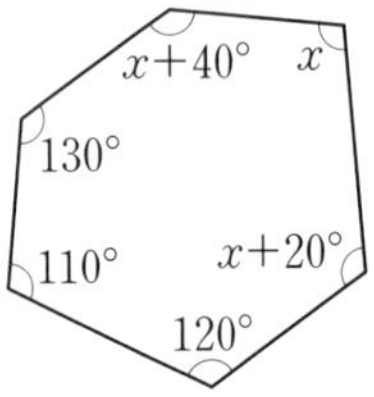

① 90° ② 100° ③ 110° ④ 120° ⑤ 130°

3 어떤 다각형의 내부의 한 점에서 각 꼭짓점을 연결하여 12개의 삼각형을 만들었다. 이 다각형의 내각의 크기의 합은?

① 1440° ② 1620° ③ 1800° ④ 1980° ⑤ 2160°

4 한 내각의 크기가 140°인 정다각형은?

① 정육각형 ② 정칠각형 ③ 정팔각형 ④ 정구각형 ⑤ 정십각형

5 오른쪽 그림에서 $\angle x$의 크기는?

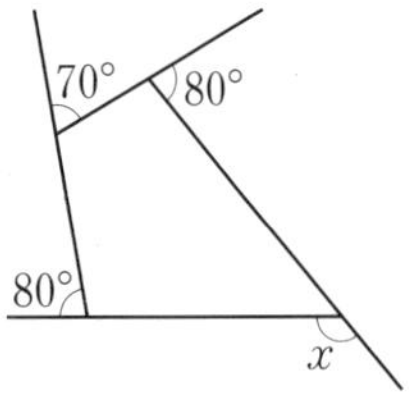

① 130° ② 135° ③ 140° ④ 145° ⑤ 150°

6 오른쪽 그림에서 $\angle x$의 크기는?

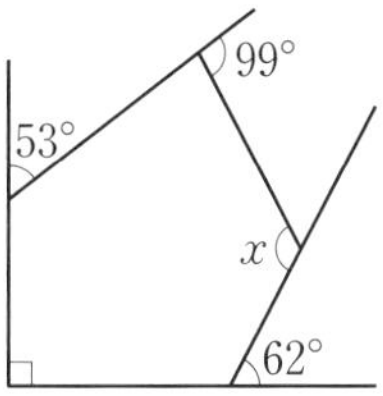

① 119° ② 124°
③ 129° ④ 134°
⑤ 139°

7 한 꼭짓점에서 그을 수 있는 대각선의 개수가 5인 정다각형의 한 외각의 크기는?

① 22.5° ② 36° ③ 45°
④ 60° ⑤ 72°

8 다음 만화를 보고 물음에 답하시오.

오른쪽 그림과 같은 정구각형 트랙의 둘레를 따라 달리려면 진행 방향의 왼쪽으로 몇 도씩 돌아야 하는지 구하시오.

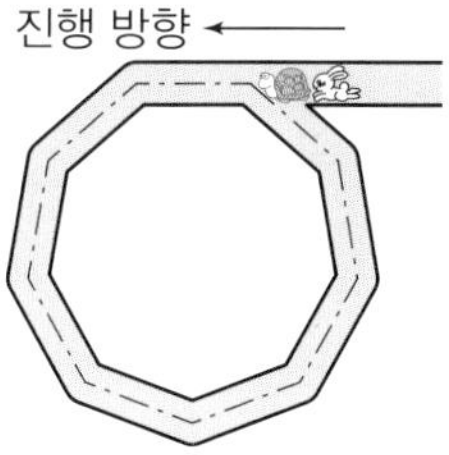

9 정n각형의 한 내각의 크기와 한 외각의 크기의 비가 $2:1$일 때, n의 값을 구하시오.

6일 누구나 100점 테스트 1회

1 오른쪽 그림과 같이 직선 l 위에 세 점 A, B, C가 있을 때, 다음 중 옳지 않은 것은?

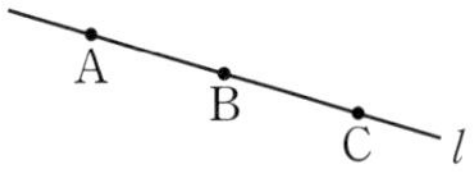

① $\overleftrightarrow{AB}=\overleftrightarrow{BA}$ ② $\overleftrightarrow{AB}=\overleftrightarrow{AC}$ ③ $\overrightarrow{AB}=\overrightarrow{AC}$
④ $\overrightarrow{BA}=\overrightarrow{BC}$ ⑤ $\overline{BC}=\overline{CB}$

2 오른쪽 그림에서 ∠AOB는 평각일 때, ∠x의 크기는?

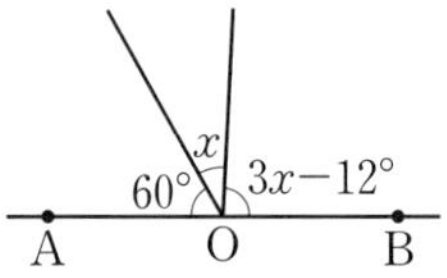

① 32° ② 33°
③ 34° ④ 35°
⑤ 36°

3 오른쪽 그림과 같이 두 직선이 한 점에서 만날 때, ∠x의 크기는?

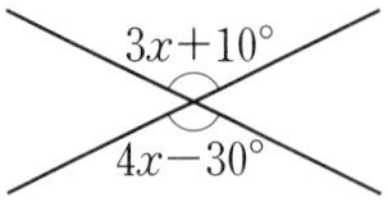

① 35° ② 40° ③ 45°
④ 50° ⑤ 55°

4 다음 중 오른쪽 그림과 같은 직사각형 ABCD에 대한 설명으로 옳지 않은 것은?

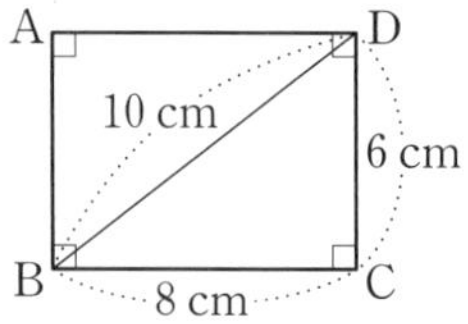

① $\overline{AB}$와 $\overline{AD}$는 직교한다.
② $\overline{AB}$는 $\overline{BC}$의 수선이다.
③ 점 A에서 $\overline{BC}$에 내린 수선의 발은 점 B이다.
④ 점 C와 $\overline{AD}$ 사이의 거리는 6 cm이다.
⑤ 점 D와 $\overline{AB}$ 사이의 거리는 10 cm이다.

5 다음 만화를 보고 꼬인 위치 마을에 들어갈 수 있는 통행증을 모두 고르시오.

6 오른쪽 그림과 같이 세 직선이 만날 때, 엇각끼리 짝 지어진 것은?

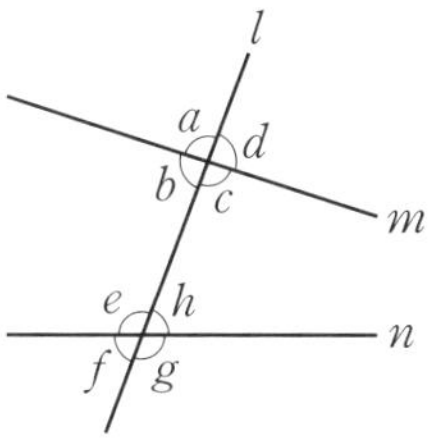

① $\angle a$와 $\angle f$
② $\angle b$와 $\angle e$
③ $\angle b$와 $\angle h$
④ $\angle c$와 $\angle f$
⑤ $\angle d$와 $\angle g$

7 오른쪽 그림에서 $l \,/\!/\, m$일 때, $\angle x$, $\angle y$의 크기를 각각 구하시오.

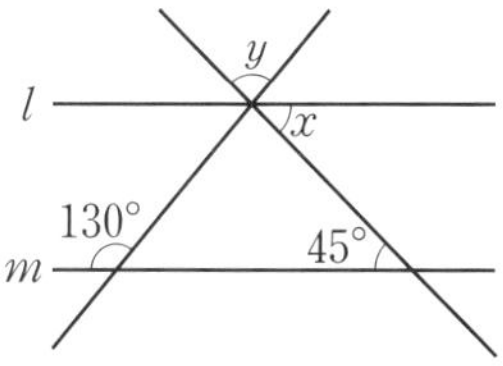

8 다음 중 두 직선 l, m이 서로 평행하지 않은 것은?

①
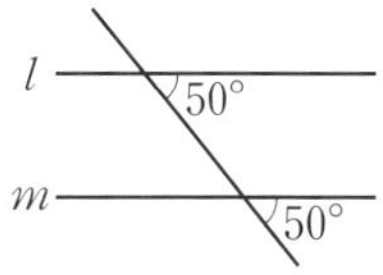

②
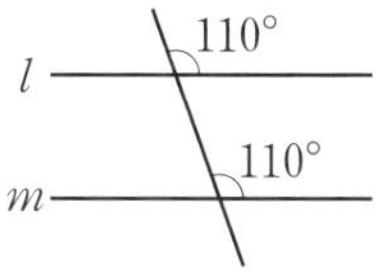

③
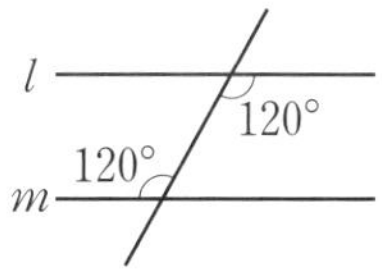

④
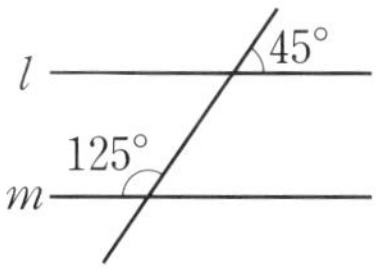

⑤
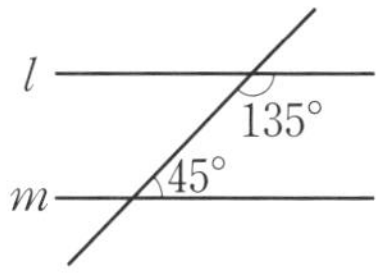

9 다음 메시지를 읽고 $\angle x$의 크기를 구하시오.

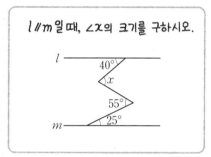

나랑아
내가 평행선 사이에 꺾인 부분이 한 개 있는 문제에 좀 익숙해질만 하니까, 선생님이 이 문제를 풀어 오라고 주시더라…휴
네가 한 번 풀어볼래?

$l \,/\!/\, m$일 때, $\angle x$의 크기를 구하시오.

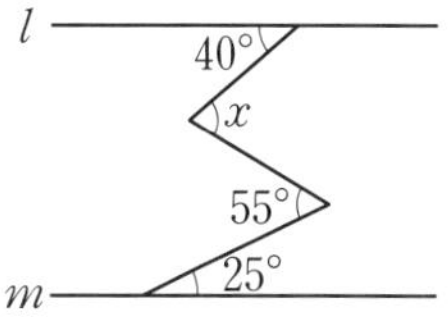

선생님께서 "꺾인 부분이 아무리 많아도 같은 방법으로 풀면 돼."라고 말씀해 주셨어. 도움이 되면 좋겠다.

10 다음 그림과 같은 직사각형 모양의 종이를 $\overline{EF}$를 접는 선으로 하여 접었을 때, $\angle x$의 크기를 구하시오.

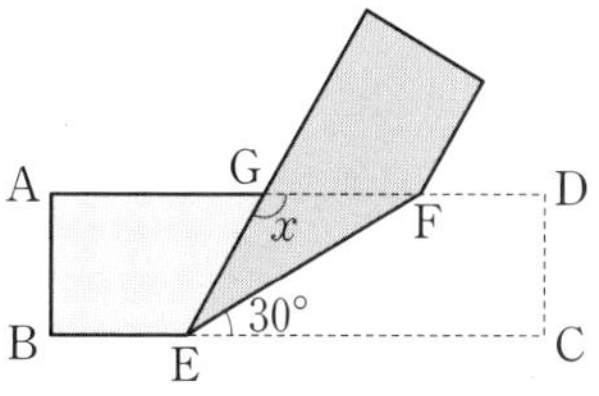

6일 누구나 100점 테스트 2회

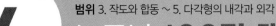

1 다음 보기 중 작도에 대한 설명으로 옳은 것을 모두 고른 것은?

> 보기
> ㉠ 두 선분의 길이를 비교할 때에는 자를 사용한다.
> ㉡ 두 점을 지나는 선분이나 직선을 그릴 때에는 컴퍼스를 사용한다.
> ㉢ 주어진 선분의 길이를 다른 직선 위로 옮길 때에는 컴퍼스를 사용한다.
> ㉣ 눈금 없는 자와 컴퍼스만을 사용하여 도형을 그리는 것을 작도라 한다.

① ㉠, ㉡　② ㉠, ㉢　③ ㉡, ㉢
④ ㉡, ㉣　⑤ ㉢, ㉣

2 만화가가 오른쪽 그림과 같은 2등신 캐릭터를 만들고 있다. 머리를 먼저 그려 놓고 신장을 정할 때 다음 작도법을 활용하려고 한다. □ 안에 공통으로 들어갈 선분을 써넣으시오.

> ❶ $\overline{AB}$를 점 B의 방향으로 연장한다.
> ❷ □의 길이를 잰다.
> ❸ 점 B를 중심으로 반지름의 길이가 □의 길이와 같은 원을 그린다. 이때 이 원과 $\overline{AB}$의 연장선이 만나는 점을 점 C라 한다.

3 다음 중 △ABC가 하나로 정해지지 않는 것은?

① $\overline{AB}=5$ cm, $\overline{BC}=8$ cm, $\overline{CA}=7$ cm
② $\overline{BC}=5$ cm, $\overline{CA}=7$ cm, $\angle A=70°$
③ $\overline{AB}=6$ cm, $\overline{BC}=3$ cm, $\angle B=50°$
④ $\overline{AB}=6$ cm, $\angle A=50°$, $\angle B=80°$
⑤ $\overline{BC}=8$ cm, $\angle A=65°$, $\angle B=45°$

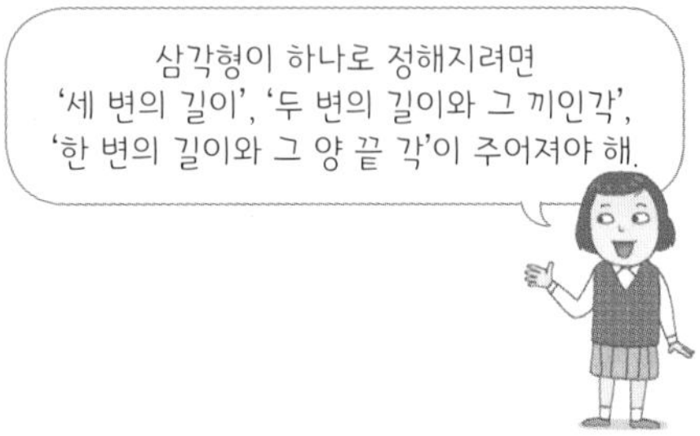

4 아래 그림에서 사각형 ABCD와 사각형 EFGH가 서로 합동일 때, 다음 중 옳지 않은 것은?

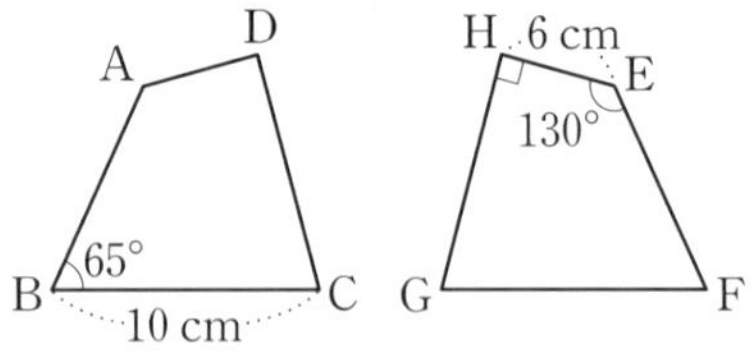

① $\angle A=130°$　② $\overline{AD}=6$ cm　③ $\overline{GF}=10$ cm
④ $\angle D=90°$　⑤ $\angle G=65°$

5 다음 중 오른쪽 그림의 삼각형과 합동인 것은?

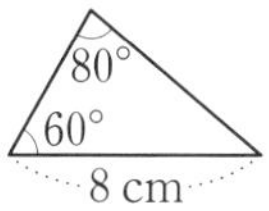

①
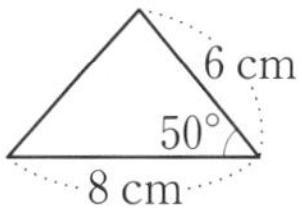

②
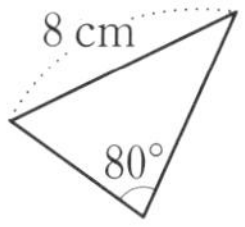

③
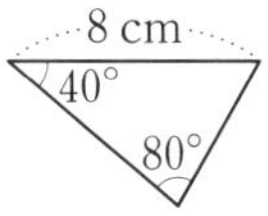

④
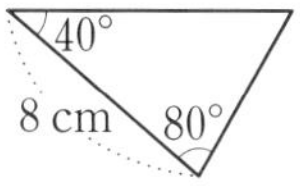

⑤
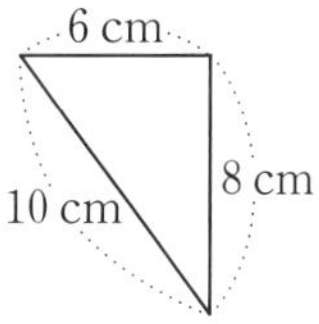

6 다음 중 다각형을 모두 고르면? (정답 2개)

① 원뿔　② 원　③ 직육면체
④ 직사각형　⑤ 이등변삼각형

7 오른쪽 그림에서 $\angle x$의 크기를 구하시오.

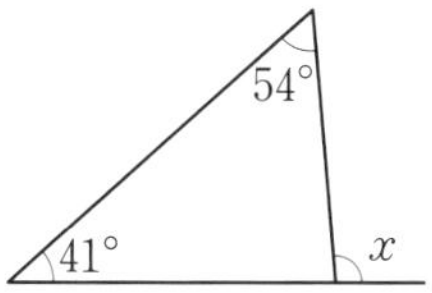

8 다음 만화를 보고 연희의 꿈에 나왔던 다각형의 이름을 말하시오.

9 오른쪽 그림에서 $\angle x$의 크기는?

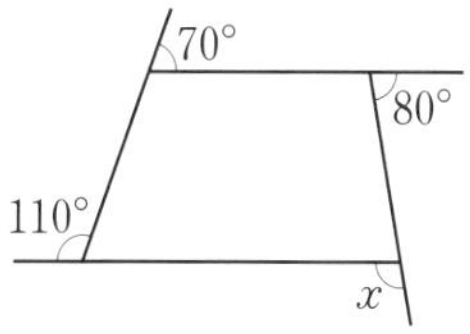

① 100°　② 105°
③ 110°　④ 115°
⑤ 120°

10 정십오각형의 한 외각의 크기는?

① 12°　② 15°　③ 20°
④ 24°　⑤ 30°

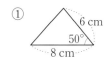

6일 서술형·사고력 테스트

1 다음 세 학생 중 오른쪽 그림을 보고 잘못 설명한 학생을 고르고, 그 이유를 말하시오.

풀이

답

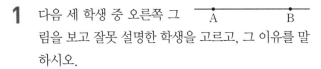

2 오른쪽 그림에서 서로 평행한 직선을 모두 찾고, 그 이유를 말하시오.

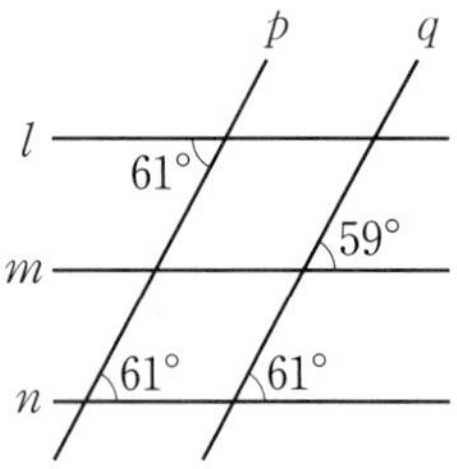

풀이

답

3 삼각형의 모양과 크기가 하나로 정해지는 세 가지 경우를 모두 말하시오.

풀이

답

4 다음 그림과 같이 해안가의 한 지점을 A, 배의 위치를 B, 등대의 위치를 P, 섬의 한 지점을 Q라 하고 $\overline{AQ}$와 $\overline{BP}$의 교점을 R라 하자. $\angle BAR=\angle QPR$이고 $\overline{PQ}=8$ km, $\overline{AR}=\overline{PR}=2$ km일 때, A 지점에서 B 지점까지의 거리를 구하시오.

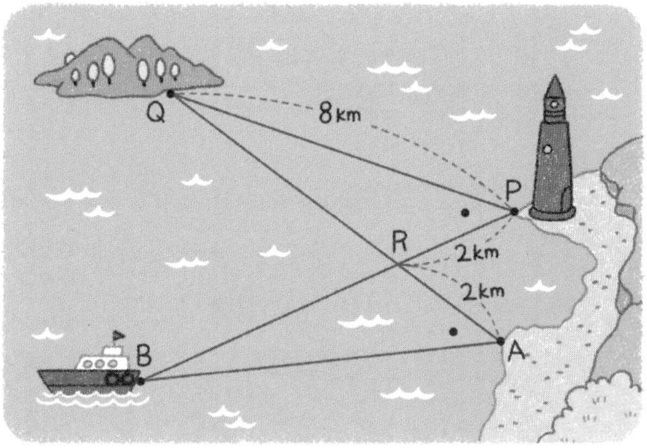

풀이

답

5 오른쪽 그림은 벤젠의 분자 구조 모형이다. 벤젠은 독특한 정육각형 모양의 고리를 가지고 있으며 플라스틱, 합성고무, 세제, 농약 등을 만드는 데 사용된다. 다음을 구하시오.

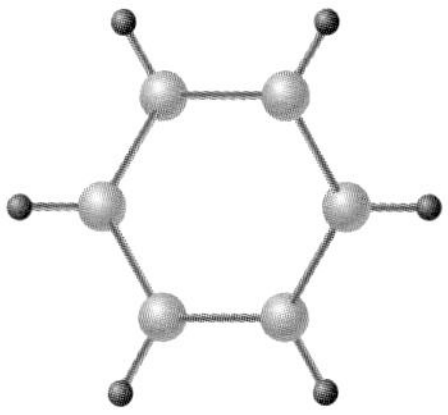

(1) 벤젠 고리의 내각의 크기의 합

(2) 벤젠 고리의 한 내각의 크기

(3) 벤젠 고리의 한 외각의 크기

풀이

답

6일 창의·융합·코딩 테스트

1 아래 그림은 어느 마라톤 대회에서 선두 그룹에 있는 선수들의 위치를 직선 위에 나타낸 것이다. 점 B의 위치에 있는 선수가 현재 1등일 때, 다음 물음에 답하시오. (단, $\overline{AC}=2\overline{BC}$이고, 점 D는 $\overline{CB}$의 중점이다.)

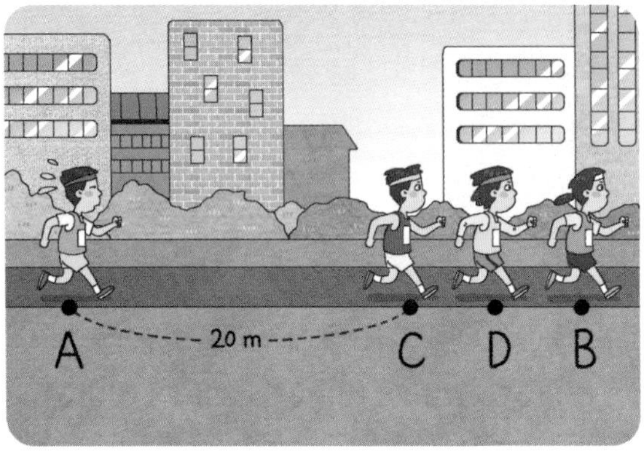

(1) 1등으로 달리고 있는 선수와 3등으로 달리고 있는 선수 사이의 거리를 구하시오.

(2) 1등으로 달리고 있는 선수와 2등으로 달리고 있는 선수 사이의 거리를 구하시오.

2

지식백과

Q 주차장에서 주차하는 칸을 왜 비스듬한 평행사변형 모양으로 만드나요?

A 직각 주차는 자동차를 주차하기 위해 회전할 때 공간을 많이 차지하지만 대각선 주차는 직각 주차보다 공간을 덜 필요로 합니다. 따라서 좁은 공간을 유용하게 활용하기 위해서는 주차하는 칸을 평행사변형 모양으로 만드는 것이 좋습니다.

어떤 마을에서 주차 공간을 늘리기 위해 주차장에 평행선을 긋는 작업을 하고 있다.

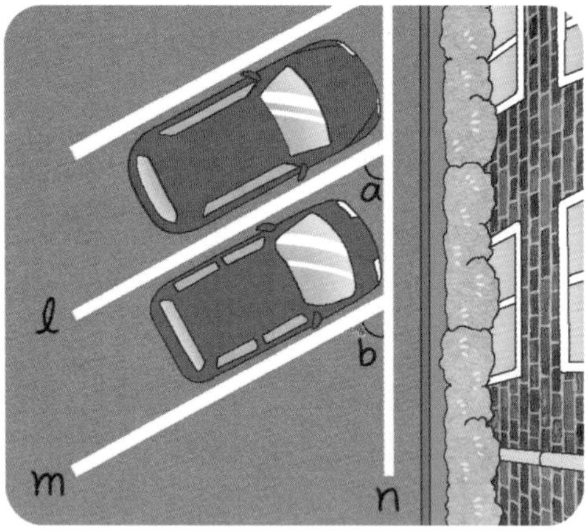

위의 그림에서 두 직선 l, m이 평행선인지 아닌지 확인할 수 있는 방법을 $\angle a$와 $\angle b$를 이용하여 말하시오.

정답과 풀이 18쪽

3 아래 그림과 같이 북두칠성의 별 7개 가운데 $\overline{AB}$의 길이를 B쪽으로 5배 연장한 곳에 북극성이 있다고 한다. 다음 물음에 답하시오.

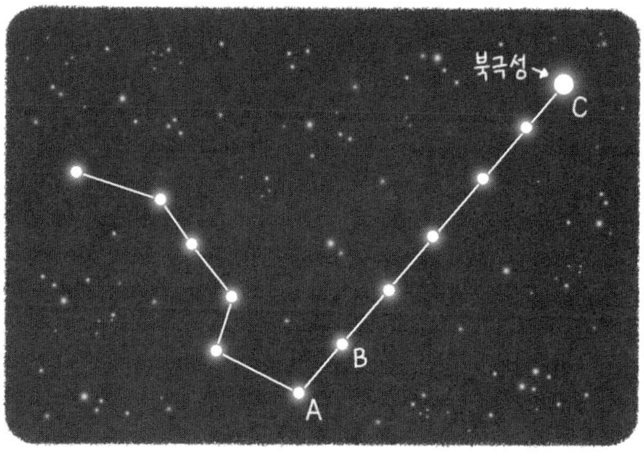

(1) 다음은 위의 그림에서 $\overline{AB}$의 길이를 5배 연장하는 방법을 설명하는 과정이다. 작도 순서를 바르게 나열하시오.

> ㉠ 점 B를 중심으로 반지름의 길이가 $\overline{AB}$인 원을 그려 $\overline{AB}$의 연장선과의 교점을 찾는다.
> ㉡ 컴퍼스로 $\overline{AB}$의 길이를 잰다.
> ㉢ 앞의 과정을 반복하여 북극성의 위치를 찾는다.

(2) 북극성의 위치를 C라 할 때, $\overline{BC}$의 길이는 $\overline{AB}$의 길이의 몇 배인지 구하시오.

4 아래 그림은 정다각형 모양의 종이 일부가 찢어진 것이다. 세 점 A, B, C가 정다각형의 꼭짓점일 때, 다음 물음에 답하시오.

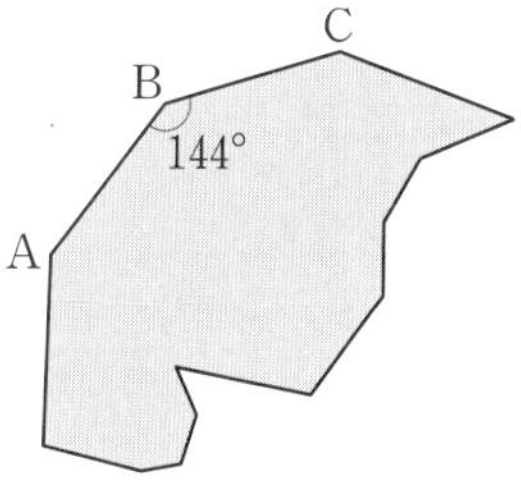

(1) 찢어지기 전의 종이는 어떤 정다각형이었는지 구하시오.

(2) (1)에서 구한 정다각형의 내각의 크기의 합을 구하시오.

7일 중간고사 기본 테스트 1회

1 오른쪽 그림과 같은 육각뿔에서 교점의 개수를 a, 교선의 개수를 b, 면의 개수를 c라 할 때, $a+b+c$의 값은?

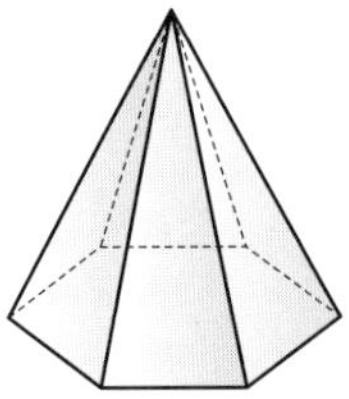

① 25　② 26　③ 27　④ 28　⑤ 29

2 다음 그림과 같이 직선 l 위에 세 점 A, B, C가 있다.

빛나가 아래 그림과 같은 미로를 지날 때, 각 칸에 적힌 설명이 옳으면 오른쪽으로 한 칸씩, 틀리면 아래로 한 칸씩 이동한다고 한다. 최종 목적지에서 만나게 되는 주사위의 눈의 수는?

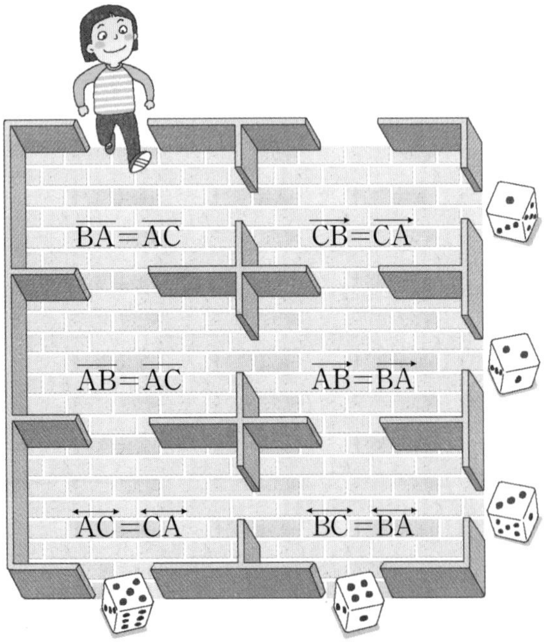

① 1　② 2　③ 3　④ 4　⑤ 5

3 오른쪽 그림과 같이 세 직선이 한 점에서 만날 때, $\angle x$의 크기는?

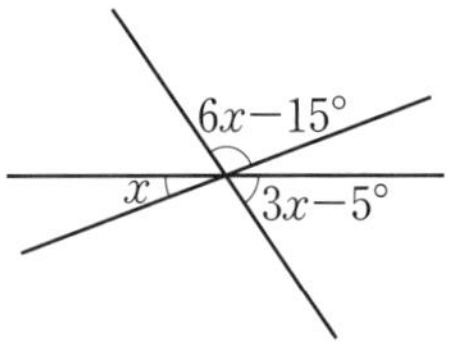

① 15°　② 20°　③ 25°　④ 30°　⑤ 35°

4 다음 중 오른쪽 그림과 같은 직육면체에 대한 설명으로 옳지 <u>않은</u> 것은?

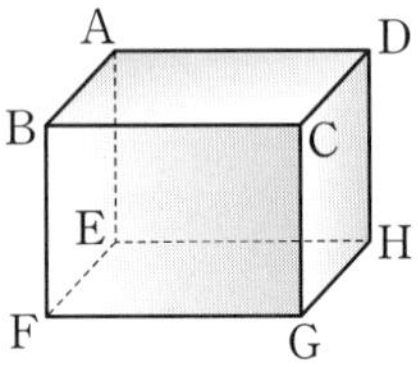

① 모서리 EF와 모서리 GH는 평행하다.
② 모서리 AB와 면 CGHD는 평행하다.
③ 모서리 CD와 모서리 FG는 꼬인 위치에 있다.
④ 면 ABFE에 수직인 모서리는 1개이다.
⑤ 모서리 BC와 모서리 CG의 교점은 점 C이다.

5 오른쪽 그림에서 $\angle x$의 엇각과 $\angle y$의 동위각의 크기를 차례대로 쓴 것은?

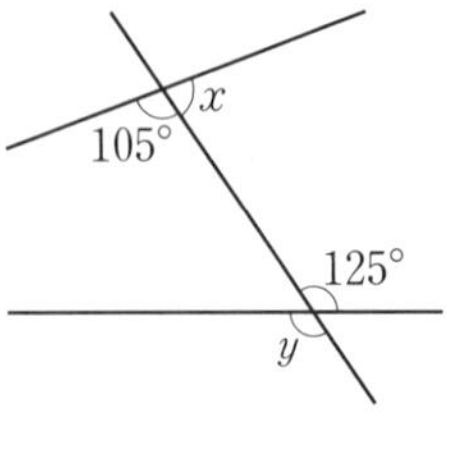

① 55°, 105°
② 55°, 125°
③ 65°, 105°
④ 65°, 125°
⑤ 105°, 125°

정답과 풀이 19쪽

6 오른쪽 그림에서 $l /\!/ m$일 때, $\angle a - \angle b$의 크기는?

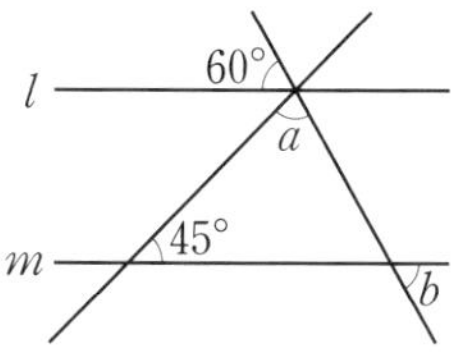

① 5°　② 10°　③ 15°　④ 20°　⑤ 25°

7 다음 중 두 직선 l, m이 서로 평행하지 않은 것은?

①
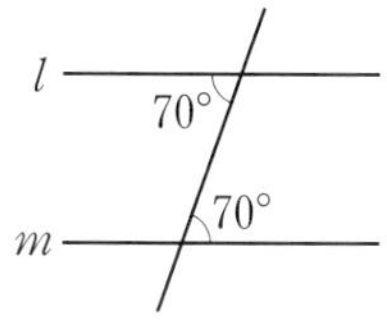

②
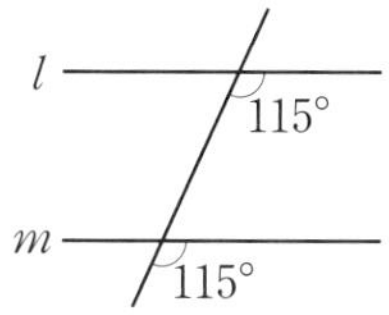

③
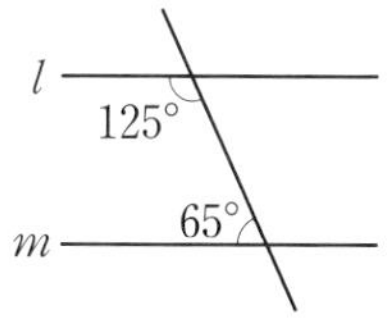

④
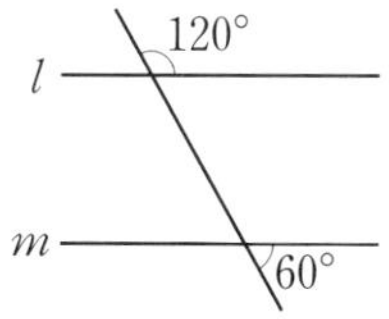

⑤
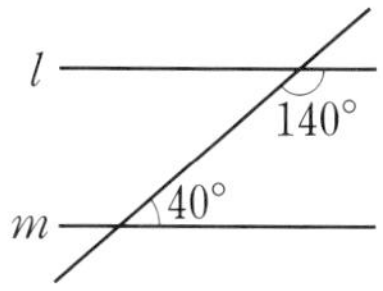

8 다음 그림과 같은 직사각형 모양의 종이를 $\overline{FG}$를 접는 선으로 하여 접었을 때, $\angle x + \angle y$의 크기는?

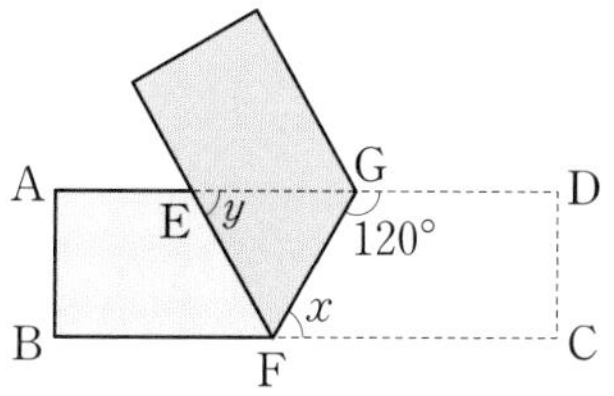

① 105°　② 110°　③ 115°　④ 120°　⑤ 125°

9 아래 그림은 ∠XOY와 크기가 같은 각을 반직선 PQ를 한 변으로 하여 작도한 것이다. 다음 중 옳지 않은 것은?

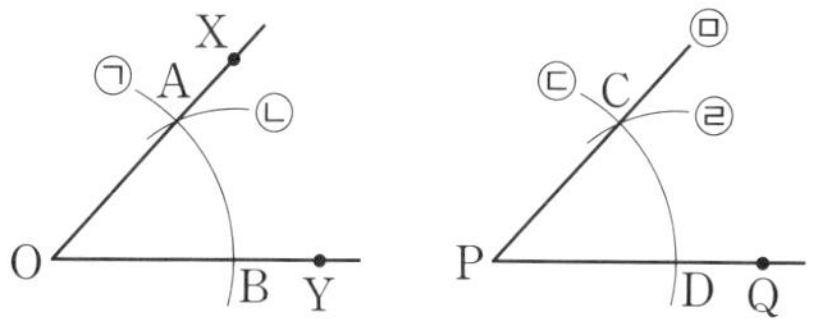

① $\overline{OA} = \overline{OB}$　② $\angle AOB = \angle CPD$
③ $\overline{OA} = \overline{PD}$　④ $\overline{AB} = \overline{CD}$
⑤ 작도 순서는 ㉠ → ㉡ → ㉢ → ㉣ → ㉤이다.

10 다음 중 △ABC가 하나로 정해지는 것을 모두 고르면? (정답 2개)

① $\overline{AB} = 6$ cm, $\overline{BC} = 4$ cm, $\overline{CA} = 9$ cm
② $\angle A = 70°$, $\angle B = 30°$, $\angle C = 80°$
③ $\overline{AB} = 6$ cm, $\overline{CA} = 3$ cm, $\angle B = 20°$
④ $\overline{AC} = 8$ cm, $\angle A = 20°$, $\angle B = 40°$
⑤ $\overline{AB} = 7$ cm, $\overline{BC} = 5$ cm, $\overline{CA} = 13$ cm

11 다음 보기의 삼각형 중 합동인 것끼리 바르게 짝 지은 것은?

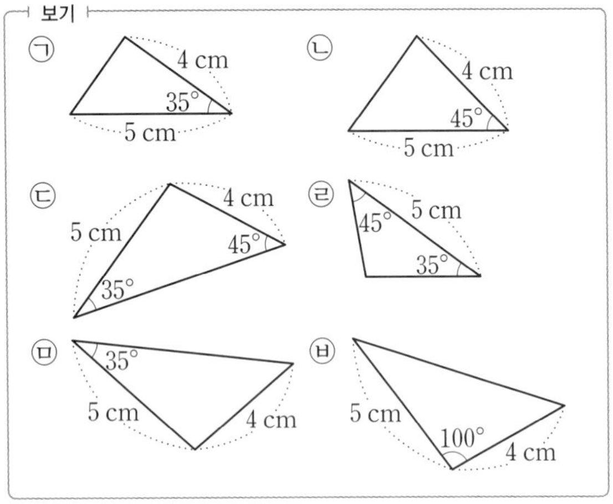

① ㉠과 ㉡ ② ㉡과 ㉤ ③ ㉢과 ㉥
④ ㉣과 ㉤ ⑤ ㉤과 ㉥

12 다음 중 잘못 말한 사람을 모두 고른 것은?

하랑
여러 개의 선분으로 둘러싸인 평면도형을 다각형이라고 해.
아랑
네 내각의 크기가 같은 사각형은 정사각형이야.
다람
정다각형은 모든 내각의 크기가 같아.
나람
꼭짓점이 8개인 정다각형은 정육면체야.

① 하랑, 아랑 ② 하랑, 다람 ③ 아랑, 다람
④ 아랑, 나람 ⑤ 다람, 나람

13 한 꼭짓점에서 그을 수 있는 대각선의 개수가 9인 다각형은?

① 팔각형 ② 구각형 ③ 십각형
④ 십일각형 ⑤ 십이각형

14 오른쪽 그림에서 $\angle x$의 크기는?

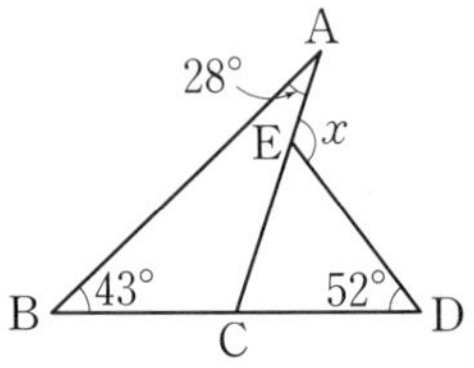

① 112° ② 120°
③ 123° ④ 128°
⑤ 132°

15 오른쪽 그림에서 $\angle x$의 크기는?

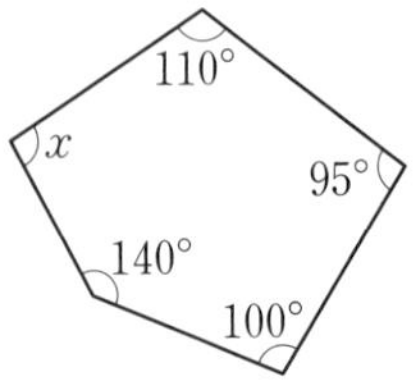

① 85° ② 90°
③ 95° ④ 100°
⑤ 105°

16 오른쪽 그림에서 $\angle x$의 크기는?

① 55° ② 60°
③ 65° ④ 70°
⑤ 75°

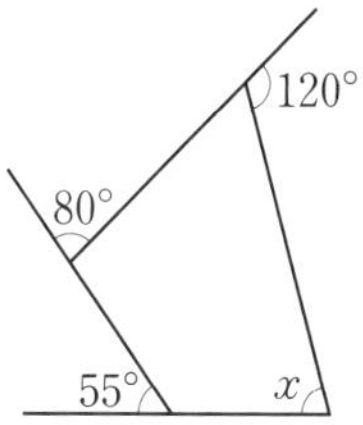

17 한 내각의 크기와 한 외각의 크기의 비가 3 : 1인 정다각형은?

① 정오각형 ② 정육각형 ③ 정칠각형
④ 정팔각형 ⑤ 정구각형

서술형

18 다음 그림에서 $\triangle ABC \equiv \triangle DEF$일 때, $\angle A$의 크기와 $\overline{ED}$의 길이를 각각 구하시오.

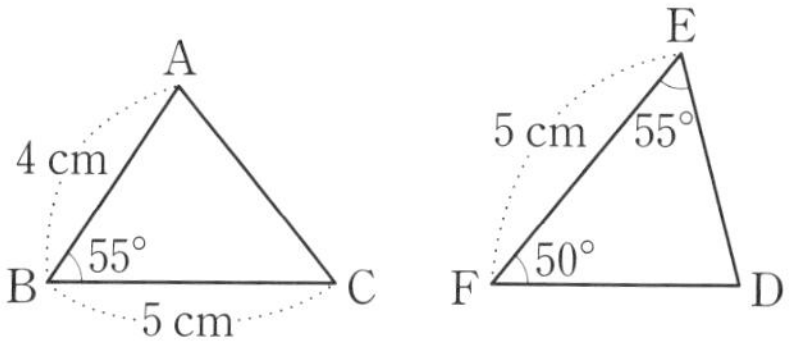

서술형

19 다음 ㉠~㉣에 해당하는 숫자를 차례대로 눌러야 잠금장치가 열린다고 한다. 잠금장치를 열기 위해 눌러야 하는 다섯 자리 수를 구하시오.

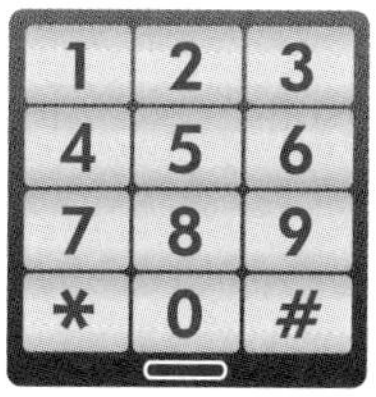

㉠ 오각형의 한 꼭짓점에서 그을 수 있는 대각선의 개수
㉡ 오각형의 한 꼭짓점에서 대각선을 그었을 때 만들어지는 삼각형의 개수
㉢ 한 꼭짓점에서 그을 수 있는 대각선의 개수가 1인 다각형의 변의 개수
㉣ 칠각형의 대각선의 개수

서술형

20 한 내각의 크기가 140°인 정다각형의 대각선의 개수를 구하시오.

7일 중간고사 기본 테스트 2회

1 아래 그림과 같이 직선 l 위에 네 점 A, B, C, D가 있을 때, 다음 중 $\overrightarrow{AB}$와 같은 것을 모두 고르면? (정답 2개)

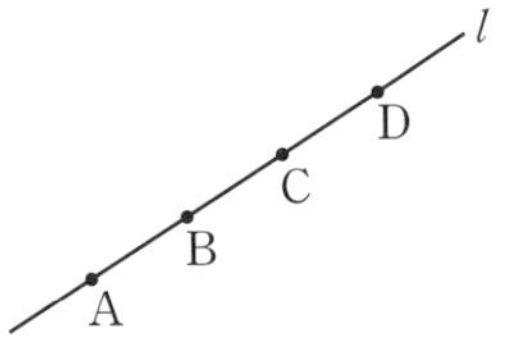

① $\overrightarrow{AC}$ ② $\overrightarrow{BC}$ ③ $\overrightarrow{BA}$
④ $\overrightarrow{CA}$ ⑤ $\overrightarrow{AD}$

2 오른쪽 그림에서 $\angle x$의 크기는?

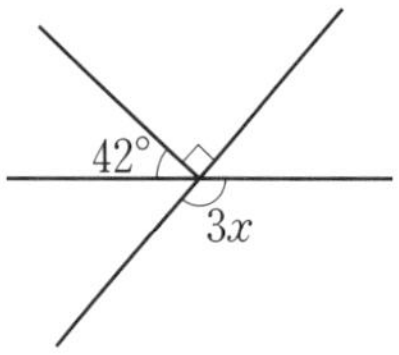

① 40° ② 42°
③ 44° ④ 46°
⑤ 48°

3 다음 중 오른쪽 그림과 같은 사다리꼴 ABCD에 대한 설명으로 옳지 않은 것은?

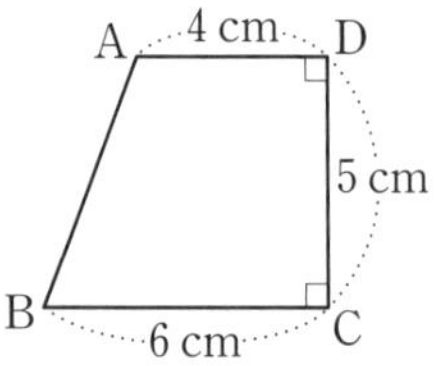

① $\overleftrightarrow{AD} \perp \overleftrightarrow{DC}$
② $\overline{BC}$는 $\overline{DC}$의 수선이다.
③ 점 A는 $\overleftrightarrow{BC}$ 위에 있지 않다.
④ 점 B와 $\overline{DC}$ 사이의 거리는 5 cm이다.
⑤ 점 D에서 $\overline{BC}$에 내린 수선의 발은 점 C이다.

4 조선 시대에는 화강석으로 만든 팔각기둥 모양의 풍기대에 풍기를 꽂아 바람의 세기와 방향을 쟀다고 한다. 오른쪽 사진은 우리나라 보물 제 846호인 창경궁 풍기대의 모습이다.

또, 오른쪽 그림은 풍기대와 같은 정팔각기둥이다. 파란색으로 칠해진 옆면에 포함되는 모서리의 개수를 a, 평행한 모서리의 개수를 b라 할 때, $a+b$의 값은?

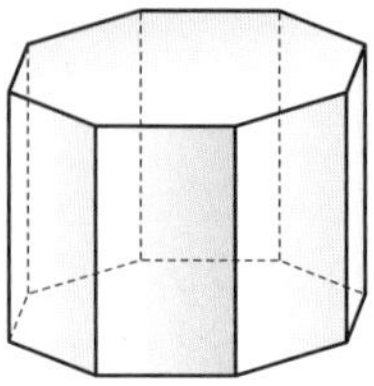

① 4 ② 8 ③ 10
④ 12 ⑤ 14

5 오른쪽 그림에서 $l /\!/ m$임을 설명할 수 있는 것을 다음 표에서 모두 골라 그 칸을 색칠하면 어떤 한글 자음이 나오는가?

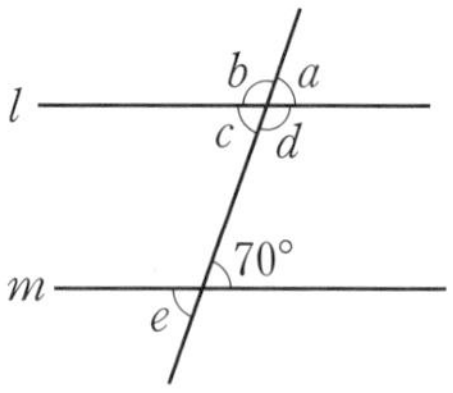

$\angle a=70^\circ$	$\angle a=\angle c$	$\angle b=\angle d$
$\angle b=110^\circ$	$\angle e=70^\circ$	$\angle c+70^\circ=180^\circ$
$\angle c=70^\circ$	$\angle d=110^\circ$	$\angle d+\angle e=180^\circ$

① ㄱ ② ㄴ ③ ㄷ
④ ㅁ ⑤ ㅈ

6 오른쪽 그림에서 $l /\!/ m$일 때, $\angle x$의 크기는?

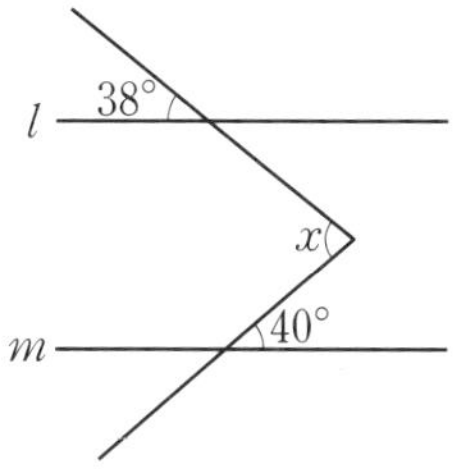

① 72° ② 76°
③ 78° ④ 80°
⑤ 85°

7 다음 만화를 보고 비밀의 방을 열기 위해 필요한 열쇠를 모두 고른 것은?

① ㉠, ㉡ ② ㉠, ㉢ ③ ㉡, ㉢
④ ㉡, ㉣ ⑤ ㉢, ㉣

8 다음 중 삼각형의 세 변의 길이가 될 수 없는 것은?

① 2 cm, 3 cm, 4 cm ② 3 cm, 5 cm, 7 cm
③ 4 cm, 4 cm, 5 cm ④ 4 cm, 6 cm, 10 cm
⑤ 5 cm, 7 cm, 9 cm

9 아래 그림에서 사각형 ABCD와 사각형 EFGH가 서로 합동일 때, 다음 중 옳지 않은 것은?

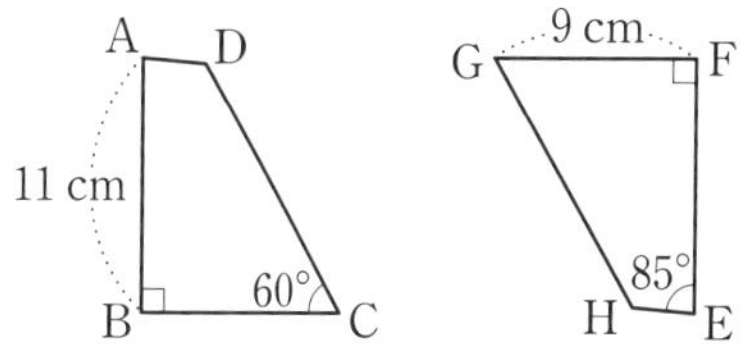

① $\angle A = 85°$ ② $\angle G = 60°$ ③ $\angle H = 125°$
④ $\overline{BC} = 9$ cm ⑤ $\overline{GH} = 11$ cm

10 오른쪽 그림에서 $\overline{AD}$와 $\overline{BC}$의 교점을 O라 할 때, $\overline{OC}$의 길이는?

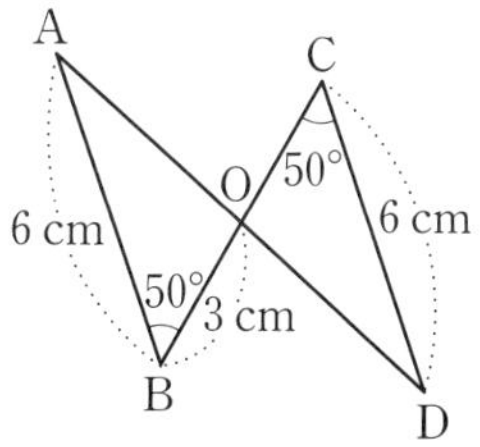

① 2.5 cm ② 3 cm
③ 3.5 cm ④ 4 cm
⑤ 4.5 cm

11 십이각형의 한 꼭짓점에서 그을 수 있는 대각선의 개수는?

① 9 ② 10 ③ 11
④ 12 ⑤ 13

12 오른쪽 그림에서 $\angle x$의 크기는?

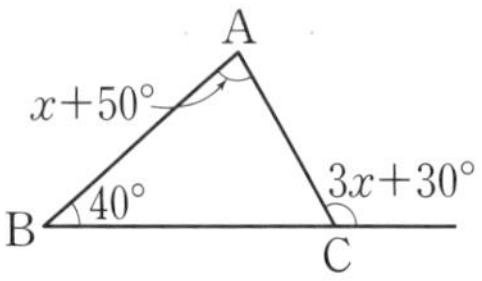

① 20° ② 30°
③ 40° ④ 50°
⑤ 60°

13 오른쪽 그림과 같은 $\triangle ABC$에서 $\angle B$와 $\angle C$의 이등분선의 교점을 D라 하자.
$\angle A=68°$일 때, $\angle x$의 크기는?

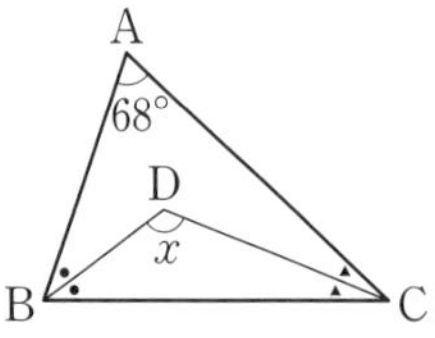

① 114° ② 118° ③ 120°
④ 124° ⑤ 126°

14 오른쪽 그림에서 $\angle a+\angle b$의 크기는?

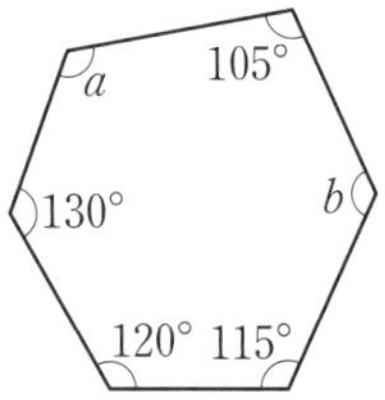

① 230° ② 235°
③ 240° ④ 245°
⑤ 250°

15 다음 중 옳지 않은 것은?

① 정다각형의 모든 변의 길이는 같다.
② 팔각형의 대각선의 개수는 20이다.
③ 정십이각형의 한 내각의 크기는 120°이다.
④ 다각형의 한 꼭짓점에서 내각의 크기와 외각의 크기의 합은 180°이다.
⑤ 칠각형의 한 꼭짓점에서 그을 수 있는 대각선의 개수는 4이다.

16 정팔각형의 한 외각의 크기는?

① 20° ② 40° ③ 45°
④ 60° ⑤ 72°

17 한 내각의 크기와 한 외각의 크기의 비가 5 : 1인 정다각형의 대각선의 개수는?

① 27 ② 35 ③ 44
④ 54 ⑤ 65

서술형

18 다음 그림에서 두 점 M, N은 각각 $\overline{AB}$, $\overline{BC}$의 중점이고 $\overline{MN}=8$ cm일 때, $\overline{AC}$의 길이를 구하시오.

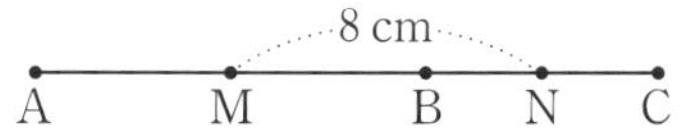

서술형

19 다음 두 사람이 나눈 대화를 읽고 물음에 답하시오.

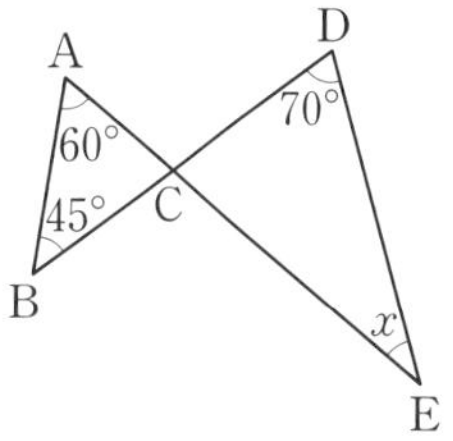

신우
△ABC에서 세 내각의 크기의 합이 얼마지?
㉠ 지.
그러면 ∠ACB의 크기는 ㉡ 야.
미성
신우
△DCE에서 ∠DCE의 크기는 얼마지?
∠ACB와 맞꼭지각이니까 그 크기가
㉡ 로 같아.
미성

(1) ㉠, ㉡에 알맞은 각의 크기를 각각 쓰시오.

(2) $\angle x$의 크기를 구하시오.

서술형

20 정십팔각형의 한 외각의 크기를 $a°$, 십각형의 대각선의 개수를 b라 할 때, $b-a$의 값을 구하시오.

memo

memo

핵심 정리 01 도형의 기본 요소

(1) **도형의 기본 요소 :** ❶ [ ]

참고 점이 움직인 자리는 선, 선이 움직인 자리는 면이 된다.

(2) **교점과 교선**

① 교점 : 선과 선 또는 선과 면이 만나서 생기는 점

② 교선 : 면과 면이 만나서 생기는 ❷ [ ]

참고 교선은 직선인 경우와 곡선인 경우가 있다.

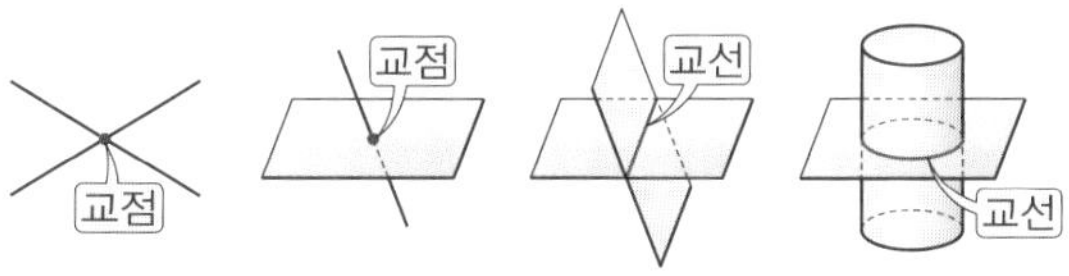

이것 봐! 점이 움직이니까 선이 만들어지잖아!
와이퍼(선)를 움직이면 면이 만들어지지?

답 ❶ 점, 선, 면 ❷ 선

핵심 정리 02 직선, 반직선, 선분

(1) **직선 AB($\overleftrightarrow{AB}$ 또는 $\overleftrightarrow{BA}$)**

두 점 A, B를 지나는 직선

A
B

참고 한 점을 지나는 직선은 무수히 많지만 서로 다른 두 점을 지나는 직선은 오직 하나뿐이다.

(2) **반직선 AB($\overrightarrow{AB}$)**

직선 AB 위의 점 A에서 ❶ [ ] 쪽으로 뻗은 부분

참고 같은 반직선은 시작점과 방향이 모두 ❷ [ ].

(3) **선분 AB($\overline{AB}$ 또는 $\overline{BA}$)**

직선 AB 위의 점 A에서 점 B까지의 부분

답 ❶ 점 B ❷ 같다

핵심 정리 03 두 점 사이의 거리와 선분의 중점

(1) **두 점 A, B 사이의 거리**

두 점 A, B를 양 끝점으로 하는 무수히 많은 선 중에서 길이가 가장 ❶ [ ] 선분 AB의 길이

(2) **선분 AB의 중점**

선분 AB 위의 점 중에서 $\overline{AM}$ ❷ [ ] $\overline{BM}$을 만족하는 점 M

→ $\overline{AM}=\overline{BM}=\frac{1}{2}\overline{AB}$

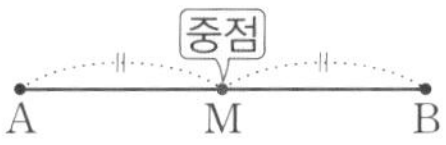

답 ❶ 짧은 ❷ =

핵심 정리 04 각

(1) **각 AOB :** 한 점 O에서 시작하는 두 반직선 OA와 OB로 이루어진 도형 → ∠AOB

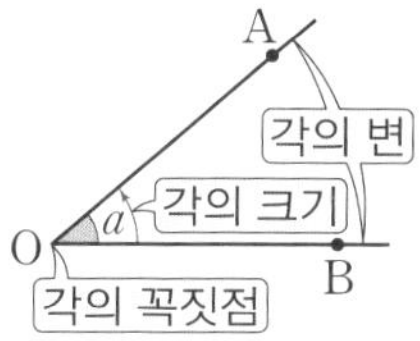

(2) **각의 분류**

① (평각)=180°, (직각)=90°

② 0°<(예각)<90°, 90°<(❶ [ ])<180°

(3) **맞꼭지각**

① 교각 : 서로 다른 두 직선이 한 점에서 만날 때 생기는 네 개의 각

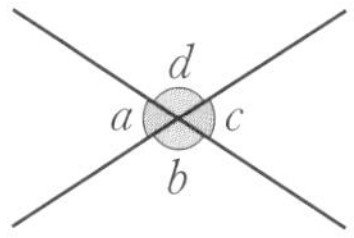

→ $\angle a$, $\angle b$, $\angle c$, $\angle d$

② 맞꼭지각 : 교각 중 서로 ❷ [ ] 두 각

→ $\angle a$와 $\angle c$, $\angle b$와 $\angle d$

③ 맞꼭지각의 크기는 서로 같다.

→ $\angle a=\angle c$, $\angle b=\angle d$

답 ❶ 둔각 ❷ 마주 보는

핵심 정리 02

예 1

오른쪽 그림과 같이 직선 l 위에 세 점 A, B, C가 있을 때, 다음 보기 중 서로 같은 것끼리 짝 지으시오.

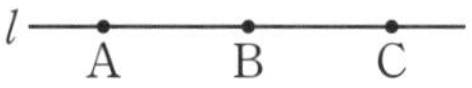

보기

㉠ $\overrightarrow{AB}$	㉡ $\overline{AC}$	㉢ $\overrightarrow{AC}$
㉣ $\overrightarrow{BA}$	㉤ $\overline{BC}$	㉥ $\overline{CB}$

→ $\overrightarrow{AB}=$ ❶ ☐, $\overline{BC}=$ ❷ ☐ 이므로 서로 같은 것은 ㉠과 ㉢, ㉤과 ㉥이다.

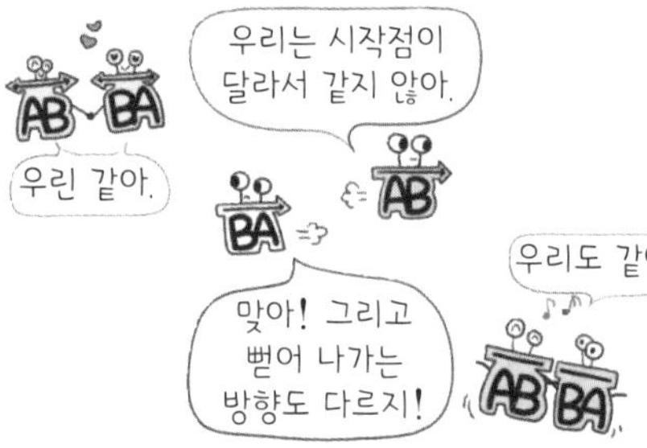

답 ❶ $\overrightarrow{AC}$ ❷ $\overline{CB}$

핵심 정리 01

예 1

오른쪽 그림과 같은 삼각기둥에서 교점의 개수를 a, 교선의 개수를 b라 할 때, $a+b$의 값을 구하시오.

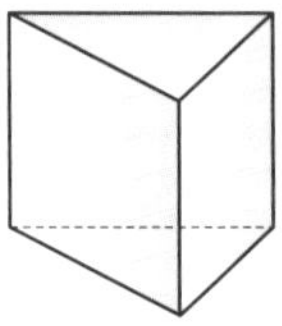

→ 교점의 개수는 ❶ ☐ 의 개수와 같으므로 $a=6$

또 교선의 개수는 ❷ ☐ 의 개수와 같으므로 $b=9$

$\therefore a+b=6+9=15$

답 ❶ 꼭짓점 ❷ 모서리

핵심 정리 04

예 1

오른쪽 그림에서 $\angle x$의 크기를 구하시오.

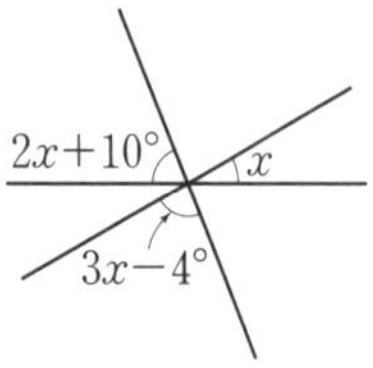

→

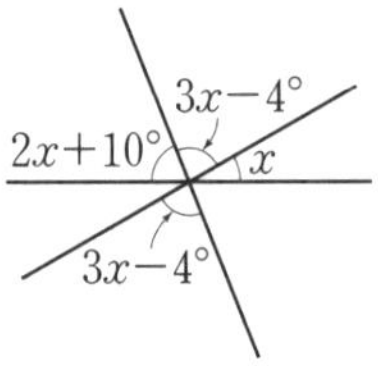

$(2\angle x+10^\circ)+(3\angle x-4^\circ)+\angle x=$ ❶ ☐

이므로

$6\angle x=174^\circ$ $\therefore \angle x=$ ❷ ☐

답 ❶ 180° ❷ 29°

핵심 정리 03

예 1

아래 그림에서 점 M은 $\overline{AB}$의 중점이고, 점 N은 $\overline{MB}$의 중점이다. $\overline{AB}=16$ cm일 때, 다음을 구하시오.

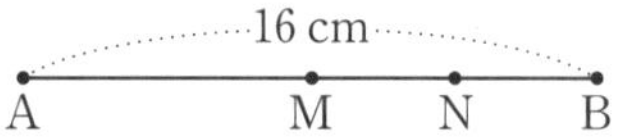

(1) $\overline{MN}$의 길이

(2) $\overline{AN}$의 길이

→ (1) $\overline{AM}=\overline{MB}=$ ❶ ☐ $=\frac{1}{2}\times16=8$ (cm)

이므로

$\overline{MN}=\overline{NB}=\frac{1}{2}\overline{MB}=\frac{1}{2}\times$ ❷ ☐ $=4$ (cm)

(2) $\overline{AN}=\overline{AM}+\overline{MN}=8+4=12$ (cm)

답 ❶ $\frac{1}{2}\overline{AB}$ ❷ 8

핵심 정리 05 직교, 수직이등분선, 수선의 발

(1) **직교** : 두 직선 AB와 CD의 교각이 ❶ ______ 일 때, 두 직선은 서로 직교한다고 한다.

➡ $\overleftrightarrow{AB} \perp \overleftrightarrow{CD}$

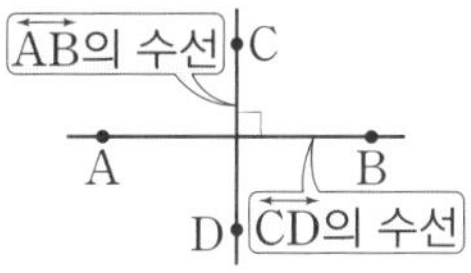

(2) **수직이등분선** : 선분 AB의 중점 M을 지나고 이 선분에 수직인 직선 l

➡ $\overline{AM}=\overline{BM}$, $\overline{AB}\perp l$

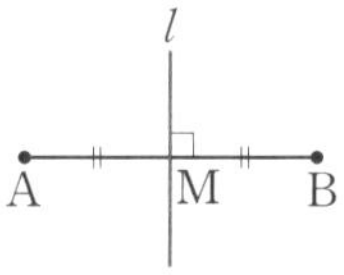

(3) **수선의 발** : 직선 l 위에 있지 않은 점 P에서 직선 l에 수선을 그었을 때, 그 교점 ❷ ______

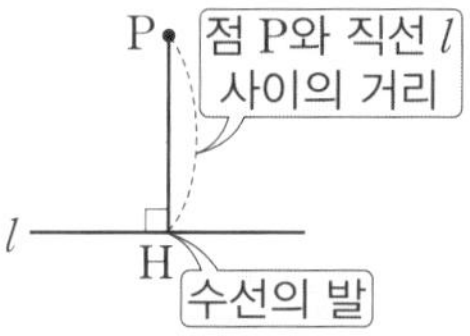

참고 점 P와 직선 l 사이의 거리 : 점 P와 직선 l 위의 점을 이은 선분 중에서 길이가 가장 짧은 선분인 $\overline{PH}$의 길이

답 ❶ 직각 ❷ H

핵심 정리 06 위치 관계(1)

(1) **점과 직선의 위치 관계**

① 점 P가 직선 l 위에 있다.

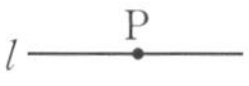

② 점 P가 직선 l 위에 있지 ❶ ______.

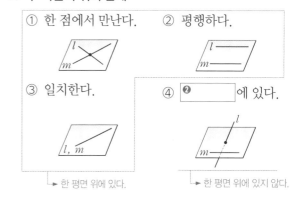

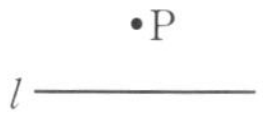

(2) **두 직선의 위치 관계**

① 한 점에서 만난다.

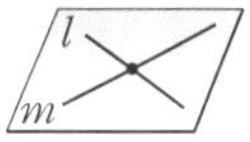

② 평행하다.

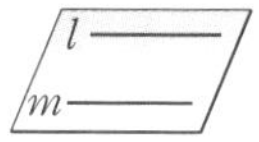

③ 일치한다.

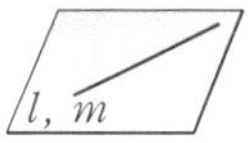

④ ❷ ______ 에 있다.

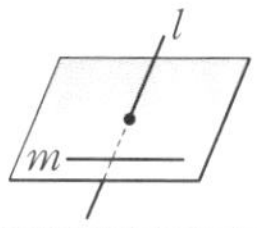

→ 한 평면 위에 있다. (①, ②, ③)

→ 한 평면 위에 있지 않다. (④)

답 ❶ 않다 ❷ 꼬인 위치

핵심 정리 07 위치 관계(2)

(1) **공간에서 직선과 평면의 위치 관계**

① 한 점에서 만난다.

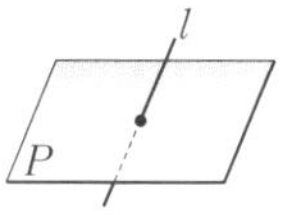

② 평행하다.

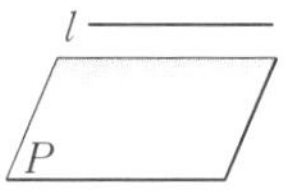

③ 직선이 평면에 ❶ ______ 된다.

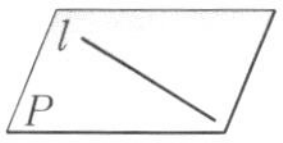

(2) **공간에서 두 평면의 위치 관계**

① 한 직선에서 만난다.

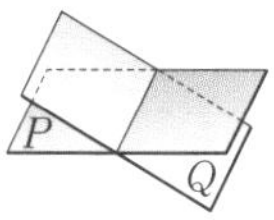

② ❷ ______ 하다.

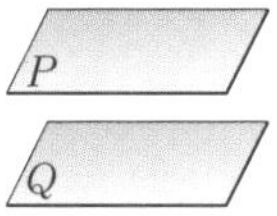

③ 일치한다.

답 ❶ 포함 ❷ 평행

핵심 정리 08 동위각과 엇각

한 평면 위에서 서로 다른 두 직선 l, m이 다른 한 직선 n과 만날 때 생기는 8개의 교각 중에서

(1) **동위각** : ❶ ______ 쪽에 위치한 두 각

➡ $\angle a$와 $\angle e$, $\angle b$와 $\angle f$, $\angle c$와 $\angle g$, $\angle d$와 $\angle h$

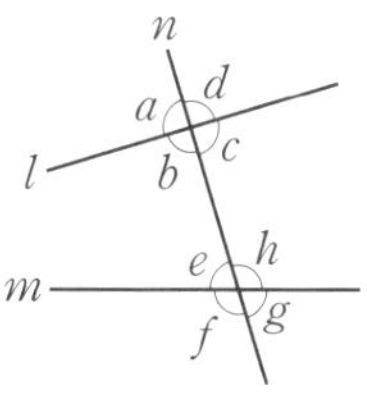

(2) **엇각** : ❷ ______ 쪽에 위치한 두 각

➡ $\angle b$와 $\angle h$, $\angle c$와 $\angle e$

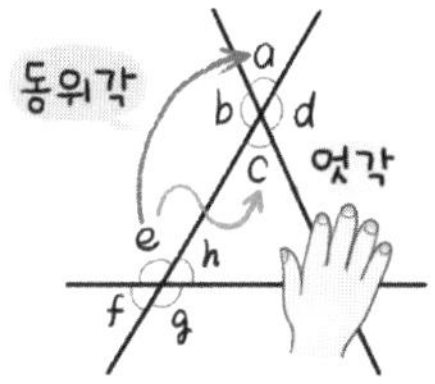

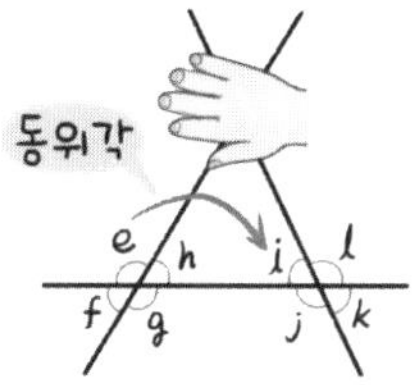

답 ❶ 같은 ❷ 엇갈린

핵심 정리 06

예 1

오른쪽 그림과 같은 직육면체에서 다음을 구하시오.

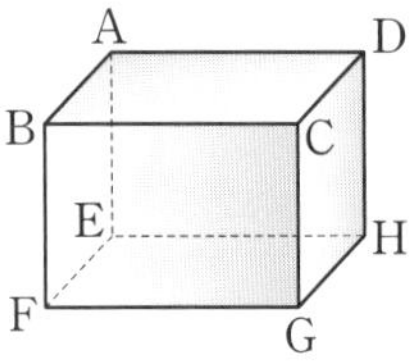

(1) 모서리 AB와 한 점에서 만나는 모서리

(2) 모서리 BC와 평행한 모서리

(3) 모서리 CG와 꼬인 위치에 있는 모서리

→ (1) 모서리 AB와 한 점에서 만나는 모서리는 $\overline{AD}$, $\overline{AE}$, [❶], $\overline{BF}$이다.

(2) 모서리 BC와 평행한 모서리는 $\overline{AD}$, $\overline{EH}$, $\overline{FG}$이다.

(3) 모서리 CG와 꼬인 위치에 있는 모서리는 $\overline{AB}$, $\overline{AD}$, [❷], $\overline{EH}$이다.

답 ❶ $\overline{BC}$ ❷ $\overline{EF}$

핵심 정리 05

예 1

오른쪽 그림과 같은 사다리꼴 ABCD에서 다음을 구하시오.

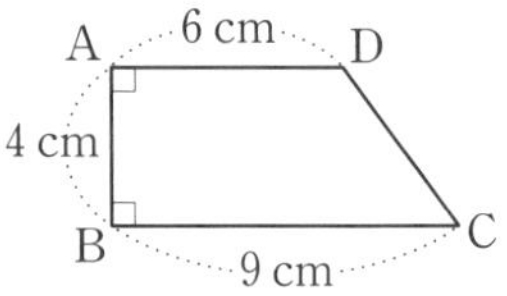

(1) $\overleftrightarrow{AB}$와 직교하는 직선

(2) 점 C에서 $\overleftrightarrow{AB}$에 내린 수선의 발

(3) 점 D와 $\overleftrightarrow{AB}$ 사이의 거리

→ (1) $\angle A=90^\circ$, $\angle B=90^\circ$이므로 $\overleftrightarrow{AB}$와 직교하는 직선은 $\overleftrightarrow{AD}$, $\overleftrightarrow{BC}$이다.

(2) $\angle B=90^\circ$이므로 점 C에서 $\overleftrightarrow{AB}$에 내린 수선의 발은 [❶]이다.

(3) 점 D와 $\overleftrightarrow{AB}$ 사이의 거리는 $\overline{AD}$의 길이와 같으므로 [❷] cm이다.

답 ❶ 점 B ❷ 6

핵심 정리 08

예 1

오른쪽 그림과 같이 세 직선이 만날 때, 다음 **보기** 중 옳은 것을 모두 고르시오.

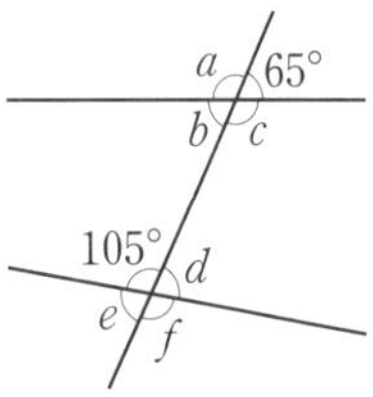

보기

㉠ $\angle a$의 동위각의 크기는 105°이다.

㉡ $\angle b$의 동위각의 크기는 65°이다.

㉢ $\angle c$와 $\angle f$의 크기는 서로 같다.

㉣ $\angle c$의 엇각의 크기는 105°이다.

→ ㉡ $\angle b$의 동위각은 [❶]이므로 $\angle b$의 동위각의 크기는 $180^\circ-105^\circ=75^\circ$

㉢ $\angle c=180^\circ-65^\circ=115^\circ$, $\angle f=$[❷]이므로 $\angle c$와 $\angle f$의 크기는 같지 않다.

따라서 옳은 것은 ㉠, ㉣이다.

답 ❶ $\angle e$ ❷ 105°

핵심 정리 07

예 1

오른쪽 그림과 같이 밑면이 사다리꼴인 각기둥이 있다. 다음 **보기** 중 옳지 않은 것을 모두 고르시오.

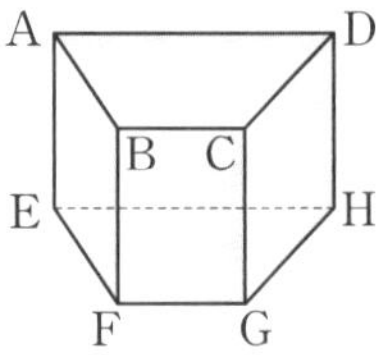

보기

㉠ 면 ABCD와 면 EFGH는 평행하다.

㉡ 면 AEFB와 면 BFGC의 교선은 $\overline{AB}$이다.

㉢ 면 EFGH에 수직인 모서리는 4개이다.

㉣ 모서리 AE와 꼬인 위치에 있는 모서리는 5개이다.

→ ㉡ 면 AEFB와 면 BFGC의 교선은 $\overline{BF}$이다.

→ ㉢ 면 EFGH에 수직인 모서리는 $\overline{AE}$, $\overline{BF}$, $\overline{CG}$, $\overline{DH}$의 4개이다.

㉣ 모서리 AE와 꼬인 위치에 있는 모서리는 [❶], $\overline{CD}$, $\overline{FG}$, [❷]의 4개이다.

따라서 옳지 않은 것은 ㉡, ㉣이다.

답 ❶ $\overline{BC}$ ❷ $\overline{GH}$

핵심 정리 09 평행선의 성질

(1) **평행선의 성질**

서로 다른 두 직선 l, m이 다른 한 직선 n과 만날 때

① 두 직선이 평행하면 동위각의 크기는 서로 같다.

→ $l /\!/ m$이면 $\angle a = \angle c$

② 두 직선이 평행하면 [❶] 의 크기는 서로 같다.

→ $l /\!/ m$이면 $\angle a = \angle b$

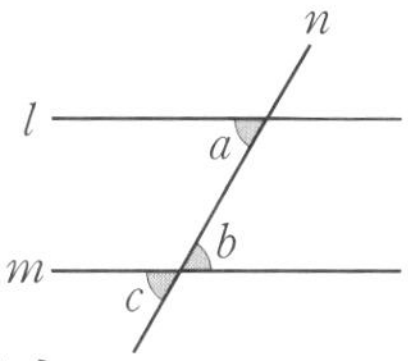

(2) **두 직선이 평행할 조건**

서로 다른 두 직선 l, m이 다른 한 직선 n과 만날 때

① 동위각의 크기가 서로 같으면 두 직선은 [❷] 하다.

→ $\angle a = \angle c$이면 $l /\!/ m$

② 엇각의 크기가 서로 같으면 두 직선은 평행하다.

→ $\angle a = \angle b$이면 $l /\!/ m$

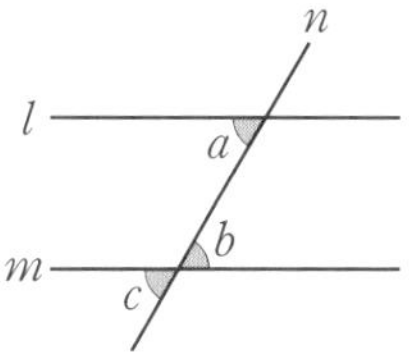

답 ❶ 엇각 ❷ 평행

핵심 정리 10 간단한 도형의 작도

(1) **작도** : 눈금 없는 자와 [❶] 만을 사용하여 도형을 그리는 것

① 눈금 없는 자 : 두 점을 연결하는 선분을 그리거나 주어진 선분을 [❷] 하는 데 사용

② 컴퍼스 : 원을 그리거나 주어진 선분의 길이를 옮기는 데 사용

(2) **길이가 같은 선분의 작도**

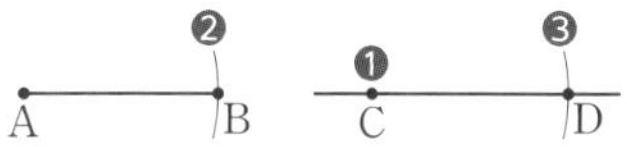

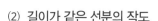

→ $\overline{CD} = \overline{AB}$

(3) **크기가 같은 각의 작도**

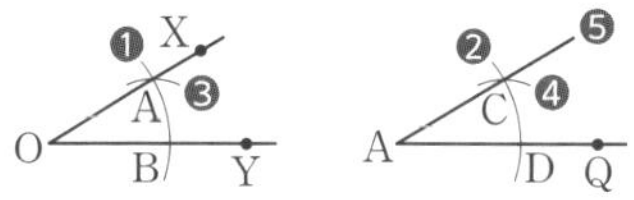

→ $\angle CAD = \angle XOY$

답 ❶ 컴퍼스 ❷ 연장

핵심 정리 11 삼각형의 작도

(1) **삼각형의 세 변의 길이 사이의 관계**

(가장 긴 변의 길이) [❶] (나머지 두 변의 길이의 합)

(2) **삼각형의 작도**

① 세 변의 길이가 주어질 때

② 두 변의 길이와 그 [❷] 의 크기가 주어질 때

③ 한 변의 길이와 그 양 끝 각의 크기가 주어질 때

참고 삼각형이 하나로 정해지지 않는 경우

① 세 각의 크기가 주어진 경우

② 두 변의 길이와 그 끼인각이 아닌 다른 한 각의 크기가 주어진 경우

③ 한 변의 길이와 그 양 끝 각이 아닌 각의 크기가 주어진 경우

답 ❶ < ❷ 끼인각

핵심 정리 12 도형의 합동

(1) **합동** : 모양과 크기가 같아서 포개었을 때 완전히 겹쳐지는 두 도형

→ △ABC와 △DEF가 합동이면 △ABC [❶] △DEF

(2) **대응** : 합동인 두 도형에서 포개어지는 꼭짓점과 꼭짓점, 변과 변, 각과 각을 서로 대응한다고 한다.

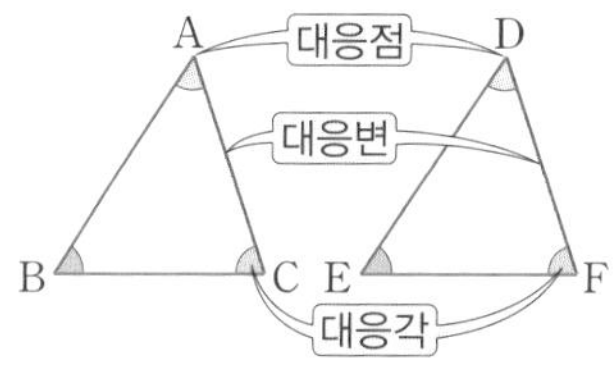

(3) **합동인 두 도형의 성질**

① 대응하는 세 변의 길이는 같다.

② 대응하는 세 각의 크기는 [❷] .

답 ❶ ≡ ❷ 같다

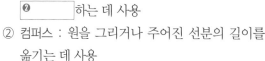

핵심 정리 10

예 1

$\overline{AB}$의 연장선 위에 $2\overline{AB}=\overline{AC}$를 만족하는 점 C를 작도하는 데 필요한 것을 모두 말하시오.

→ ❶ [ ], 컴퍼스

예 2

다음은 $\overrightarrow{PQ}$를 한 변으로 하고, ∠XOY와 크기가 같은 각을 작도한 것이다. 작도 과정을 순서대로 나열하시오.

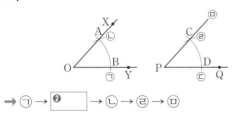

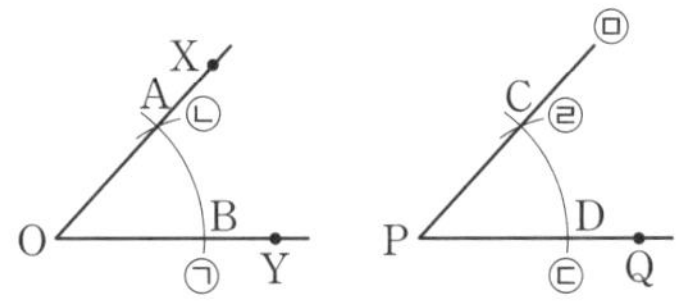

→ ㉠ → ❷ [ ] → ㉡ → ㉣ → ㉤

답 ❶ 눈금 없는 자 ❷ ㉢

핵심 정리 09

예 1

오른쪽 그림과 같이 두 직선 l, m과 다른 한 직선 n이 만날 때, 다음 보기 중 옳지 않은 것을 모두 고르시오.

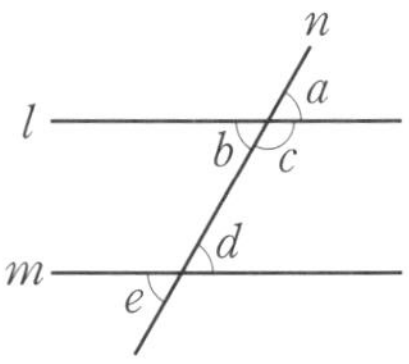

보기
- ㉠ $l /\!/ m$이면 $\angle b=\angle d$이다.
- ㉡ $l /\!/ m$이면 $\angle c+\angle d=90^\circ$이다.
- ㉢ $\angle a=\angle e$이면 $l /\!/ m$이다.
- ㉣ $\angle c=\angle d$이면 $l /\!/ m$이다.

→ ㉡ $l /\!/ m$이면 $\angle c+\angle d=$ ❶ [ ] 이다.
㉢ $\angle d$와 $\angle e$는 맞꼭지각이므로 $\angle a=\angle e$이면 $\angle a=$ ❷ [ ] 이므로 $l /\!/ m$이다.
㉣ $\angle b=\angle d$이면 $l /\!/ m$이다.
따라서 옳지 않은 것은 ㉡, ㉣이다.

답 ❶ 180° ❷ $\angle d$

핵심 정리 12

예 1

다음 보기 중 옳지 않은 것을 모두 고르시오.

보기
- ㉠ 합동인 두 도형은 넓이가 같다.
- ㉡ 합동인 두 도형에서 대응하는 변의 길이는 같지만 대응하는 각의 크기는 같지 않다.
- ㉢ 한 변의 길이가 같은 두 정삼각형은 서로 합동이다.
- ㉣ 넓이가 같은 두 직사각형은 합동이다.

→ ㉡ 합동인 두 도형에서 대응하는 ❶ [ ] 의 길이는 같고, 대응하는 각의 크기도 같다.
㉣ (예) 다음 그림과 같은 두 직사각형은 넓이는 같지만, 합동은 ❷ [ ].

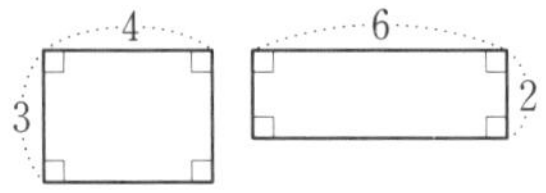

답 ❶ 변 ❷ 아니다

핵심 정리 11

예 1

다음 보기 중 삼각형을 작도할 수 있는 것을 모두 고르시오.

보기
- ㉠ 3 cm, 5 cm, 8 cm
- ㉡ 3 cm, 6 cm, 7 cm
- ㉢ 4 cm, 7 cm, 12 cm
- ㉣ 5 cm, 5 cm, 8 cm

→ ㉠ $8=3+5$이므로 삼각형을 작도할 수 없다.
㉡ 7 ❶ [ ] $3+6$이므로 삼각형을 작도할 수 있다.
㉢ 12 ❷ [ ] $4+7$이므로 삼각형을 작도할 수 없다.
㉣ $8<5+5$이므로 삼각형을 작도할 수 있다.
따라서 삼각형을 작도할 수 있는 것은 ㉡, ㉣이다.

답 ❶ $<$ ❷ $>$

핵심 정리 13 삼각형의 합동 조건

(1) 대응하는 세 변의 길이가 각각 같을 때 (SSS 합동)

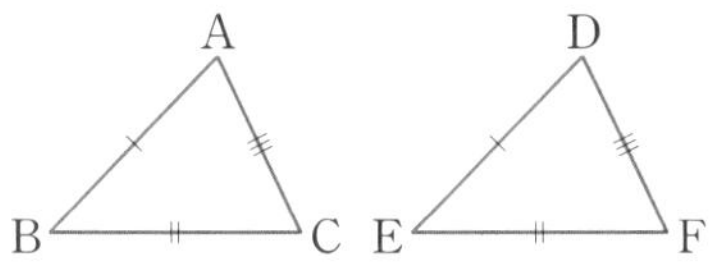

(2) 대응하는 두 변의 길이가 각각 같고, 그 끼인각의 크기가 같을 때 (❶ [ ] 합동)

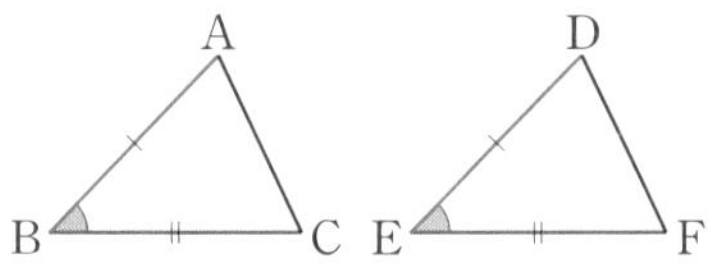

(3) 대응하는 한 변의 길이가 같고, 그 양 끝 각의 크기가 각각 같을 때 (❷ [ ] 합동)

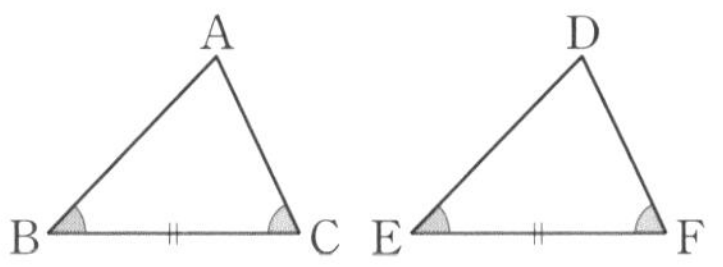

답 ❶ SAS ❷ ASA

핵심 정리 14 다각형

(1) **다각형** : 여러 개의 ❶ [ ] 으로 둘러싸인 평면도형

(2) **정다각형** : 모든 변의 길이가 같고, 모든 내각의 크기가 같은 다각형

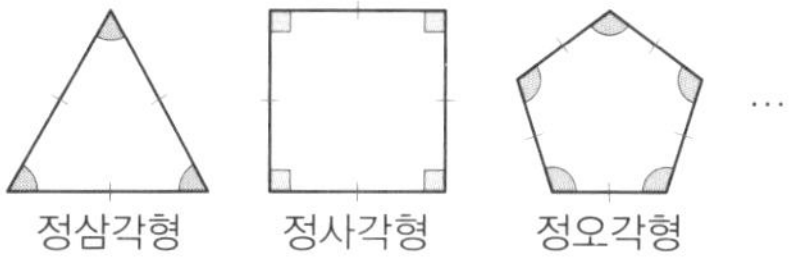

(3) **대각선** : 다각형에서 이웃하지 않는 두 꼭짓점을 이은 선분

(4) n각형의 대각선의 개수

→ ❷ [ ]

곡선이 있으면 다각형이 아니야.
입체도형은 다각형이 될 수 없어.

답 ❶ 선분 ❷ $\frac{n(n-3)}{2}$

핵심 정리 15 삼각형의 내각과 외각

(1) 삼각형의 세 내각의 크기의 합은 $180°$이다.

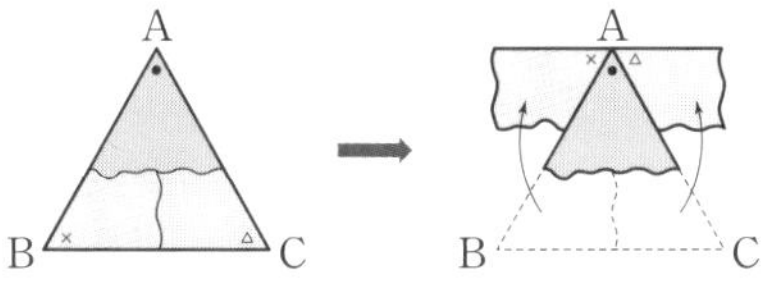

→ $\angle A + \angle B + \angle C =$ ❶ [ ]

(2) 삼각형의 한 외각의 크기는 그와 이웃하지 않는 두 내각의 크기의 합과 같다.

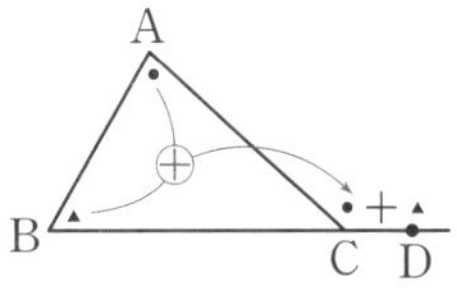

→ $\triangle ABC$에서

❷ [ ] $= \angle A + \angle B$

답 ❶ $180°$ ❷ $\angle ACD$

핵심 정리 16 다각형의 내각과 외각

(1) n각형의 내각의 크기의 합

→ $180° \times ($❶ [ ]$)$

(2) 정n각형의 한 내각의 크기

→ $\frac{180° \times (n-2)}{n}$

(3) n각형의 외각의 크기의 합

→ ❷ [ ]

(4) 정n각형의 한 외각의 크기

→ $\frac{360°}{n}$

답 ❶ $n-2$ ❷ $360°$

핵심 정리 14

예 1

다음 중 옳지 않은 것을 모두 고르면? (정답 2개)

① 모든 다각형은 대각선을 그을 수 있다.
② 한 꼭짓점에서 그을 수 있는 대각선의 개수가 4인 다각형은 칠각형이다.
③ 오각형의 대각선의 개수는 5이다.
④ 정다각형은 모든 내각의 크기가 같다.
⑤ 모든 변의 길이가 같은 다각형은 정다각형이다.

➡ ① 삼각형은 대각선을 그을 수 없다.

② 구하는 다각형을 n각형이라 하면
$n-3=4$에서 $n=7$
따라서 구하는 다각형은 ❶ ______ 이다.

③ (오각형의 대각선의 개수)$=\dfrac{5\times(5-3)}{2}=5$

④, ⑤ 모든 변의 길이가 같고, 모든 내각의 크기가 같은 다각형은 ❷ ______ 이다.

따라서 옳지 않은 것은 ①, ⑤이다.

답 ❶ 칠각형 ❷ 정다각형

핵심 정리 13

예 1

아래 그림에서 $\triangle ABC\equiv\triangle DEF$가 되기 위하여 필요한 조건 한 가지를 다음 보기에서 모두 고르시오.

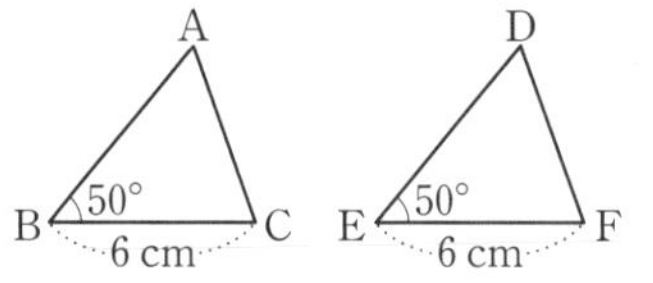

보기
㉠ $\overline{AB}=\overline{DE}=7$ cm　㉡ $\overline{AC}=\overline{DE}=8$ cm
㉢ $\angle A=\angle D=60°$

➡ ㉠ 두 변의 길이와 그 ❶ ______ 의 크기가 같으므로 SAS 합동이다.

㉢ $\triangle ABC$에서 $\angle C=180°-(60°+50°)=70°$
$\triangle DEF$에서 $\angle F=180°-(60°+50°)=70°$
즉 한 변의 길이와 그 ❷ ______ 의 크기가 같으므로 ASA 합동이다.

따라서 필요한 조건은 ㉠, ㉢이다.

답 ❶ 끼인각 ❷ 양 끝 각

핵심 정리 16

예 1

오른쪽 그림에서 $\angle x$의 크기를 구하시오.

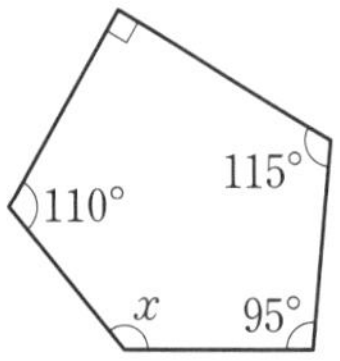

➡ 오각형의 내각의 크기의 합은
$180°\times(5-2)=$ ❶ ______ 이므로
$90°+110°+\angle x+95°+115°=540°$
$\angle x+410°=540°$　$\therefore \angle x=130°$

예 2

한 내각의 크기와 외각의 크기의 비가 7 : 2인 정다각형의 이름을 말하시오.

➡ (한 외각의 크기)$=180°\times\dfrac{❷\ \_\_\_}{7+2}=40°$
구하는 정다각형을 정n각형이라 하면
$\dfrac{360°}{n}=40°$　$\therefore n=9$
따라서 구하는 정다각형은 정구각형이다.

답 ❶ 540° ❷ 2

핵심 정리 15

예 1

다음 그림에서 $\angle x$의 크기를 구하시오.

(1)

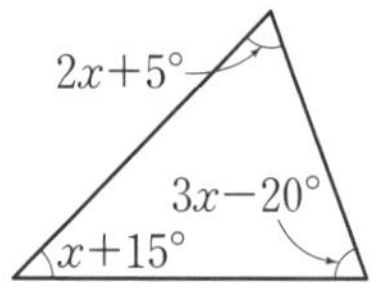

(2)

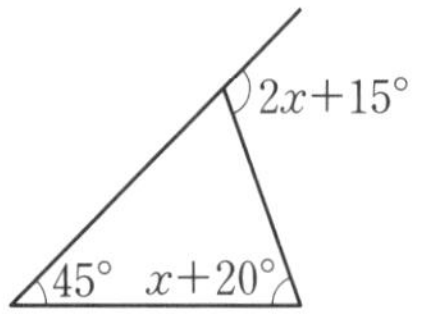

➡ (1) $(2\angle x+5°)+(\angle x+15°)+(3\angle x-20°)$
$=$ ❶ ______
$6\angle x=180°$　$\therefore \angle x=30°$

(2) $45°+(\angle x+20°)=$ ❷ ______
$\angle x+65°=2\angle x+15°$　$\therefore \angle x=50°$

답 ❶ 180° ❷ $2\angle x+15°$

7일 끝

기말고사

7일 끝으로 끝내자!

중학 수학 1-2

BOOK 2

천재교육

언제나 만점이고 싶은 친구들

Welcome!

숨 돌릴 틈 없이 찾아오는 시험과 평가,
성적과 입시 그리고 미래에 대한 걱정.
중·고등학교에서 보내는 6년이란 시간은
때때로 힘들고, 버겁게 느껴지곤 해요.

그런데 여러분, 그거 아세요?
지금 이 시기가 노력의 대가를
가장 잘 확인할 수 있는 시간이라는 걸요.

안 돼, 못하겠어, 해도 안 될 텐데-
어렵게 생각하지 말아요. 천재교육이 있잖아요.
첫 시작의 두려움을 첫 마무리의 뿌듯함으로 바꿔줄게요.

펜을 쥐고 이 책을 펼친 순간
여러분 앞에 무한한 가능성의 길이 열렸어요.

우리와 함께 꽃길을 향해 걸어가 볼까요?

#시험대비
#핵심정복

7일 끝
중간고사
기말고사

Chunjae
Makes
Chunjae

▼

[7일 끝] 중학 수학 1-2

저자	최용준, 해법수학연구회
제작	황성진, 조규영
발행일	2021년 6월 15일 초판 2021년 6월 15일 1쇄
발행인	(주)천재교육
주소	서울시 금천구 가산로9길 54
신고번호	제2001-000018호
고객센터	1577-0902
교재 내용문의	(02)3282-8852

※ 정답 분실 시에는 천재교육 홈페이지에서 내려받으세요.

7일 끝으로 끝내자!

중학 **수학 1-2**

BOOK 2

기 말 고 사 대 비

7일 끝 중학 수학

구성과 활용

시험 공부 시작

생각 열기

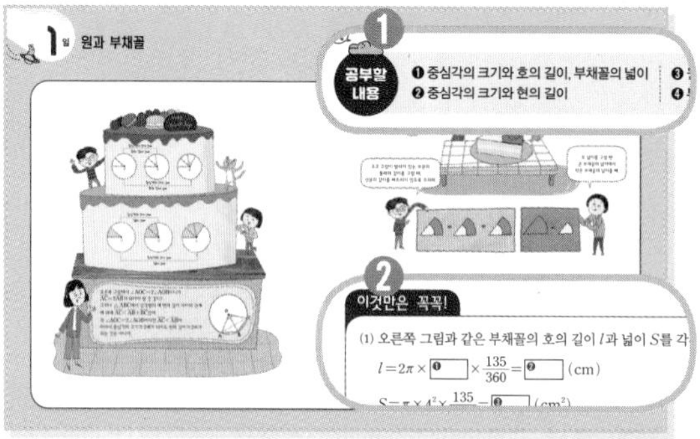

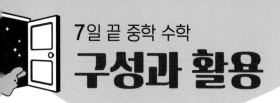

공부할 내용을 만화로 가볍게 살펴보며 학습을 준비해 보세요.

❶ 공부할 내용을 살피며 핵심 학습 요소를 확인해 보세요.

❷ 이것만은 꼭꼭!을 통해 실수하기 쉬운 개념을 짚어 보세요.

본격 공부 중

교과서 **핵심 정리** + 시험지 속 개념 문제

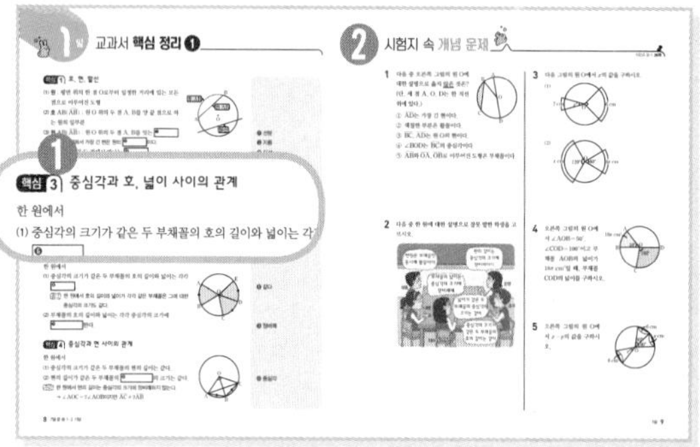

꼭 알아야 할 교과서 핵심 내용을 익히고 시험지 속 개념 문제를 풀며 제대로 이해했는지 확인해 보세요.

❶ 빈칸을 채우며 교과서 핵심 내용을 다시 한번 확인해 보세요.

❷ 교과서 핵심과 관련된 시험지 속 개념 문제를 풀며 공부한 내용을 확인해 보세요.

교과서 기출 베스트 1회, 2회

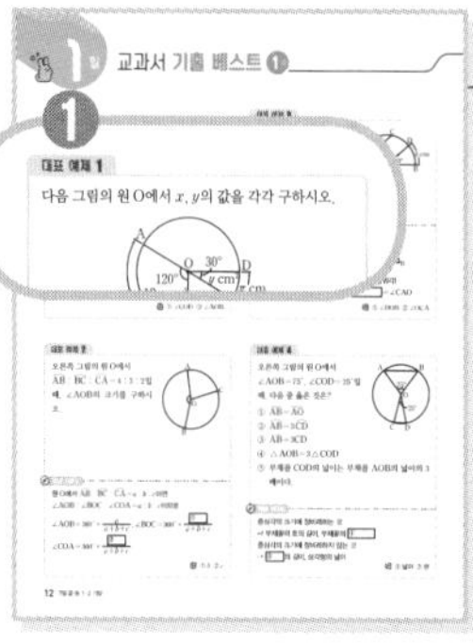

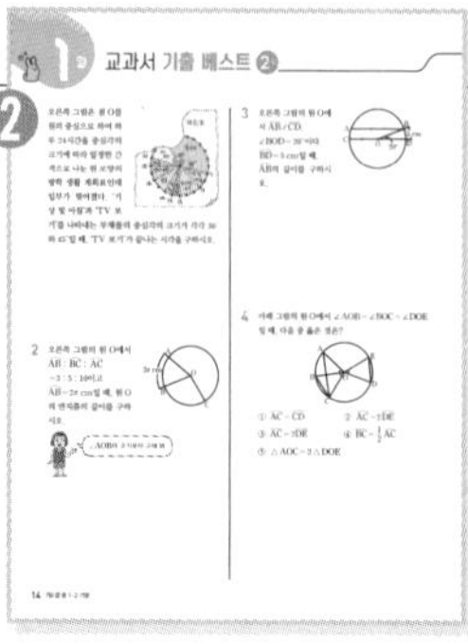

다양한 유형의 문제를 풀어 보며 공부한 내용을 점검해 보세요.

❶ 교과서 기출 베스트 1회에서는 대표 예제 문제를 풀며 시험에 자주 나오는 문제를 확인해 보세요.

❷ 교과서 기출 베스트 1회와 쌍둥이 문제로 구성된 교과서 기출 베스트 2회를 한번 더 풀면서 실력을 다져 보세요.

시험 공부 마무리

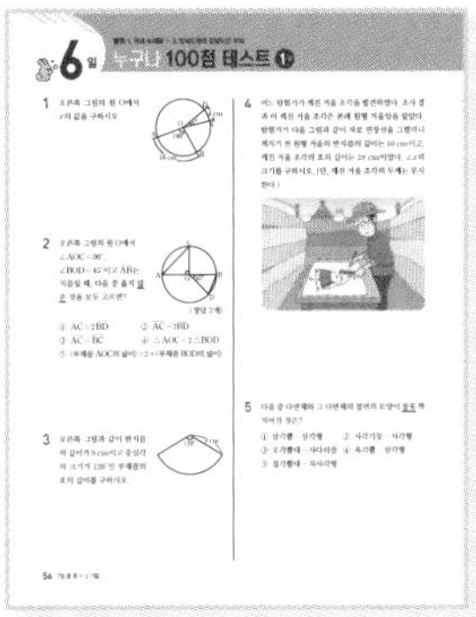

누구나 100점 테스트 1회, 2회

앞에서 공부한 개념을 이해했는지 문제를 풀어 점검해 보세요.

서술형·사고력 테스트

서술형·사고력 문제를 집중적으로 풀며 서술형·사고력 문제에 대한 적응력을 높여 보세요.

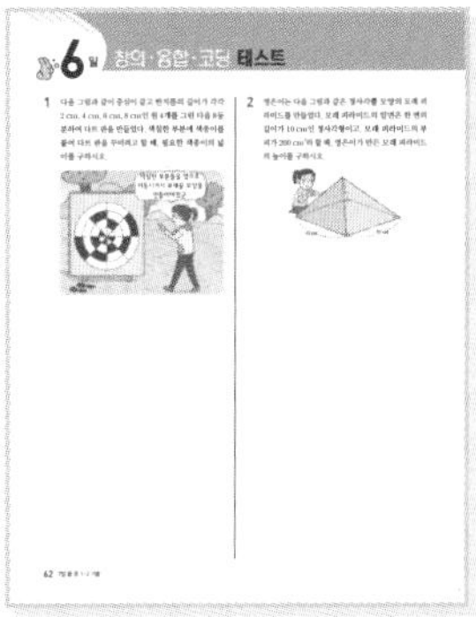

창의·융합·코딩 테스트

앞에서 공부한 개념이 어떻게 이용되는지 알고 문제 해결력을 키워 보세요.

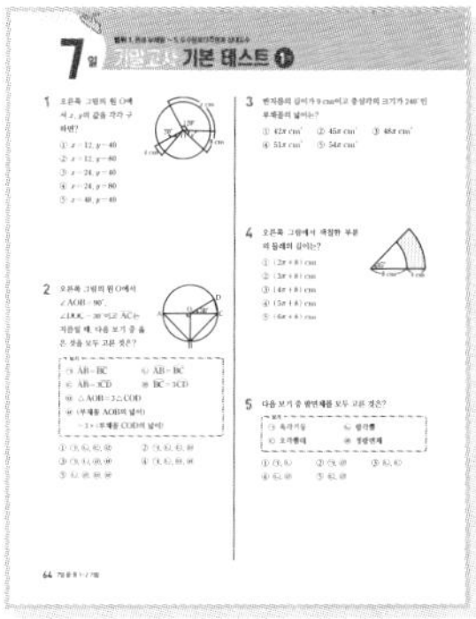

기말고사 기본 테스트 1회, 2회

시험 문제에 가까운 예상 문제를 풀며 실전에 대비해 보세요.

틈틈이·짬짬이 공부하기

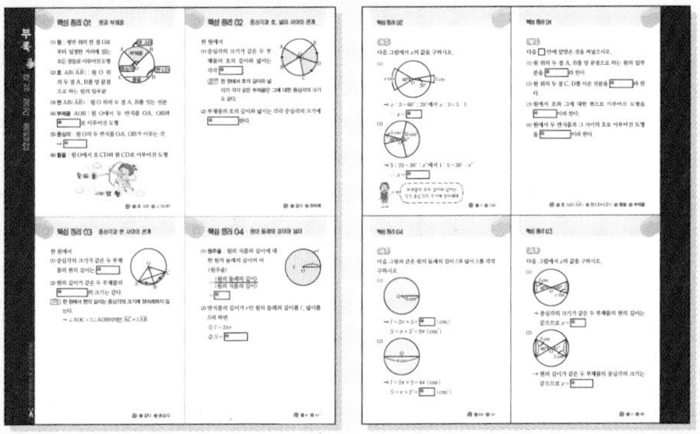

핵심 정리 총집합 카드를 휴대하며 이동하는 중이나 시험 직전에 활용해 보세요.

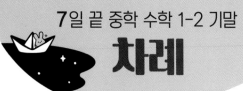

7일 끝 중학 수학 1-2 기말

차례

1일 원과 부채꼴

happy birthday
중심각의 크기 2배
호의 길이 2배
O
중심각의 크기 3배
호의 길이 3배
중심각의 크기 2배
넓이 2배
중심각의 크기 3배
넓이 3배
오른쪽 그림에서 $\angle AOC = 2\angle AOB$이니까
$\overline{AC} = 2\overline{AB}$가 되어야 할 것 같지?
그러나 $\triangle ABC$에서 삼각형의 세 변의 길이 사이의 관계
에 의해 $\overline{AC} < \overline{AB} + \overline{BC}$잖아.
즉 $\angle AOC = 2\angle AOB$이지만 $\overline{AC} < \overline{AB}$야.
따라서 중심각의 크기가 2배가 되어도 현의 길이가 2배가
되는 것은 아니야.
O
A
B
C

공부할 내용

❶ 중심각의 크기와 호의 길이, 부채꼴의 넓이
❷ 중심각의 크기와 현의 길이
❸ 원의 둘레의 길이와 넓이
❹ 부채꼴의 호의 길이와 넓이

이 케이크에서 초코 크림이 발라져 있는 부분은 부채꼴이 아닌데 둘레의 길이와 넓이를 어떻게 구하지?
초코 크림이 발라져 있는 부분의 둘레의 길이를 구할 때, 선분의 길이를 빠트리지 않도록 주의해.
또 넓이를 구할 땐 큰 부채꼴의 넓이에서 작은 부채꼴의 넓이를 빼.

이것만은 꼭꼭!

(1) 오른쪽 그림과 같은 부채꼴의 호의 길이 l과 넓이 S를 각각 구하시오.

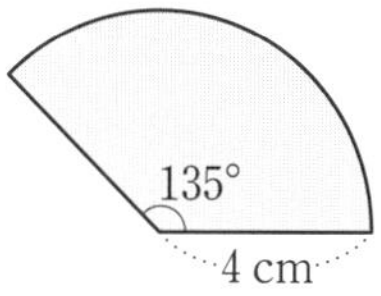

135°
4 cm

$l=2\pi\times$ ❶ $\square$ $\times\frac{135}{360}=$ ❷ $\square$ (cm)

$S=\pi\times4^2\times\frac{135}{360}=$ ❸ $\square$ (cm^2)

(2) 오른쪽 그림과 같은 부채꼴의 넓이 S를 구하시오.

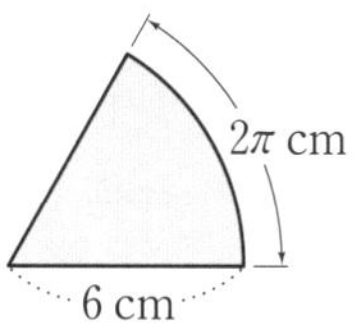

2π cm
6 cm

$S=\frac{1}{2}\times$ ❹ $\square$ $\times 2\pi=$ ❺ $\square$ (cm^2)

답 ❶ 4 ❷ 3π ❸ 6π ❹ 6 ❺ 6π

1일 교과서 핵심 정리 ①

핵심 1 호, 현, 할선

(1) **원** : 평면 위의 한 점 O로부터 일정한 거리에 있는 모든 점으로 이루어진 도형

(2) **호** AB($\widehat{AB}$) : 원 O 위의 두 점 A, B를 양 끝 점으로 하는 원의 일부분

(3) **현** AB($\overline{AB}$) : 원 O 위의 두 점 A, B를 잇는 ❶

참고 한 원에서 가장 긴 현은 원의 ❷ 이다.

(4) **할선** : 원 O와 두 점에서 만나는 ❸

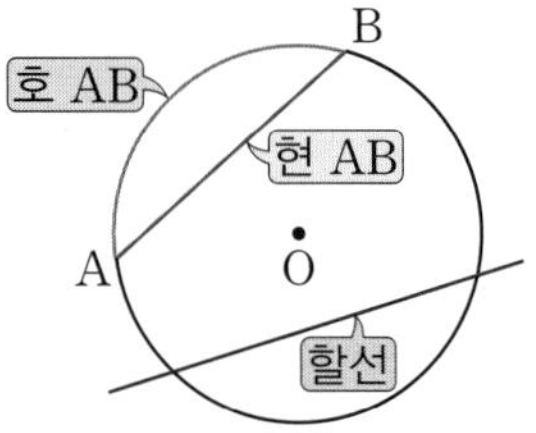

❶ 선분
❷ 지름
❸ 직선

핵심 2 부채꼴, 중심각, 활꼴

(1) **부채꼴** AOB : 원 O에서 두 반지름 OA, OB와 ❹ 로 이루어진 도형

(2) **중심각** : 원 O의 두 반지름 OA, OB가 이루는 각
→ ❺

(3) **활꼴** : 원 O에서 호 CD와 현 CD로 이루어진 도형

참고 중심각의 크기가 180°이면 부채꼴과 활꼴의 모양이 같아진다.

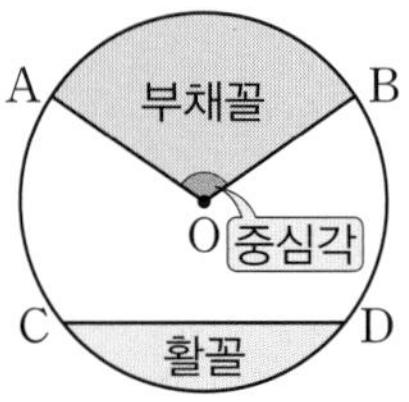

❹ 호 AB
❺ ∠AOB

핵심 3 중심각과 호, 넓이 사이의 관계

한 원에서

(1) 중심각의 크기가 같은 두 부채꼴의 호의 길이와 넓이는 각각 ❻ .

참고 한 원에서 호의 길이와 넓이가 각각 같은 부채꼴은 그에 대한 중심각의 크기도 같다.

(2) 부채꼴의 호의 길이와 넓이는 각각 중심각의 크기에 ❼ 한다.

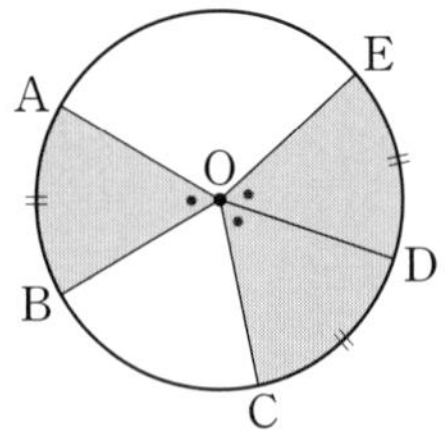

❻ 같다
❼ 정비례

핵심 4 중심각과 현 사이의 관계

한 원에서

(1) 중심각의 크기가 같은 두 부채꼴의 현의 길이는 같다.

(2) 현의 길이가 같은 두 부채꼴의 ❽ 의 크기는 같다.

주의 한 원에서 현의 길이는 중심각의 크기에 정비례하지 않는다.
→ ∠AOC=2∠AOB이지만 $\overline{AC} \neq 2\overline{AB}$

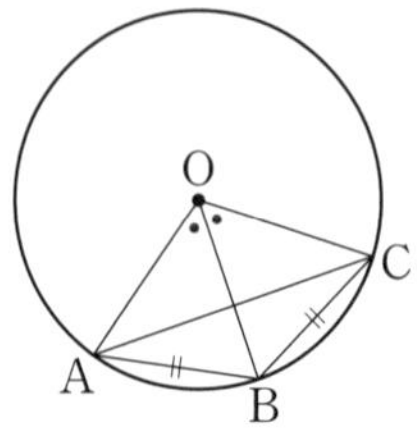

❽ 중심각

시험지 속 개념 문제

정답과 풀이 26쪽

1 다음 중 오른쪽 그림의 원 O에 대한 설명으로 옳지 않은 것은? (단, 세 점 A, O, D는 한 직선 위에 있다.)

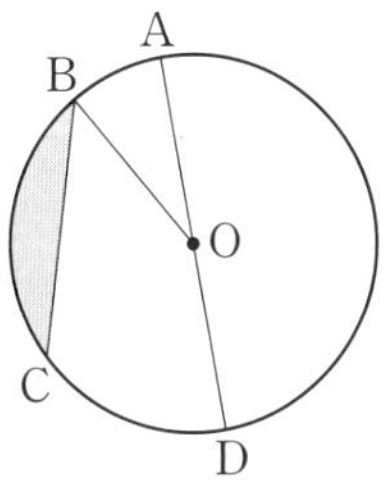

① $\overline{AD}$는 가장 긴 현이다.
② 색칠한 부분은 활꼴이다.
③ $\overline{BC}$, $\overline{AD}$는 원 O의 현이다.
④ ∠BOD는 $\widehat{BC}$의 중심각이다.
⑤ $\widehat{AB}$와 $\overline{OA}$, $\overline{OB}$로 이루어진 도형은 부채꼴이다.

2 다음 중 한 원에 대한 설명으로 잘못 말한 학생을 고르시오.

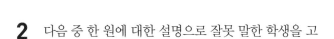

3 다음 그림의 원 O에서 x의 값을 구하시오.

(1)

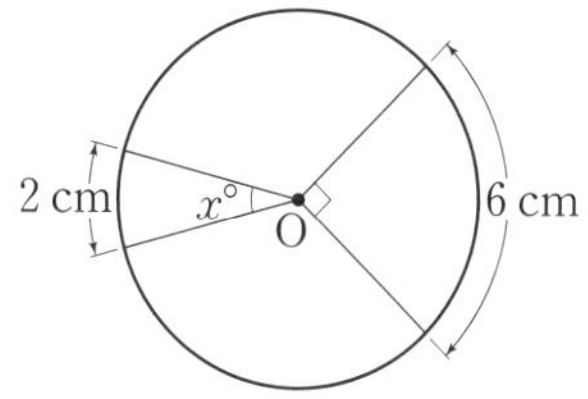

(2)

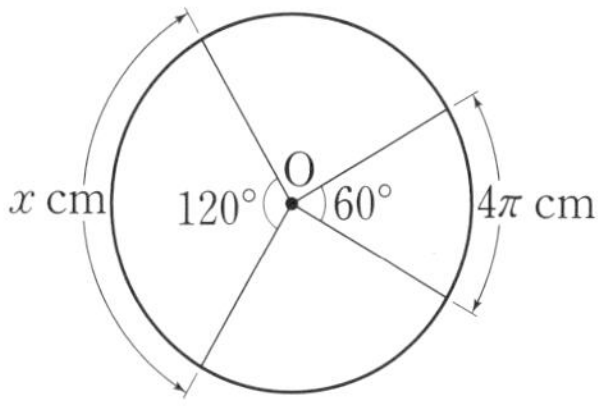

4 오른쪽 그림의 원 O에서 ∠AOB$=50°$, ∠COD$=100°$이고 부채꼴 AOB의 넓이가 $18\pi\ \text{cm}^2$일 때, 부채꼴 COD의 넓이를 구하시오.

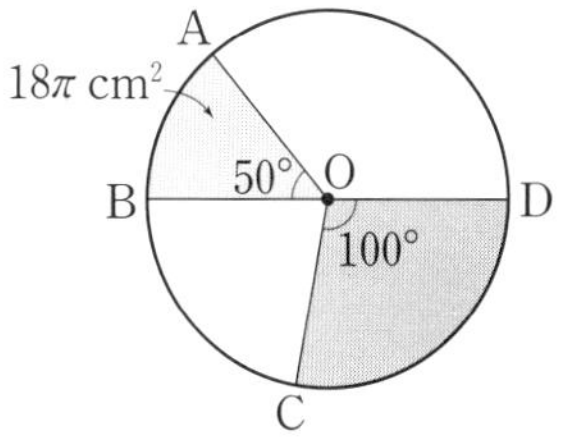

5 오른쪽 그림의 원 O에서 $x-y$의 값을 구하시오.

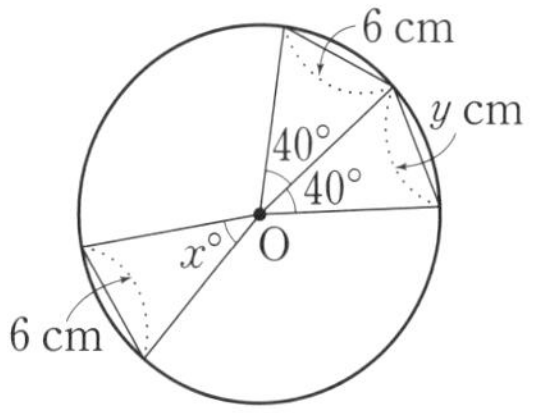

교과서 핵심 정리 ❷

핵심 5 원의 둘레의 길이와 넓이

(1) **원주율** : 원의 지름의 길이에 대한 원의 둘레의 길이의 비

$$(\text{원주율})=\frac{(\text{원의 둘레의 길이})}{(\text{원의 지름의 길이})}=\boxed{❶}$$

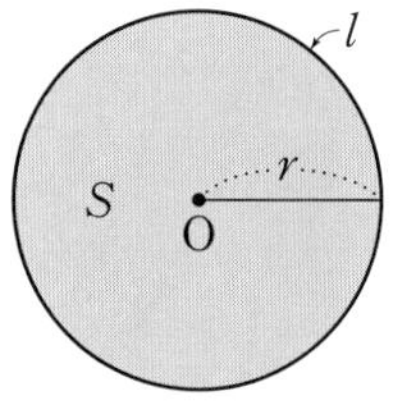

(2) 반지름의 길이가 r인 원의 둘레의 길이를 l, 넓이를 S라 하면

$l=2\pi r,\ S=\pi r^2$

예 반지름의 길이가 2 cm인 원의 둘레의 길이 l과 넓이 S는

$l=2\pi\times 2=\boxed{❷}$ (cm)

$S=\pi\times\boxed{❸}^2=4\pi$ (cm^2)

핵심 6 부채꼴의 호의 길이와 넓이

(1) **부채꼴의 호의 길이와 넓이**

반지름의 길이가 r이고 중심각의 크기가 $x°$인 부채꼴의 호의 길이를 l, 넓이를 S라 하면

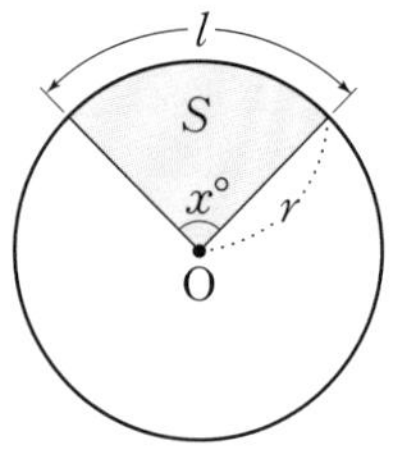

$l=\boxed{❹}\times\frac{x}{360},\ S=\boxed{❺}\times\frac{x}{360}$

예 반지름의 길이가 8 cm이고 중심각의 크기가 45°인 부채꼴의 호의 길이 l과 넓이 S는

$l=2\pi\times 8\times\frac{45}{360}=\boxed{❻}$ (cm)

$S=\pi\times 8^2\times\frac{\boxed{❼}}{360}=8\pi$ (cm^2)

(2) **부채꼴의 넓이와 호의 길이 사이의 관계**

반지름의 길이가 r이고 호의 길이가 l인 부채꼴의 넓이를 S라 하면

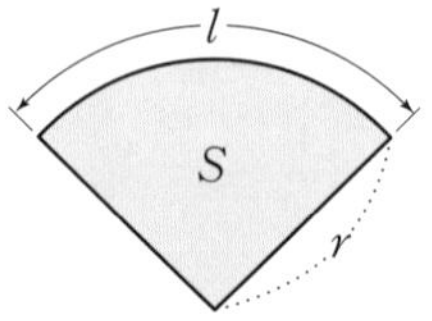

$S=\frac{1}{2}rl$

참고 $S=\pi r^2\times\frac{x}{360}=\frac{1}{2}\times r\times\left(2\pi r\times\frac{x}{360}\right)=\boxed{❽}$

예 반지름의 길이가 4 cm이고 호의 길이가 2π cm인 부채꼴의 넓이 S는

$S=\frac{1}{2}\times 4\times\boxed{❾}=4\pi$ (cm)

❶ π
❷ 4π
❸ 2
❹ $2\pi r$
❺ πr^2
❻ 2π
❼ 45
❽ $\frac{1}{2}rl$
❾ 2π

6 반지름의 길이가 7 cm인 원에 대하여 다음을 구하시오.

(1) 원의 둘레의 길이

(2) 원의 넓이

7 다음 두 학생이 말하는 부채꼴의 호의 길이 l과 넓이 S를 각각 구하시오.

(1)

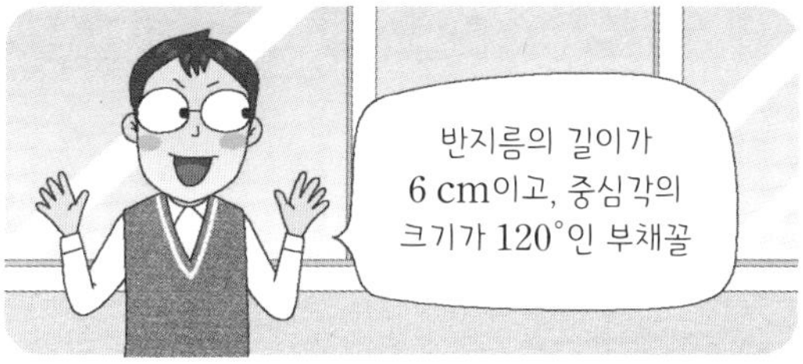

반지름의 길이가
6 cm이고, 중심각의
크기가 120°인 부채꼴

(2)

반지름의 길이가
4 cm이고, 중심각의
크기가 90°인 부채꼴

8 오른쪽 그림과 같이 중심각의 크기가 90°이고 호의 길이가 4π cm인 부채꼴의 반지름의 길이를 구하시오.

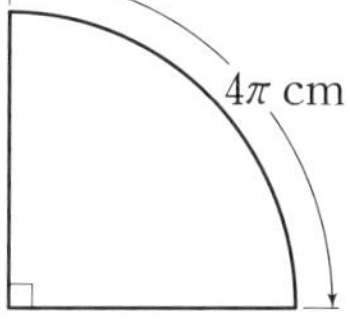

4π cm

9 오른쪽 그림과 같이 반지름의 길이가 6 cm이고 넓이가 10π cm^{2}인 부채꼴의 중심각의 크기를 구하시오.

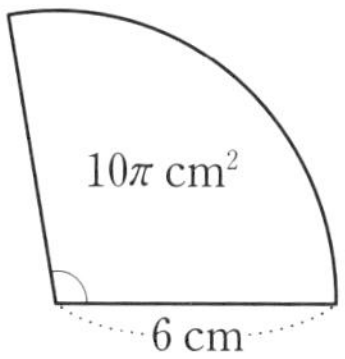

10π cm^2
6 cm

10 오른쪽 그림과 같이 반지름의 길이가 9 cm이고 호의 길이가 3π cm인 부채꼴의 넓이를 구하시오.

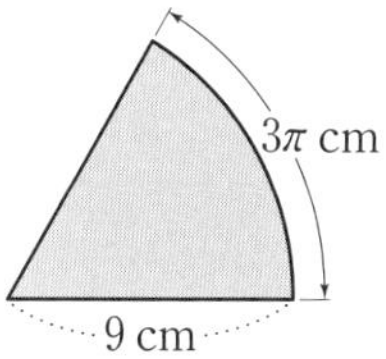

3π cm
9 cm

11 지름의 길이가 8 cm이고 넓이가 20π cm^{2}인 부채꼴의 호의 길이를 구하시오.

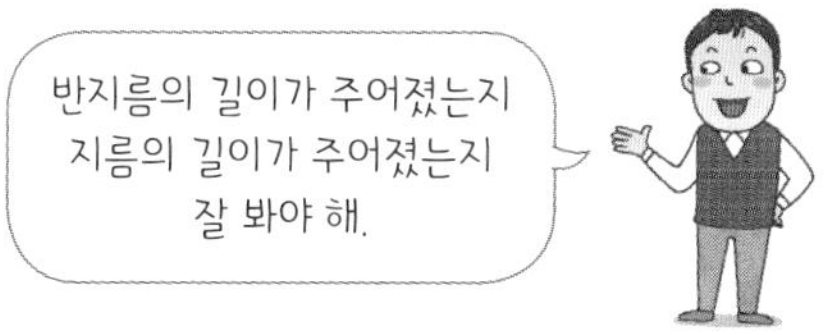

반지름의 길이가 주어졌는지
지름의 길이가 주어졌는지
잘 봐야 해.

1일 교과서 기출 베스트 1회

대표 예제 1

다음 그림의 원 O에서 x, y의 값을 각각 구하시오.

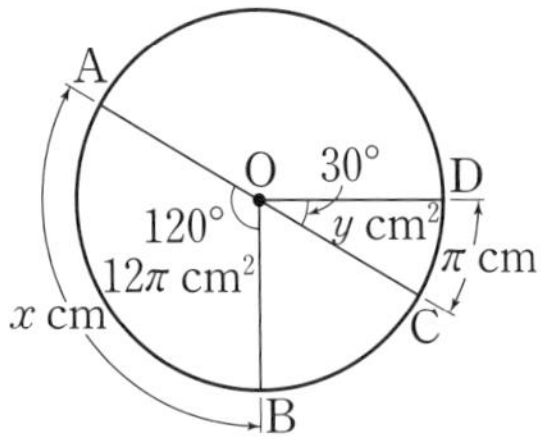

개념 가이드

(1) $\overset{\frown}{AB}$: $\overset{\frown}{CD}$ = ∠AOB : ① [ ]

(2) (부채꼴 AOB의 넓이) : (부채꼴 COD의 넓이)
= ② [ ] : ∠COD

답 ① ∠COD ② ∠AOB

대표 예제 3

오른쪽 그림의 반원 O에서 $\overline{AC} /\!/ \overline{OD}$, ∠BOD=40°, $\overset{\frown}{BD}$=4 cm일 때, $\overset{\frown}{AC}$의 길이를 구하시오.

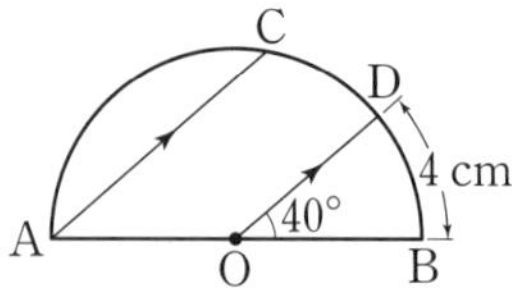

개념 가이드

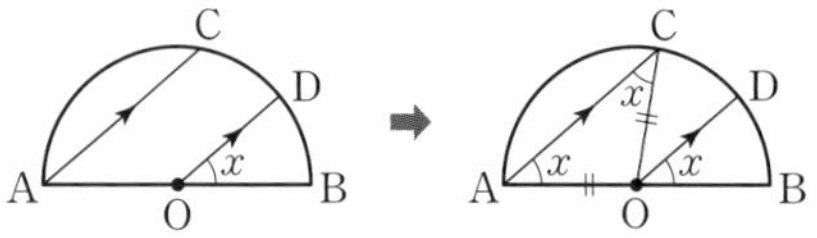

$\overline{AC} /\!/ \overline{OD}$이므로 ∠CAO= ① [ ] (동위각)

△OCA에서 $\overline{OA}=\overline{OC}$이므로 ② [ ] =∠CAO

답 ① ∠DOB ② ∠OCA

대표 예제 2

오른쪽 그림의 원 O에서 $\overset{\frown}{AB}$: $\overset{\frown}{BC}$: $\overset{\frown}{CA}$=4 : 3 : 2일 때, ∠AOB의 크기를 구하시오.

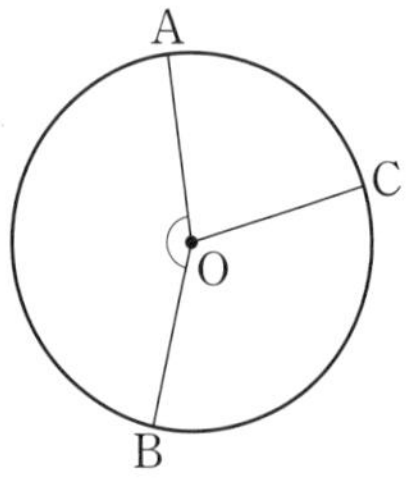

개념 가이드

원 O에서 $\overset{\frown}{AB}$: $\overset{\frown}{BC}$: $\overset{\frown}{CA}$ = a : b : c이면

∠AOB : ∠BOC : ∠COA = a : b : c이므로

$\angle AOB = 360^\circ \times \frac{a}{a+b+c}$, $\angle BOC = 360^\circ \times \frac{①\,[\ \ ]}{a+b+c}$

$\angle COA = 360^\circ \times \frac{②\,[\ \ ]}{a+b+c}$

답 ① b ② c

대표 예제 4

오른쪽 그림의 원 O에서 ∠AOB=75°, ∠COD=25°일 때, 다음 중 옳은 것은?

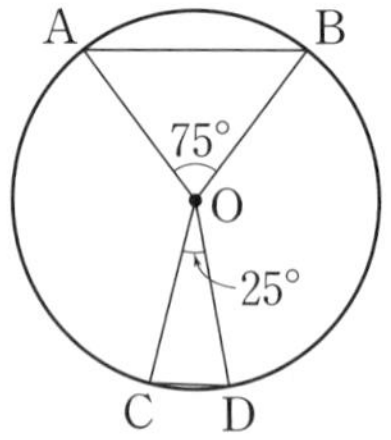

① $\overline{AB}=\overline{AO}$

② $\overset{\frown}{AB}=3\overset{\frown}{CD}$

③ $\overline{AB}=3\overline{CD}$

④ △AOB=3△COD

⑤ 부채꼴 COD의 넓이는 부채꼴 AOB의 넓이의 3배이다.

개념 가이드

중심각의 크기에 정비례하는 것
→ 부채꼴의 호의 길이, 부채꼴의 ① [ ]

중심각의 크기에 정비례하지 않는 것
→ ② [ ] 의 길이, 삼각형의 넓이

답 ① 넓이 ② 현

대표 예제 5

오른쪽 그림에서 색칠한 부분의 둘레의 길이와 넓이를 차례대로 구하시오.

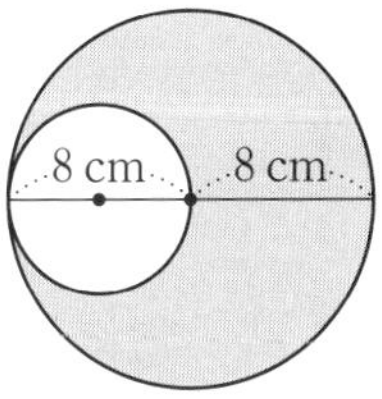

개념 가이드

반지름의 길이가 r인 원의 둘레의 길이를 l, 넓이를 S라 하면

$l=$ ① ____, $S=$ ② ____

답 ① $2\pi r$ ② πr^2

대표 예제 7

오른쪽 그림에서 색칠한 부분의 둘레의 길이를 구하시오.

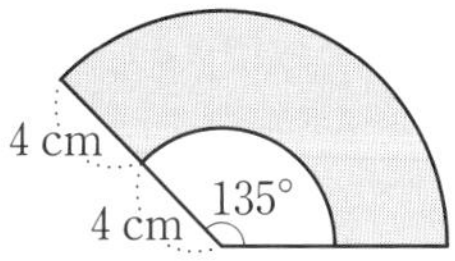

개념 가이드

(색칠한 부분의 둘레의 길이)

=(큰 호의 길이)㉠+(① ____의 길이)㉡

+(선분의 길이)×2㉢

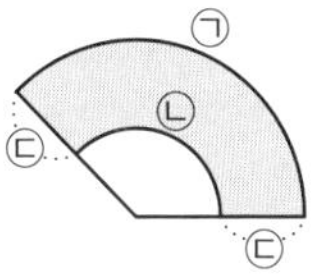

답 ① 작은 호

대표 예제 6

다음 그림에서 수학 시간에 선생님께서 내주신 문제의 답을 구하시오.

개념 가이드

반지름의 길이가 r이고 중심각의 크기가 $x°$인 부채꼴의 호의 길이를 l, 넓이를 S라 하면

$l=$ ① ____ $\times\frac{x}{360}$, $S=\pi r^2\times\frac{x}{360}=$ ② ____

답 ① $2\pi r$ ② $\frac{1}{2}rl$

대표 예제 8

오른쪽 그림에서 색칠한 부분의 넓이를 구하시오.

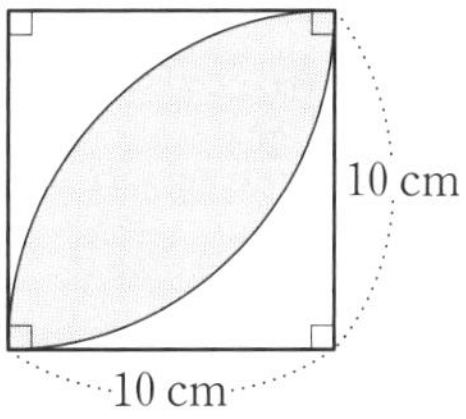

개념 가이드

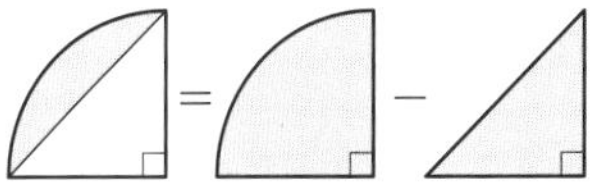

보조선을 그은 후 부채꼴의 넓이에서 ① ____의 넓이를 뺀다.

답 ① 삼각형

1 오른쪽 그림은 점 O를 원의 중심으로 하여 하루 24시간을 중심각의 크기에 따라 일정한 간격으로 나눈 원 모양의 방학 생활 계획표인데 일부가 찢어졌다. '기상 및 아침'과 'TV 보기'를 나타내는 부채꼴의 중심각의 크기가 각각 $30°$와 $45°$일 때, 'TV 보기'가 끝나는 시각을 구하시오.

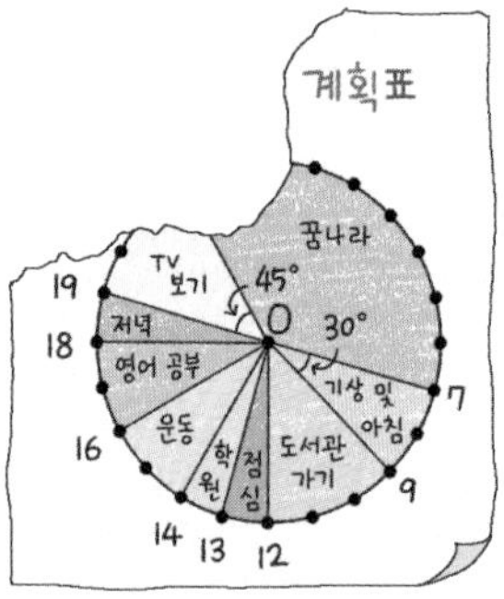

2 오른쪽 그림의 원 O에서 $\overset{\frown}{AB} : \overset{\frown}{BC} : \overset{\frown}{AC} = 3 : 5 : 10$이고 $\overset{\frown}{AB} = 2\pi$ cm일 때, 원 O의 반지름의 길이를 구하시오.

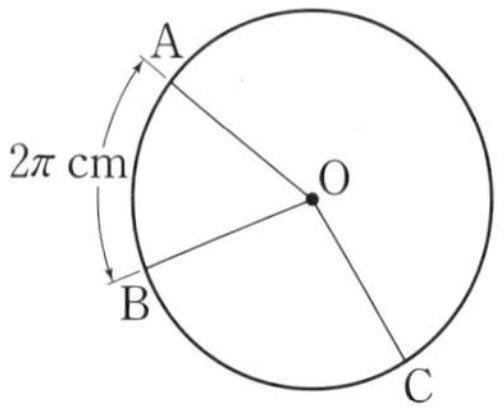

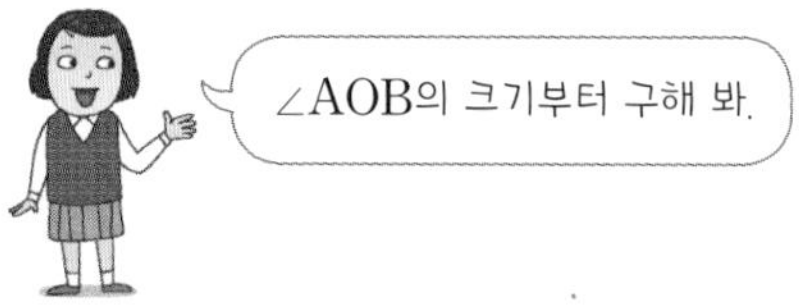

3 오른쪽 그림의 원 O에서 $\overline{AB} /\!/ \overline{CD}$, $\angle BOD = 20°$이다. $\overset{\frown}{BD} = 5$ cm일 때, $\overset{\frown}{AB}$의 길이를 구하시오.

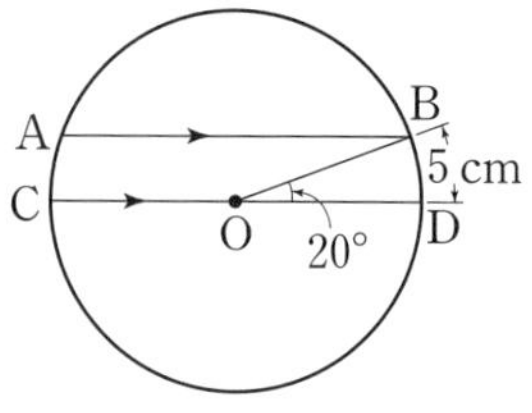

4 아래 그림의 원 O에서 $\angle AOB = \angle BOC = \angle DOE$일 때, 다음 중 옳은 것은?

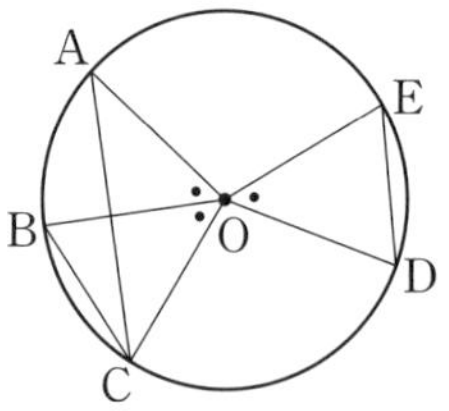

① $\overset{\frown}{AC} = \overset{\frown}{CD}$
② $\overset{\frown}{AC} = 2\overset{\frown}{DE}$
③ $\overline{AC} = 2\overline{DE}$
④ $\overline{BC} = \frac{1}{2}\overline{AC}$
⑤ $\triangle AOC = 2\triangle DOE$

5 오른쪽 그림과 같이 중심이 O인 두 원에서 $\overline{OA}=\overline{AB}$이다. $\overline{OA}$를 반지름으로 하는 원의 넓이가 $9\pi\ cm^2$일 때, 색칠한 부분의 넓이를 구하시오.

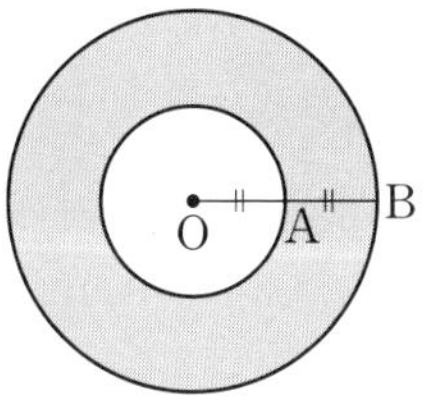

6 반지름의 길이가 10 cm이고, 호의 길이가 7π cm인 부채꼴의 중심각의 크기를 구하시오.

7 오른쪽 그림과 같은 정사각형에서 색칠한 부분의 둘레의 길이를 구하시오.

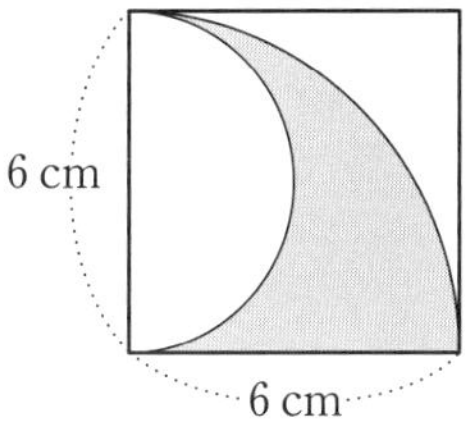

8 오른쪽 그림에서 색칠한 부분의 넓이를 구하시오.

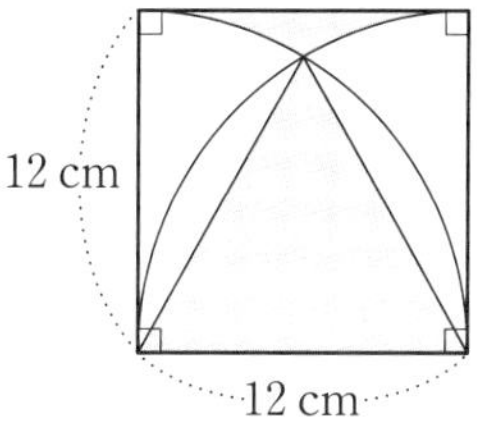

9 다음 그림과 같이 자동차의 운전석 유리창의 와이퍼가 왼쪽에서 오른쪽 방향으로 120°만큼 움직였을 때, $\overline{AB}$가 지나간 부분의 넓이를 구하시오.

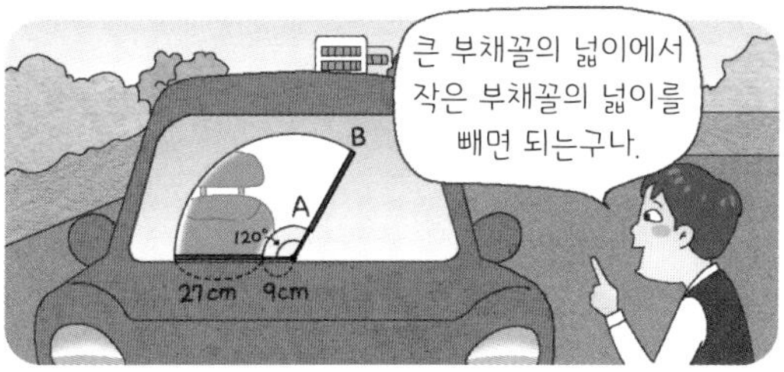

2일 다면체와 회전체

각기둥, 각뿔, 각뿔대끼리 모여!
우리는 각기둥! 두 밑면이 서로 평행하고 합동인 다각형이며 옆면이 모두 직사각형이지.
각기둥
우리는 각뿔! 밑면이 다각형이고 옆면이 모두 삼각형이지.
각뿔
우리는 각뿔대! 뿔을 자르면 생기는데 옆면은 모두 사다리꼴이지.
각뿔대
우리는 정다면체!
정사면체
정육면체
정팔면체
정십이면체
정이십면체

공부할 내용

❶ 다면체
❷ 정다면체
❸ 회전체

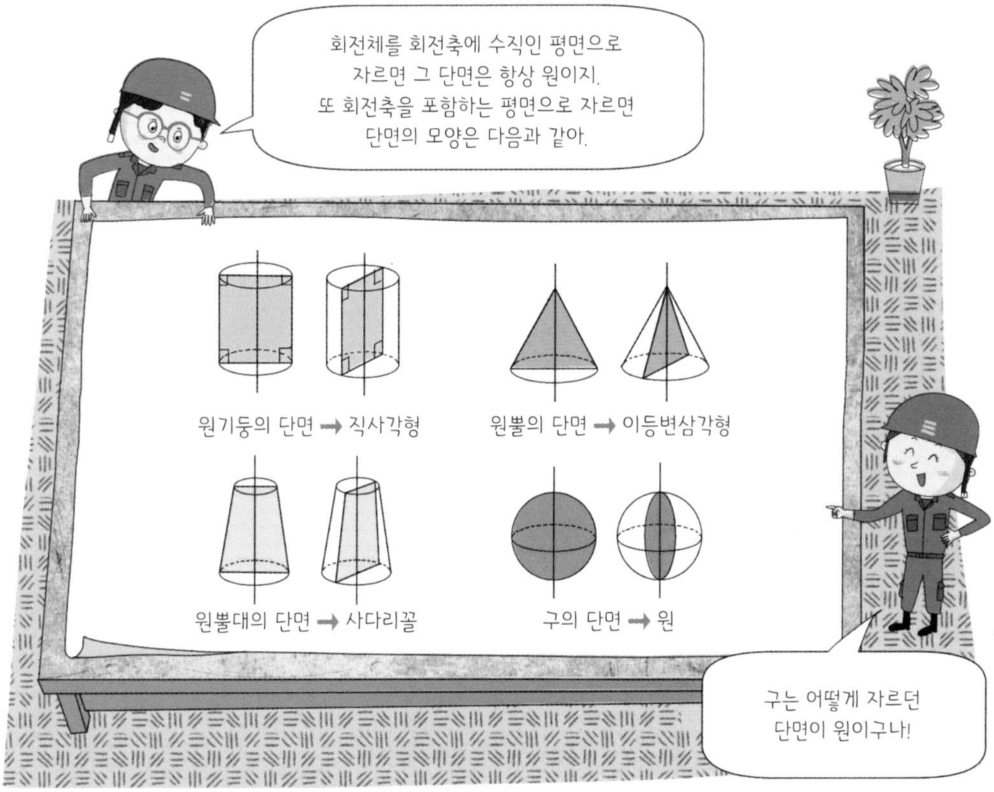
회전체를 회전축에 수직인 평면으로
자르면 그 단면은 항상 원이지.
또 회전축을 포함하는 평면으로 자르면
단면의 모양은 다음과 같아.
원기둥의 단면 → 직사각형
원뿔의 단면 → 이등변삼각형
원뿔대의 단면 → 사다리꼴
구의 단면 → 원
구는 어떻게 자르던
단면이 원이구나!

이것만은 꼭꼭!

(1) 각기둥의 옆면의 모양은 ❶ ______, 각뿔의 옆면의 모양은 ❷ ______, 각뿔대의 옆면의 모양은 ❸ ______이다.

(2) 직사각형, 직각삼각형, 반원을 한 직선을 축으로 하여 1회전 시키면 각각 ❹ ______, 원뿔, 구가 만들어진다.

답 ❶ 직사각형 ❷ 삼각형 ❸ 사다리꼴 ❹ 원기둥

2일 교과서 핵심 정리 ❶

핵심 1 다면체

(1) **다면체** : ❶ ☐인 면으로만 둘러싸인 입체도형으로 둘러싸인 면의 개수에 따라 사면체, 오면체, 육면체, … 라 한다.

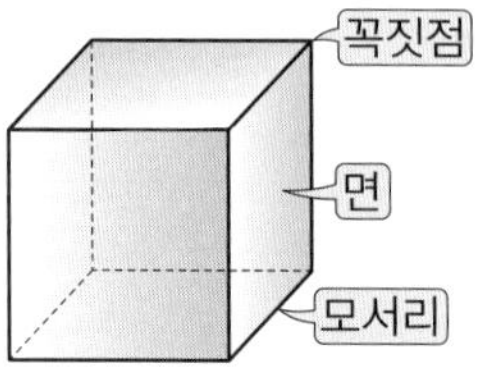

참고 원기둥과 원뿔은 다각형 이외의 면으로 둘러싸여 있으므로 다면체가 아니다.

(2) **다면체의 종류**

① 각기둥 : 두 밑면이 서로 평행하고 합동인 다각형이며, 옆면이 모두 ❷ ☐인 입체도형

② 각뿔 : 밑면이 다각형이고 옆면이 모두 ❸ ☐인 입체도형

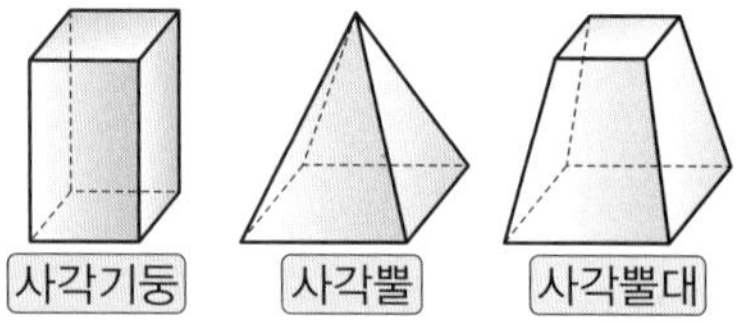

③ 각뿔대 : 각뿔을 밑면에 평행한 평면으로 자를 때 생기는 두 다면체 중 ❹ ☐이 아닌 쪽의 다면체로 옆면의 모양은 ❺ ☐이다.

참고 각뿔대는 밑면의 모양에 따라 삼각뿔대, 사각뿔대, 오각뿔대, …라 한다.

핵심 2 정다면체

(1) **정다면체** : 각 면이 모두 합동인 ❻ ☐이고, 각 꼭짓점에 모이는 면의 개수가 모두 같은 다면체

(2) **정다면체의 종류** : 정다면체는 정사면체, 정육면체, 정팔면체, 정십이면체, 정이십면체의 5가지 뿐이다.

	정사면체	정육면체	정팔면체	정십이면체	❼ ☐
겨냥도	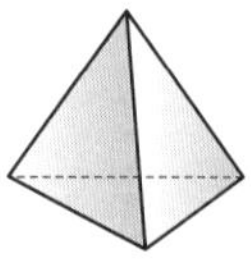	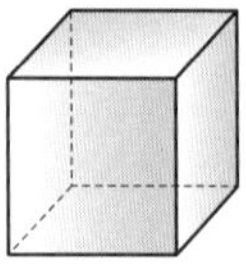	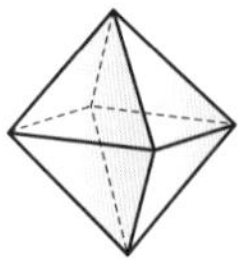	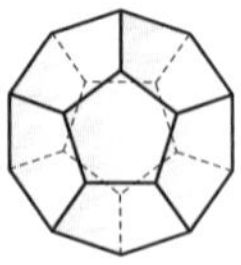	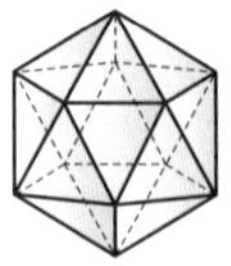
면의 모양	정삼각형	정사각형	정삼각형	정오각형	정삼각형
한 꼭짓점에 모인 면의 개수	3	3	❽ ☐	3	5
면의 개수	4	6	8	12	20
모서리의 개수	6	12	12	30	30
꼭짓점의 개수	4	8	6	20	12

❶ 다각형
❷ 직사각형
❸ 삼각형
❹ 각뿔
❺ 사다리꼴
❻ 정다각형
❼ 정이십면체
❽ 4

시험지 속 개념 문제

정답과 풀이 29쪽

1 다음 보기 중 다면체를 모두 고르시오.

보기

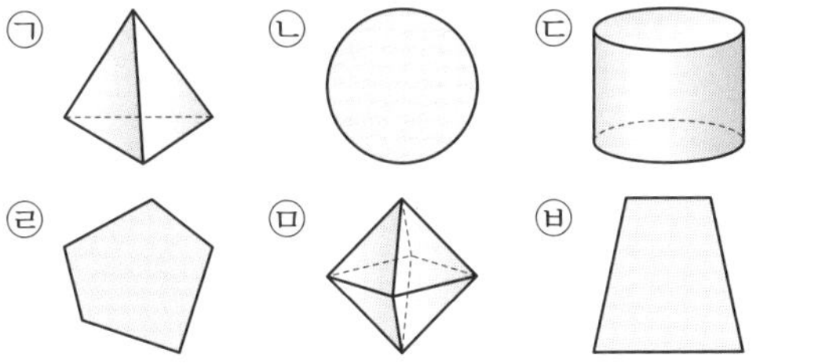

2 다음 중 다면체와 그 다면체의 옆면의 모양이 바르게 짝 지어진 것을 모두 고르면? (정답 2개)

① 오각뿔 — 오각형
② 사각뿔대 — 직사각형
③ 삼각기둥 — 직사각형
④ 육각뿔대 — 사다리꼴
⑤ 정육면체 — 육각형

3 다음 중 오각기둥에 대한 설명으로 옳지 <u>않은</u> 것은?

① 면의 개수는 7이다.
② 밑면은 서로 합동이다.
③ 꼭짓점의 개수는 6이다.
④ 밑면의 모양은 오각형이다.
⑤ 옆면의 모양은 직사각형이다.

4 다음 보기 중 정다면체를 모두 고르시오.

보기
㉠ 정육면체 ㉡ 정팔면체 ㉢ 정십면체
㉣ 팔각기둥 ㉤ 정이십면체

5 다음 그림에서 민수와 지영이의 물음에 각각 답하시오.

2일 교과서 **핵심 정리 ②**

핵심 3 회전체

(1) **회전체** : 평면도형을 한 직선 l을 축으로 하여 ❶ ☐ 회전 시킬 때 생기는 입체도형

① 회전축 : ❷ ☐ 으로 사용한 직선 l

② 모선 : 회전하면서 ❸ ☐ 을 만드는 선분

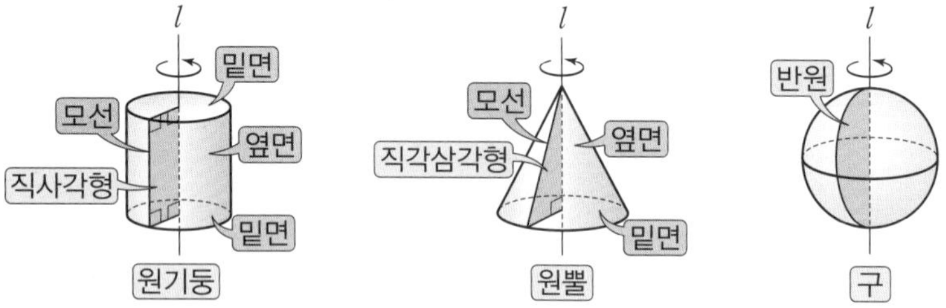

(2) **원뿔대** : 원뿔을 밑면에 평행한 평면으로 자를 때 생기는 두 입체도형 중에서 ❹ ☐ 이 아닌 쪽의 입체도형

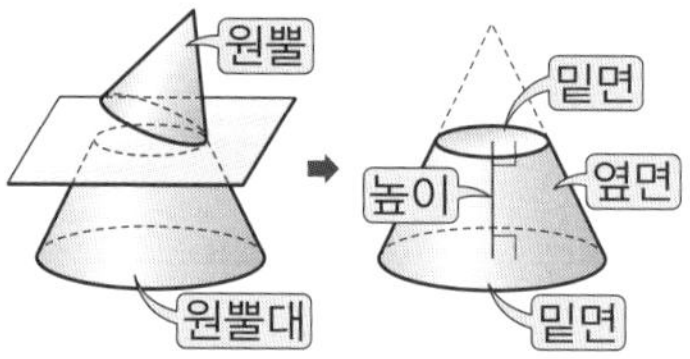

핵심 4 회전체의 성질

(1) 회전체를 회전축에 ❺ ☐ 인 평면으로 자른 단면의 경계는 항상 ❻ ☐ 이다.

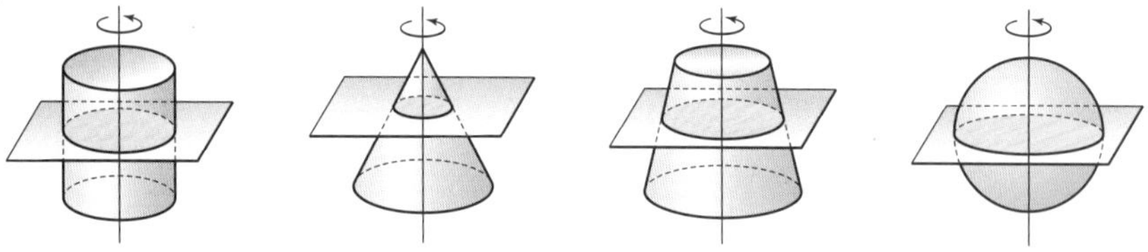

참고 입체도형을 평면으로 자를 때 생기는 면을 단면이라 한다.

(2) 회전체를 회전축을 ❼ ☐ 하는 평면으로 자른 단면은 모두 ❽ ☐ 이고, 회전축에 대하여 선대칭도형이다.

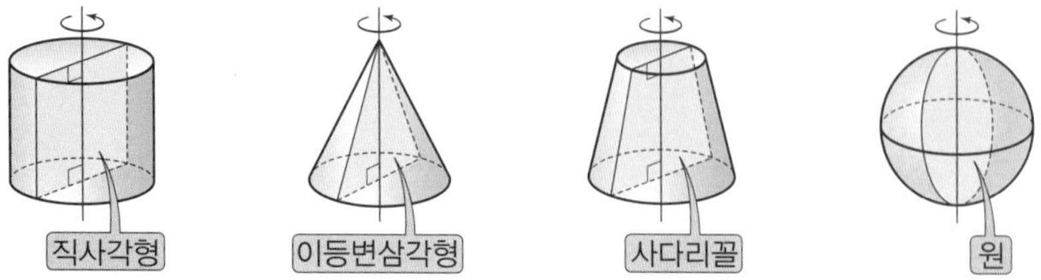

참고 어떤 직선으로 접어서 완전히 겹쳐지는 도형을 선대칭도형이라 한다.

❶ 1
❷ 축
❸ 옆면
❹ 원뿔
❺ 수직
❻ 원
❼ 포함
❽ 합동

6 다음 중 회전체가 <u>아닌</u> 것은?

①
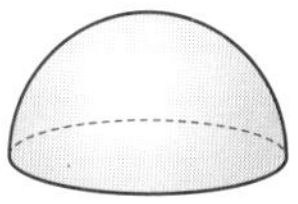

②

③
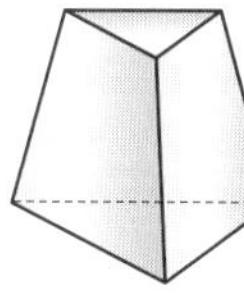

④
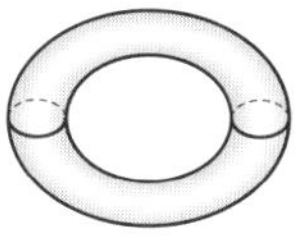

⑤
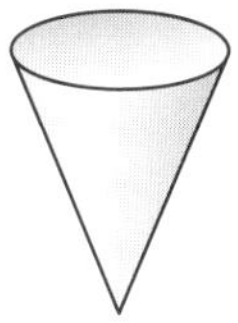

7 다음 중 직선 l을 축으로 하는 회전체가 <u>아닌</u> 것은?

①
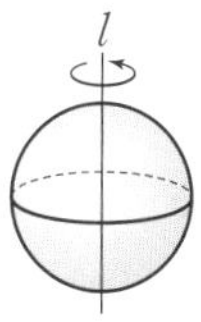

②
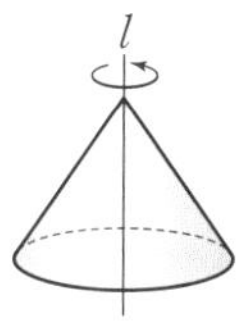

③
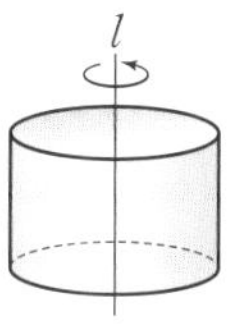

④

⑤
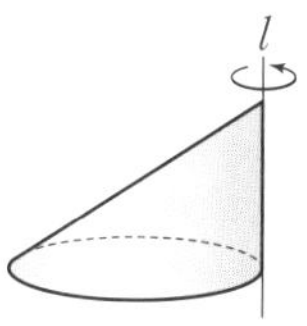

8 오른쪽 그림과 같은 사다리꼴을 직선 l을 축으로 하여 1회전 시킬 때 생기는 회전체에 대하여 다음을 각각 구하시오.

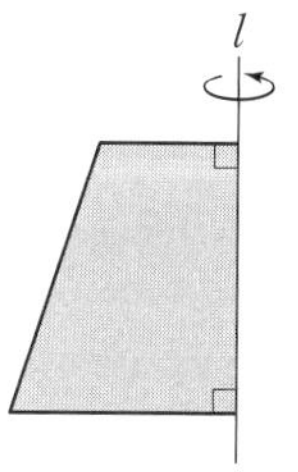

(1) 회전축에 수직인 평면으로 자를 때 생기는 단면의 모양

(2) 회전축을 포함하는 평면으로 자를 때 생기는 단면의 모양

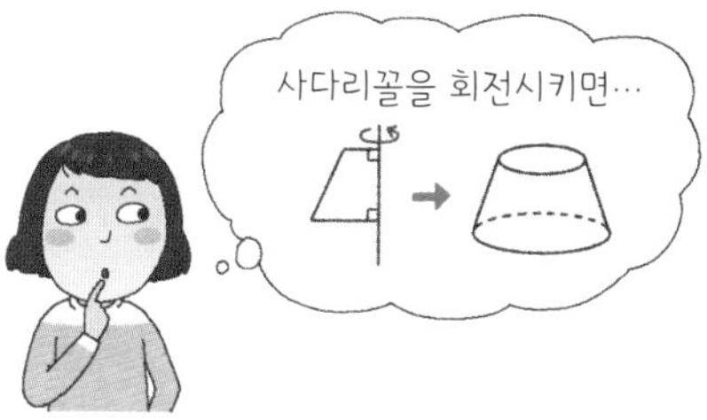

9 다음 중 옳은 것을 모두 고르면? (정답 2개)

① 구의 회전축은 1개이다.
② 원뿔대의 전개도에서 옆면은 사다리꼴이다.
③ 원뿔을 회전축에 수직인 평면으로 자른 단면의 경계는 원이다.
④ 직사각형의 한 변을 회전축으로 하여 1회전 시킬 때 생기는 입체도형은 원뿔이다.
⑤ 구의 단면인 원이 가장 클 때는 구의 중심을 지나는 평면으로 자를 때이다.

2일 교과서 기출 베스트 1회

대표 예제 1

다음 보기 중 다면체는 모두 몇 개인지 구하시오.

보기
㉠ 원뿔　㉡ 사각뿔대　㉢ 오각기둥
㉣ 직육면체　㉤ 원기둥　㉥ 삼각뿔
㉦ 반구　㉧ 정팔면체　㉨ 원뿔대

개념 가이드

다면체는 ① [　　] 인 면으로만 둘러싸인 ② [　　] 이다.

답 ① 다각형 ② 입체도형

대표 예제 2

다음 중 면의 개수가 가장 많은 다면체를 말한 학생을 고르시오.

개념 가이드

	n각기둥	n각뿔	n각뿔대
면의 개수	$n+2$	①	②

답 ① $n+1$ ② $n+2$

대표 예제 3

다음 조건을 모두 만족하는 다면체를 구하시오.

(가) 두 밑면은 서로 평행하다.
(나) 옆면의 모양은 직사각형이다.
(다) 육면체이다.

개념 가이드

각기둥, 각뿔, 각뿔대 중에서
(1) 두 밑면이 서로 평행 → 각기둥, ① [　　]
(2) 옆면의 모양
직사각형 → 각기둥, 삼각형 → ② [　　], 사다리꼴 → 각뿔대

답 ① 각뿔대 ② 각뿔

대표 예제 4

다음 조건을 모두 만족하는 정다면체를 구하시오.

(가) 모든 면의 모양은 정삼각형이다.
(나) 모서리의 개수는 12이다.

개념 가이드

	정사면체	정육면체	정팔면체	정십이면체	정이십면체
면의 모양	정삼각형	정사각형	정삼각형	정오각형	①
모서리의 개수	6	12	②	30	30

답 ① 정삼각형 ② 12

대표 예제 5

다음 보기 중 회전체를 모두 고르시오.

보기
㉠ 원기둥 ㉡ 육각기둥 ㉢ 구
㉣ 삼각뿔대 ㉤ 사각뿔 ㉥ 원뿔대

개념 가이드

① ☐는 평면도형을 한 직선을 축으로 하여 1회전 시킬 때 생기는 입체도형으로 다면체는 회전체가 ② ☐.

답 ① 회전체 ② 아니다

대표 예제 6

다음 중 오른쪽 그림과 같은 평면도형을 직선 l을 축으로 하여 1회전 시킬 때 생기는 입체도형은?

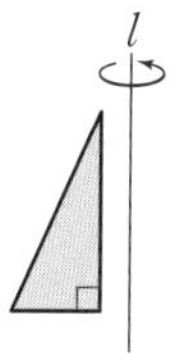

①
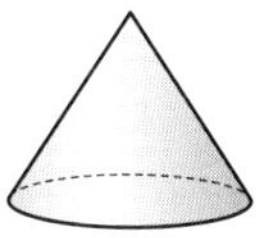
②
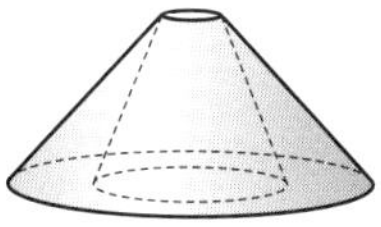
③
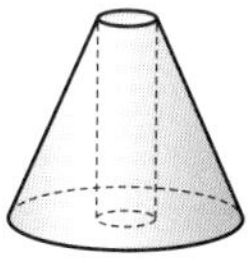
④
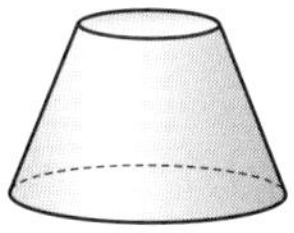
⑤
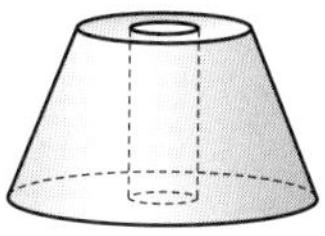

개념 가이드

회전축과 평면도형이 떨어져 있으면 ① ☐에 구멍이 뚫린 입체도형이 만들어진다.

답 ① 가운데

대표 예제 7

다음 중 회전체와 그 회전체를 회전축을 포함하는 평면으로 자를 때 생기는 단면의 모양을 짝 지은 것으로 옳지 않은 것은?

① 반구 – 반원 ② 구 – 원
③ 원뿔 – 직각삼각형 ④ 원기둥 – 직사각형
⑤ 원뿔대 – 사다리꼴

개념 가이드

회전체를 회전축을 포함하는 평면으로 자를 때 생기는 단면의 모양
→ 원기둥 – 직사각형, 원뿔 – ① ☐,
원뿔대 – 사다리꼴, 구 – ② ☐

답 ① 이등변삼각형 ② 원

대표 예제 8

다음 중 회전체에 대한 설명으로 옳지 않은 것은?

① 회전축에 수직인 평면으로 자른 단면의 경계는 항상 원이다.
② 회전축을 포함하는 평면으로 자른 단면은 회전축에 대하여 선대칭도형이다.
③ 회전축을 포함하는 평면으로 자른 단면은 모두 합동이다.
④ 구의 회전축은 여러 개이다.
⑤ 원뿔대를 회전축을 포함하는 평면으로 자를 때 생기는 단면의 모양은 직사각형이다.

개념 가이드

(1) 회전체를 회전축에 ① ☐인 평면으로 자른 단면의 경계는 항상 원이다.
(2) 회전체를 회전축을 ② ☐하는 평면으로 자른 단면은 모두 합동이고, 회전축에 대하여 선대칭도형이다.

답 ① 수직 ② 포함

1 다음 중 다면체가 아닌 것은?

① 삼각뿔 ② 사각뿔대 ③ 직육면체
④ 육각기둥 ⑤ 원기둥

2 다음 중 모서리의 개수가 가장 많은 다면체는?

① 칠각뿔대 ② 팔각기둥 ③ 정팔면체
④ 팔각뿔 ⑤ 정십각뿔

3 다음 만화를 보고 할멈이 낸 문제의 답을 구하시오.

4 다음 조건을 모두 만족하는 다면체는?

(가) 각 면은 모두 합동인 정삼각형이다.
(나) 각 꼭짓점에 모인 면의 개수는 5이다.

① 정팔면체 ② 정십면체 ③ 정십이면체
④ 정이십면체 ⑤ 정이십오면체

5 다음 보기 중 회전체는 모두 몇 개인지 구하시오.

> 보기
> ㉠ 구　　㉡ 원뿔　　㉢ 삼각뿔
> ㉣ 원기둥　　㉤ 정육면체　　㉥ 팔각뿔대

6 다음 중 직선 l을 축으로 하여 1회전 시킬 때 생기는 회전체가 오른쪽 그림과 같은 것은?

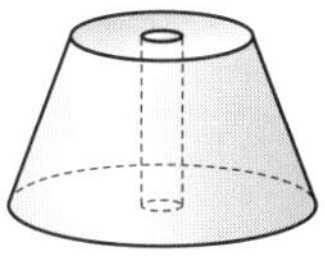

①
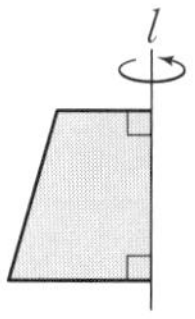

②
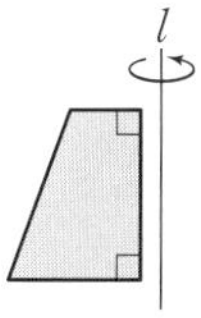

③
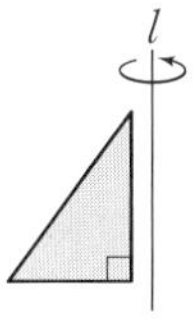

④
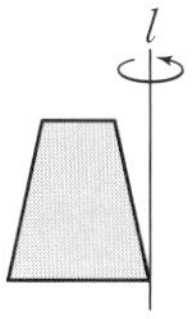

⑤
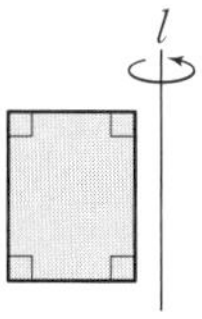

7 다음 회전체 중 어떤 평면으로 잘라도 그 단면의 모양이 항상 원이 되는 것은?

① 구　　② 원뿔　　③ 반구
④ 원기둥　　⑤ 원뿔대

8 다음 중 회전체에 대한 설명으로 옳은 것은?

① 모선이 회전하여 만들어진 면을 밑면이라 한다.
② 반원을 회전시키면 항상 구가 만들어진다.
③ 하나의 평면도형으로 만들 수 있는 회전체는 오직 한 개뿐이다.
④ 회전축에 수직인 평면으로 자른 단면의 경계는 항상 합동인 원이다.
⑤ 회전축을 포함하는 평면으로 자른 단면은 회전축에 대하여 선대칭도형이고, 모두 합동이다.

3일 입체도형의 겉넓이와 부피

공부할 내용

❶ 기둥의 겉넓이와 부피
❷ 뿔의 겉넓이와 부피
❸ 뿔대의 겉넓이와 부피
❹ 구의 겉넓이와 부피

네 원뿔보다 내 원기둥의 부피가 더 커!
아니야! 같아!
원기둥과 원뿔의 부피는 달라.
헉!
밑면이 합동이고 높이가 같은 각기둥과 각뿔, 원기둥과 원뿔에서 각뿔과 원뿔에 물을 가득 채운 다음 각각 각기둥과 원기둥에 부으면 기둥의 높이의 $\frac{1}{3}$까지 채워진다구.

이것만은 꼭꼭!

(1) 오른쪽 그림은 원기둥과 그 전개도이다. □ 안에 알맞은 수를 써넣으시오.

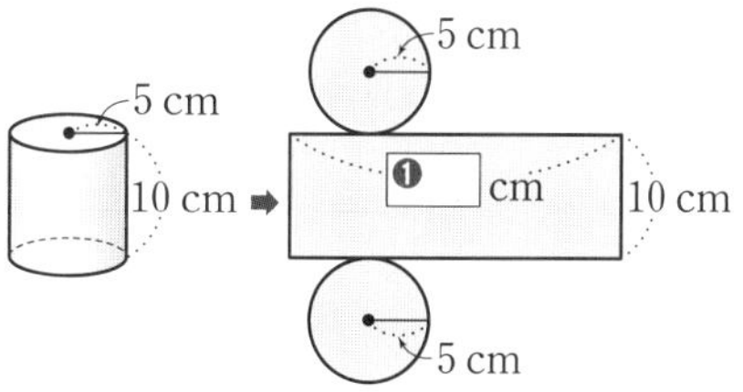

(밑넓이)$=25\pi$ cm²

(옆넓이)$=$ ❷ □ cm²

(겉넓이)$=25\pi\times2+$ ❸ □ $=150\pi$ (cm²)

(2) 오른쪽 그림과 같은 사각뿔의 부피를 구하시오.

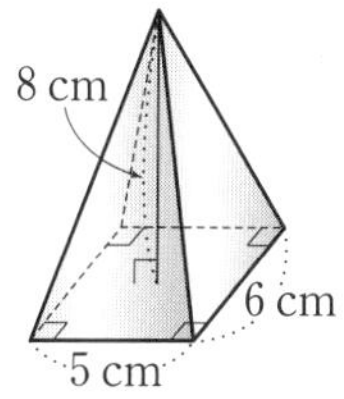

(부피)$=$ ❹ □ $\times(5\times6)\times8=$ ❺ □ (cm³)

답 ❶ 10π ❷ 100π ❸ 100π ❹ $\frac{1}{3}$ ❺ 80

3일 교과서 핵심 정리 ❶

핵심 1 기둥의 겉넓이

(1) (각기둥의 겉넓이)=(밑넓이)×2+(❶)

(2) 밑면인 원의 반지름의 길이가 r, 높이가 h인 원기둥의 겉넓이는

(원기둥의 겉넓이)=(밑넓이)×2+(옆넓이)

=❷ +❸

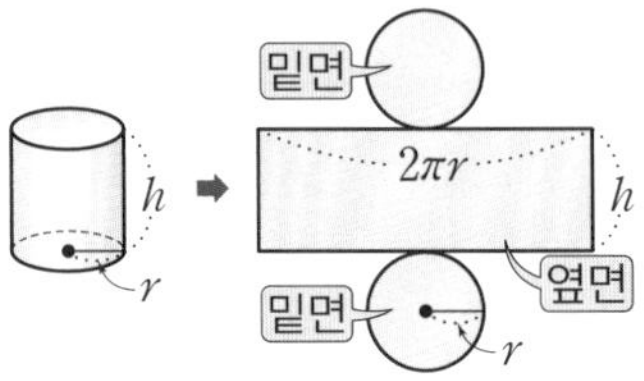

참고 입체도형에서 한 밑면의 넓이를 밑넓이, 옆면 전체의 넓이를 옆넓이라 한다.

❶ 옆넓이

❷ $2\pi r^2$

❸ $2\pi rh$

핵심 2 기둥의 부피

(1) 밑넓이가 S, 높이가 h인 각기둥의 부피는

(각기둥의 부피)=(밑넓이)×(❹)$=Sh$

(2) 밑면인 원의 반지름의 길이가 r, 높이가 h인 원기둥의 부피는

(원기둥의 부피)=(밑넓이)×(높이)=❺

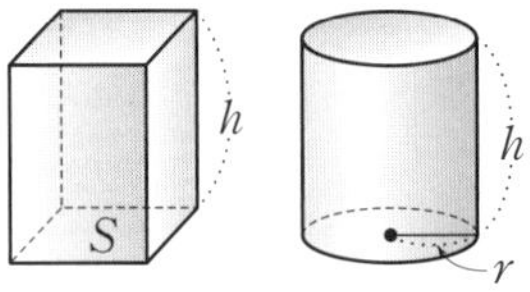

❹ 높이

❺ πr^2h

핵심 3 뿔의 겉넓이

(1) (각뿔의 겉넓이)=(❻)+(옆넓이)

(2) 밑면인 원의 반지름의 길이가 r, 모선의 길이가 l인 원뿔의 겉넓이는

(원뿔의 겉넓이)=(밑넓이)+(옆넓이)

=(❼)$+\pi rl$

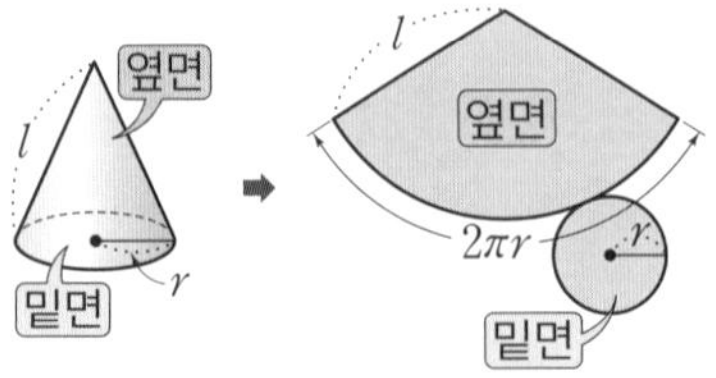

참고 원뿔의 전개도에서

(원뿔의 ❽ 의 길이)=(부채꼴의 반지름의 길이)

(원의 둘레의 길이)=(부채꼴의 호의 길이)

→(옆넓이)=(전개도에서 부채꼴의 넓이)

$=\frac{1}{2}\times$(반지름의 길이)×(호의 길이)

$=\frac{1}{2}\times l\times 2\pi r=\pi rl$

❻ 밑넓이

❼ πr^2

❽ 모선

시험지 속 개념 문제

정답과 풀이 32쪽

1 다음 그림과 같은 각기둥의 겉넓이를 구하시오.

(1)

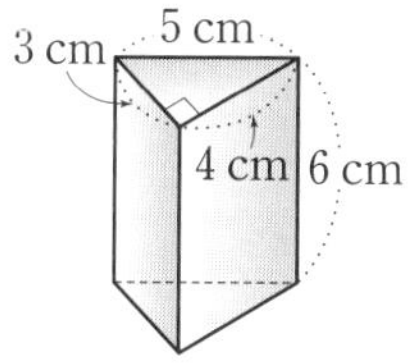

(2)

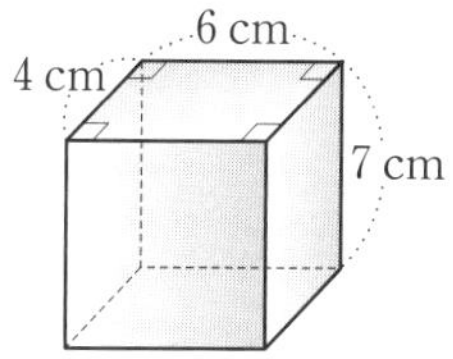

2 다음 그림과 같은 원기둥의 겉넓이를 구하시오.

(1)

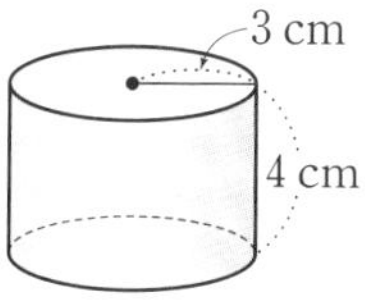

(2)

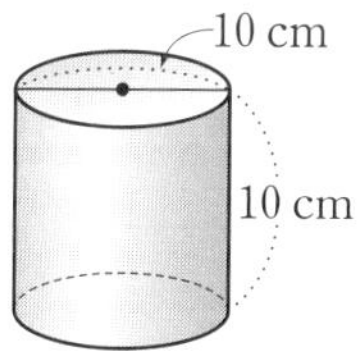

3 다음 그림과 같은 각기둥의 부피를 구하시오.

(1)

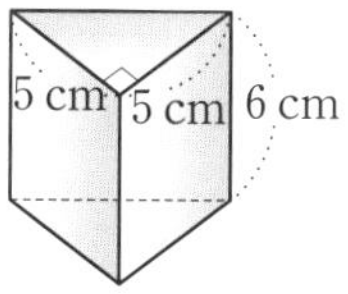

(2)

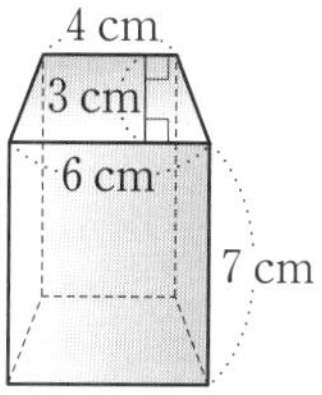

4 다음 그림과 같은 원기둥의 부피를 구하시오.

(1)

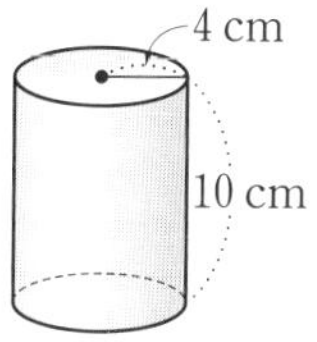

(2)

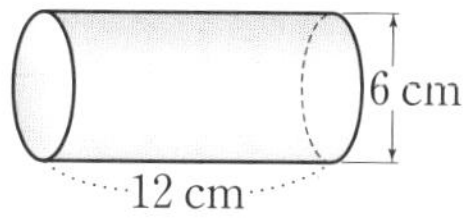

5 다음 그림과 같은 뿔의 겉넓이를 구하시오.

(1)

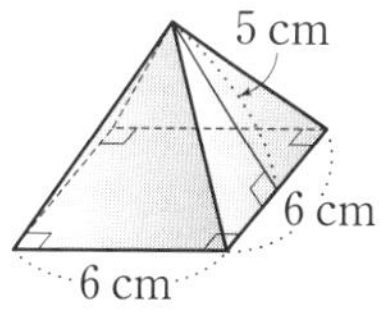

(2)

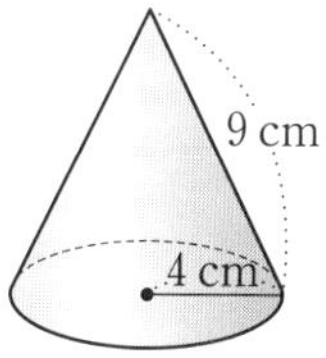

3일 교과서 핵심 정리 ❷

핵심 4 뿔의 부피

(1) 밑넓이가 S, 높이가 h인 각뿔의 부피는

(각뿔의 부피)$=$ ❶ [ ] $\times$(밑넓이)$\times$(높이)

$=$ ❷ [ ]

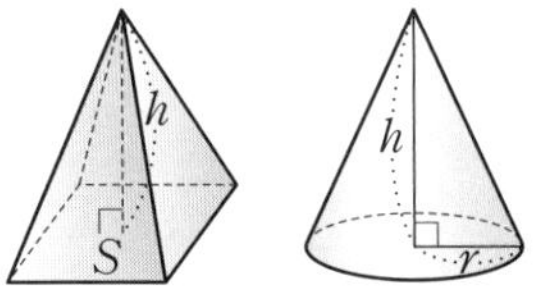

(2) 밑면인 원의 반지름의 길이가 r, 높이가 h인 원뿔의 부피는

(원뿔의 부피)$=\frac{1}{3}\times$(밑넓이)$\times$(높이)$=$ ❸ [ ]

❶ $\frac{1}{3}$

❷ $\frac{1}{3}Sh$

❸ $\frac{1}{3}\pi r^2h$

핵심 5 뿔대의 겉넓이와 부피

(1) (뿔대의 겉넓이)

$=$(작은 밑면의 넓이)$+$(큰 밑면의 넓이)

$+$(❹ [ ])

참고 (원뿔대의 옆넓이)

$=$(큰 부채꼴의 넓이)$-$(❺ [ ] 부채꼴의 넓이)

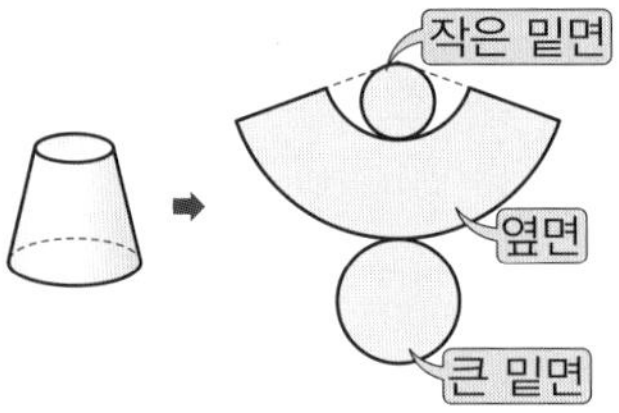

(2) (뿔대의 부피)$=$(큰 뿔의 부피) ❻ [ ] (작은 뿔의 부피)

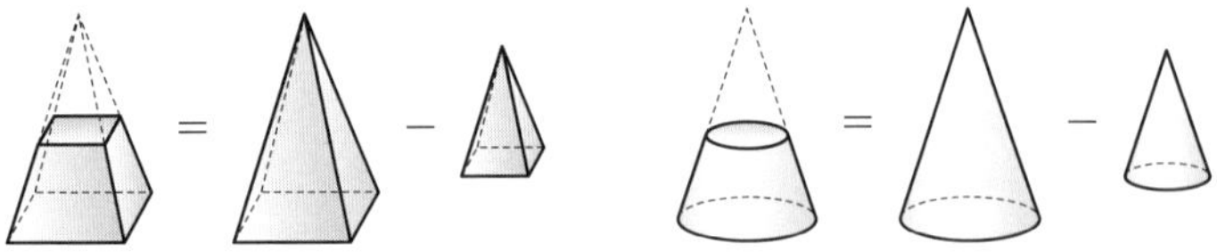

❹ 옆넓이

❺ 작은

❻ $-$

핵심 6 구의 겉넓이와 부피

반지름의 길이가 r인 구에서

(1) (구의 겉넓이)$=$ ❼ [ ]

(2) (구의 부피)$=$ ❽ [ ]

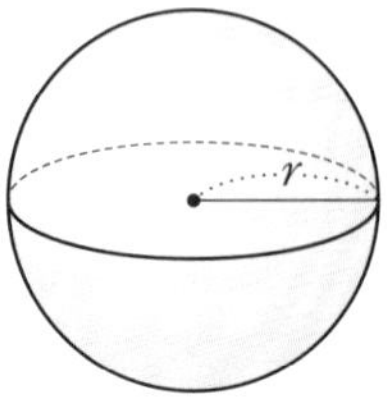

❼ $4\pi r^2$

❽ $\frac{4}{3}\pi r^3$

시험지 속 **개념 문제**

정답과 풀이 32쪽

6 다음은 밑면이 정사각형인 사각뿔과 원뿔 모양의 텐트이다. 각각의 텐트의 부피를 구하시오.

(1)

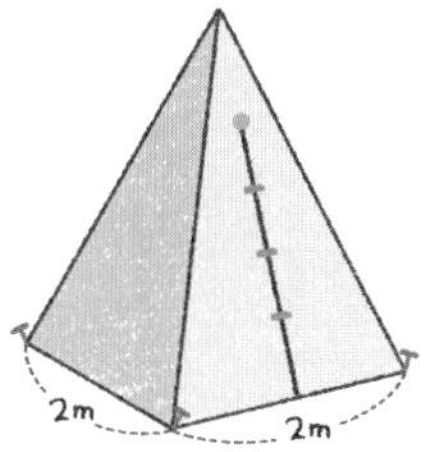

(사각뿔의 높이 : 3 m)

(2)

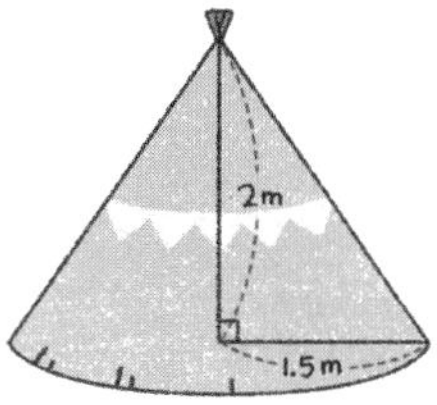

7 오른쪽 그림과 같이 두 밑면이 모두 정사각형이고 옆면이 모두 합동인 사다리꼴로 이루어진 사각뿔대의 겉넓이를 구하시오.

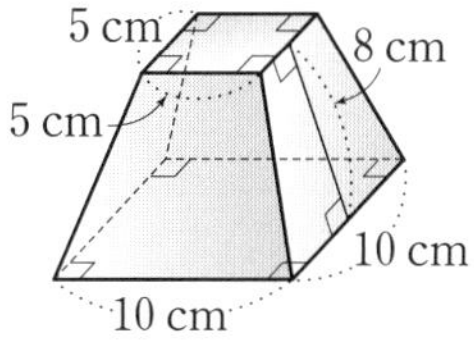

8 오른쪽 그림과 같은 원뿔대의 겉넓이를 구하시오.

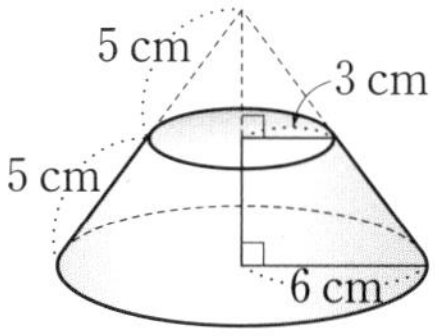

9 다음 그림과 같은 뿔대의 부피를 구하시오.

(1)

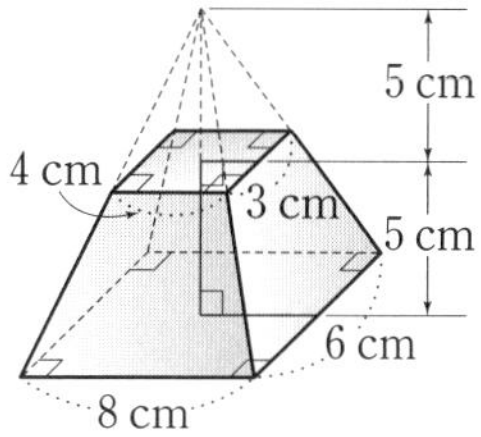

(2)

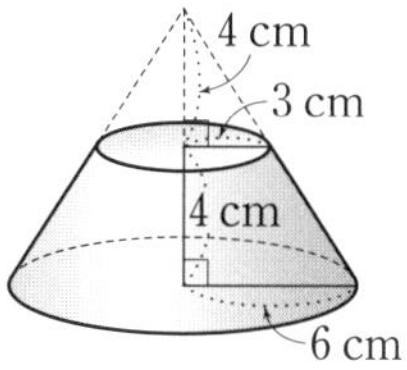

10 오른쪽 그림과 같이 반지름의 길이가 6 cm인 구의 겉넓이와 부피를 각각 구하시오.

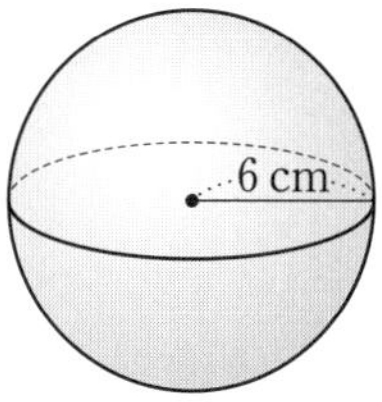

대표 예제 1

오른쪽 그림과 같은 각기둥의 겉넓이를 구하시오.

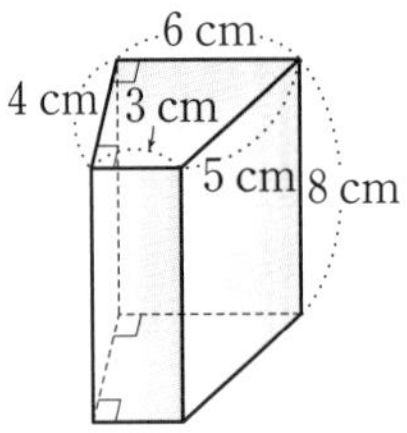

개념 가이드

(각기둥의 겉넓이)=(①) × 2+(옆넓이)

(사다리꼴의 넓이)

$=\frac{1}{2}\times$ {(윗변의 길이)+(②)} × (높이)

답 ① 밑넓이 ② 아랫변의 길이

대표 예제 2

오른쪽 그림과 같은 원기둥의 겉넓이는?

① $72\ cm^2$ ② $72\pi\ cm^2$
③ $74\ cm^2$ ④ $74\pi\ cm^2$
⑤ $76\pi\ cm^2$

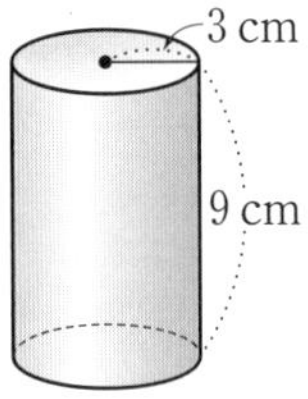

개념 가이드

(원기둥의 겉넓이)=(밑넓이)×2+(옆넓이)

$=2\pi r^2+$ ①

답 ① $2\pi rh$

대표 예제 3

오른쪽 그림과 같이 밑면이 부채꼴인 입체도형의 부피를 구하시오.

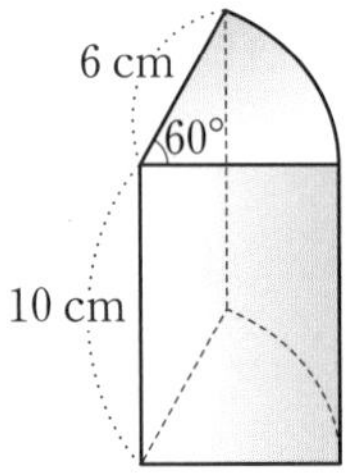

개념 가이드

(1) (겉넓이)=(① 의 넓이)×2
+(부채꼴의 둘레의 길이)×(높이)

(2) (부피)=(부채꼴의 넓이)×(②)

답 ① 부채꼴 ② 높이

대표 예제 4

다음 그림과 같은 전개도로 만들어지는 입체도형의 부피를 구하시오.

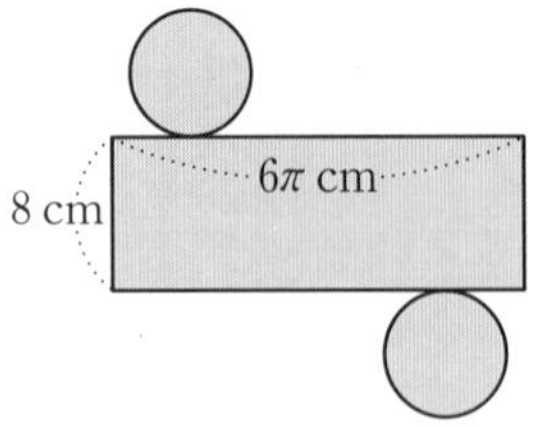

개념 가이드

(1) (옆면의 가로의 길이)=(① 인 원의 둘레의 길이)

(2) (옆면의 세로의 길이)=(기둥의 ②)

답 ① 밑면 ② 높이

대표 예제 5

오른쪽 그림은 밑면은 정사각형이고 옆면은 모두 이등변삼각형으로 이루어진 사각뿔의 전개도이다. 이 전개도로 만들어지는 사각뿔의 겉넓이를 구하시오.

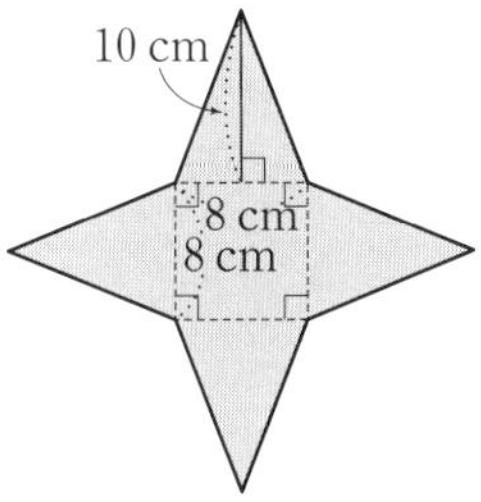

개념 가이드

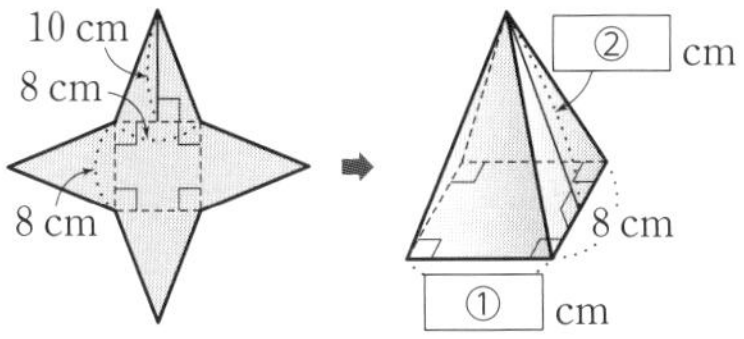

답 ① 8 ② 10

대표 예제 7

오른쪽 그림과 같이 반지름의 길이가 10 cm인 반구의 겉넓이를 구하시오.

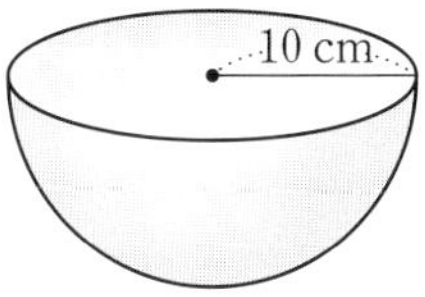

개념 가이드

(반구의 겉넓이)=(구의 겉넓이)$\times\frac{1}{2}$+(① ____ 의 넓이)

답 ① 원

대표 예제 6

오른쪽 그림과 같은 원뿔대의 부피를 구하시오.

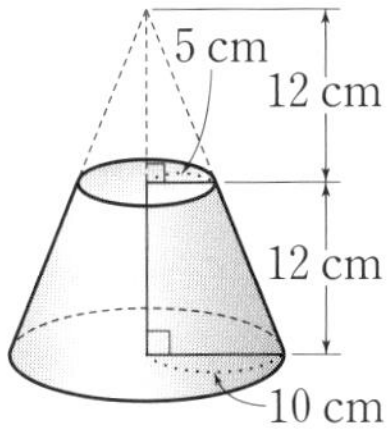

개념 가이드

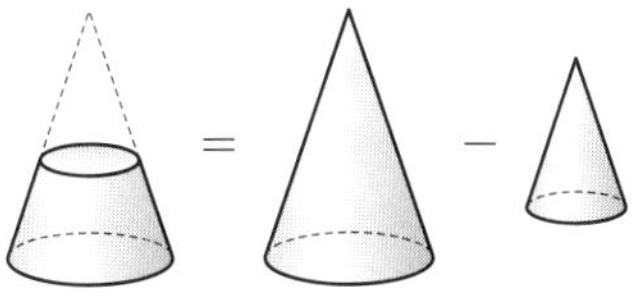

(원뿔대의 ① ____)
=(큰 원뿔의 부피) ② ____ (작은 원뿔의 부피)

답 ① 부피 ② −

대표 예제 8

오른쪽 그림은 반지름의 길이가 3 cm인 구의 $\frac{1}{4}$이다. 이 입체도형의 부피를 구하시오.

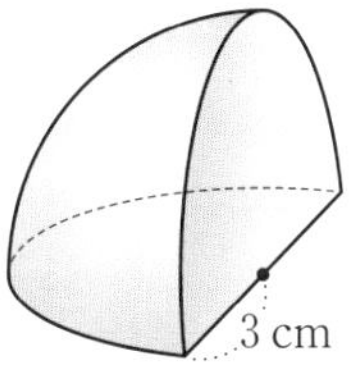

개념 가이드

반지름의 길이가 r인 구의 부피는 ① ____ πr^3이다.

답 ① $\frac{4}{3}$

1 오른쪽 그림과 같은 사각기둥의 겉넓이는?

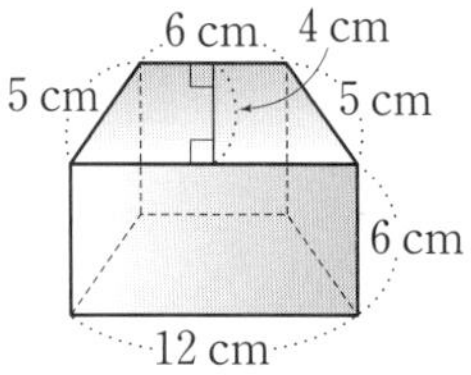

① $168\ cm^2$
② $184\ cm^2$
③ $204\ cm^2$
④ $240\ cm^2$
⑤ $312\ cm^2$

2 오른쪽 그림과 같은 직사각형을 직선 l을 축으로 하여 1회전 시킬 때 생기는 회전체의 겉넓이는?

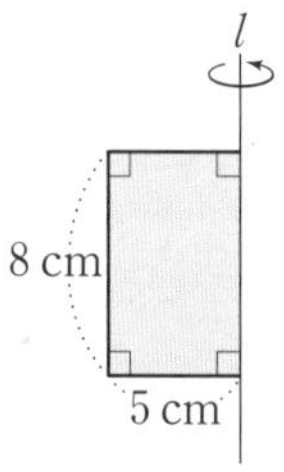

① $110\pi\ cm^2$ ② $115\pi\ cm^2$
③ $120\pi\ cm^2$ ④ $125\pi\ cm^2$
⑤ $130\pi\ cm^2$

3 오른쪽 그림과 같은 삼각기둥의 부피가 $36\ cm^3$일 때, x의 값을 구하시오.

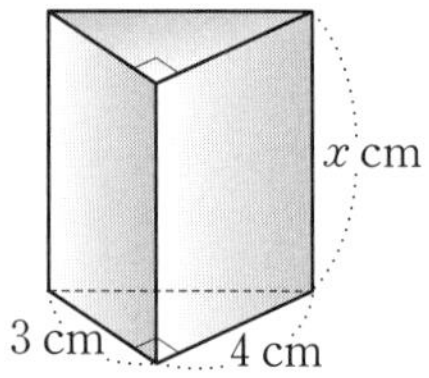

4 오른쪽 그림과 같은 전개도로 만들어지는 입체도형의 밑면의 넓이는?

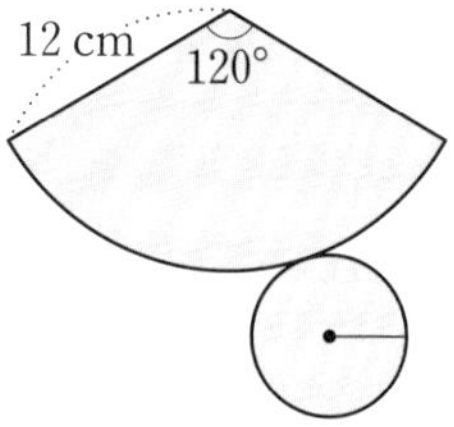

① $12\pi\ cm^2$ ② $14\pi\ cm^2$
③ $16\pi\ cm^2$ ④ $18\pi\ cm^2$
⑤ $20\pi\ cm^2$

5 오른쪽 그림과 같은 원뿔대의 겉넓이를 구하시오.

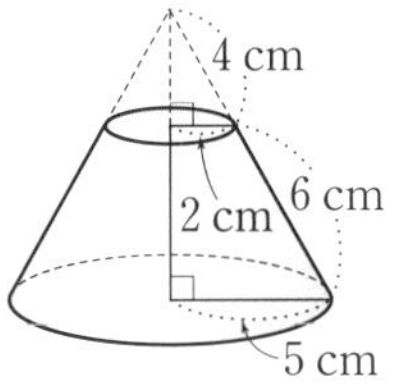

6 다음 그림과 같은 원뿔과 원기둥의 부피가 같을 때, 원기둥의 높이는?

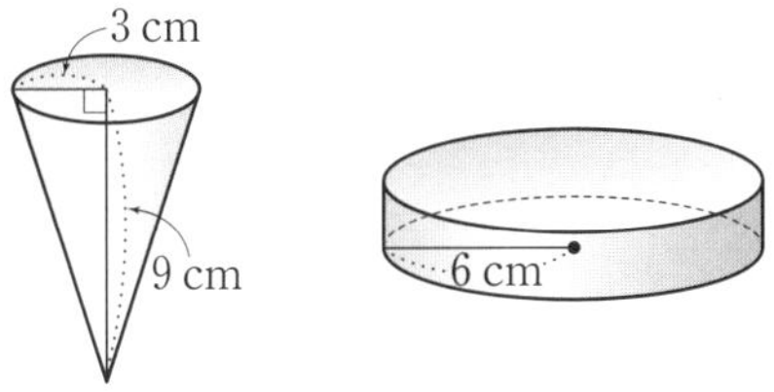

① $\frac{1}{2}$ cm ② $\frac{3}{4}$ cm ③ 1 cm
④ $\frac{5}{4}$ cm ⑤ $\frac{3}{2}$ cm

7 지훈이는 반지름의 길이가 60 cm인 원 모양의 땅 위에 아래 그림과 같이 흙을 반구 모양으로 쌓아서 그 위에 상추를 심으려고 한다. 다음을 구하시오.

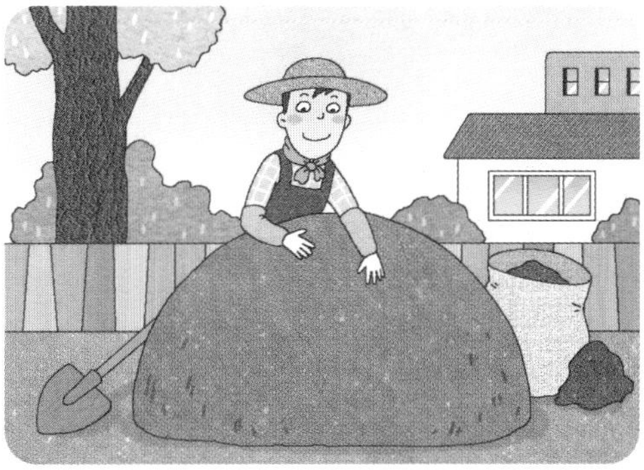

(1) 필요한 흙의 부피

(2) 상추를 심을 수 있는 부분의 넓이

8 지구의 내부 구조는 간접적인 방법인 지진파를 이용하여 확인해 보면 몇 개의 층으로 나뉘어져 있음을 알 수 있다. 그 구조는 크게 맨틀, 외핵, 내핵의 세 부분으로 구분되며 이를 모형으로 나타내면 다음 그림과 같다.

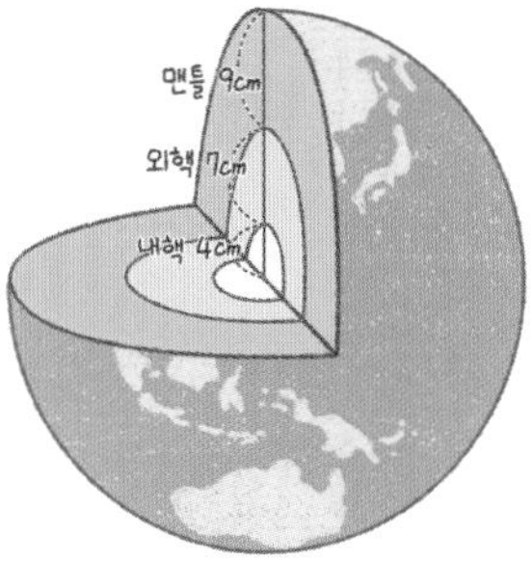

위의 그림과 같이 구 모양에서 $\frac{1}{4}$을 잘라 내어 만든 지구의 내부 구조를 나타낸 모형의 부피를 구하시오.

4일 줄기와 잎 그림과 도수분포표, 히스토그램

공부할 내용

❶ 줄기와 잎 그림
❷ 도수분포표
❸ 도수분포표를 만드는 방법
❹ 히스토그램

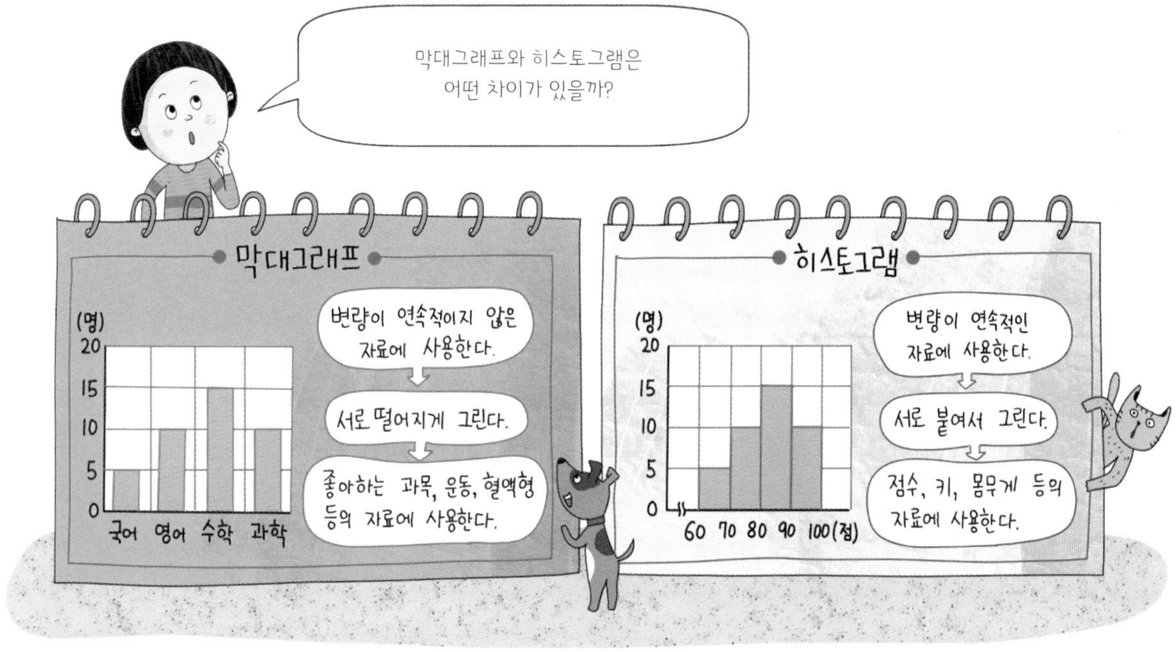

막대그래프와 히스토그램은 어떤 차이가 있을까?
막대그래프
(명)
20
15
10
5
0
국어 영어 수학 과학
변량이 연속적이지 않은 자료에 사용한다.
서로 떨어지게 그린다.
좋아하는 과목, 운동, 혈액형 등의 자료에 사용한다.
히스토그램
(명)
20
15
10
5
0
60 70 80 90 100(점)
변량이 연속적인 자료에 사용한다.
서로 붙여서 그린다.
점수, 키, 몸무게 등의 자료에 사용한다.

이것만은 꼭꼭!

다음은 자료를 줄기와 잎 그림, 도수분포표, 히스토그램으로 나타낸 것이다. □ 안에 알맞은 수를 써넣으시오.

수학 성적 (단위 : 점)

52	62	57	66
63	81	72	79

→

수학 성적 (5|2는 52점)

줄기	잎		
5	2	❶ □	
6	2	3	6
7	2	❷ □	
8	1		

→

수학 성적(점)	학생 수(명)
50^{이상} ~ 60^{미만}	❸ □
60 ~ 70	3
70 ~ 80	2
80 ~ 90	1
합계	8

→

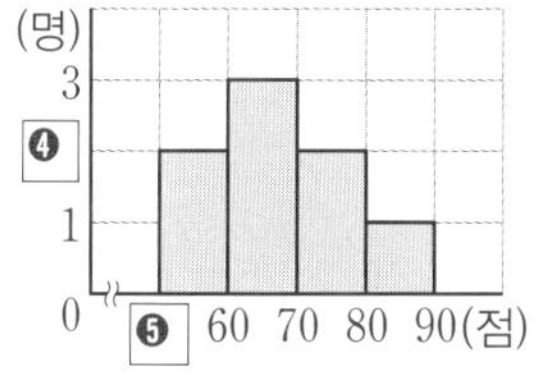

답 ❶ 7 ❷ 9 ❸ 2 ❹ 2 ❺ 50

4일 교과서 핵심 정리 ❶

핵심 1 줄기와 잎 그림

(1) **변량** : 자료를 ❶ [ ] 으로 나타낸 것

(2) **줄기와 잎 그림** : 줄기와 잎을 이용하여 자료를 나타낸 그림

(3) **줄기와 잎 그림을 그리는 순서**

❶ 변량을 줄기와 잎으로 구분한다.

❷ 세로선을 긋고, 세로선의 왼쪽에 ❷ [ ] 에 해당하는 수를 크기순으로 쓴다.

❸ 세로선의 오른쪽에 각 줄기에 해당되는 ❸ [ ] 을 크기순으로 쓴다.

참고 중복된 변량은 중복된 횟수만큼 나열한다.

나이 (단위 : 세)

14	23	32	17
20	32	15	27
35	28	37	29

(29 → 변량)

→

나이 (1|4는 14세)

줄기	잎
1	4 5 7
2	0 3 7 8 9
3	2 2 5 7

(줄기: 십의 자리의 숫자, 잎: 일의 자리의 숫자)

❶ 수량
❷ 줄기
❸ 잎

핵심 2 도수분포표

(1) **계급** : 변량을 일정한 간격으로 나눈 ❹ [ ]

(2) **계급의 크기** : 구간의 ❺ [ ]

→ 계급의 양 끝 값의 차

(3) **계급의 개수** : 구간의 ❻ [ ]

(4) **도수** : 각 계급에 속하는 자료의 수

(5) **도수분포표** : 자료 전체를 몇 개의 ❼ [ ] 으로 나누고 각 계급에 속하는 ❽ [ ] 를 조사하여 나타낸 표

수학 성적(점)	학생 수(명)
50이상 ~ 60미만	2
60 ~ 70	3
70 ~ 80	10
80 ~ 90	4
90 ~ 100	1
합계	20

계급, 계급의 개수 : 5 / 도수 / 20 → 도수의 총합

계급의 크기 : 100−90=10(점)

❹ 구간
❺ 너비
❻ 개수
❼ 계급
❽ 도수

시험지 속 개념 문제

정답과 풀이 34쪽

1 다음은 세경이네 반 학생 15명의 줄넘기 기록을 조사한 자료를 줄기와 잎 그림으로 나타낸 것이다. 물음에 답하시오.

줄넘기 기록 (단위 : 회)

10	20	37	42	12
25	31	42	15	28
18	21	37	43	22

줄넘기 기록 (1|0은 10회)

줄기	잎
1	0 2 5

(1) 위의 줄기와 잎 그림을 완성하시오.

(2) 잎이 가장 많은 줄기를 구하시오.

(3) 줄기가 2이고 잎이 1인 줄넘기 기록의 횟수를 구하시오.

2 아래는 경수네 반 학생들의 미술 실기 성적을 조사하여 나타낸 줄기와 잎 그림이다. 다음을 구하시오.

미술 실기 성적 (0|8은 8점)

줄기	잎
0	8
1	0 3 4 6 7 7 9
2	0 1 2 3 3 4 5 6 7 8
3	0 2 6 7 9
4	0 0

(1) 전체 학생 수

(2) 점수가 10점대인 학생 수

(3) 가장 많이 분포된 학생의 점수대

3 아래는 진수네 반 학생들의 하루 스마트폰 사용 시간을 조사하여 나타낸 도수분포표이다. 다음을 구하시오.

사용 시간(시간)	학생 수(명)
0이상 ~ 1미만	3
1 ~ 2	5
2 ~ 3	8
3 ~ 4	11
합계	27

(1) 계급의 크기

(2) 계급의 개수

(3) 도수가 가장 큰 계급

4 다음 중 잘못 말한 학생을 모두 고르시오.

교과서 **핵심 정리 ❷**

핵심 3 도수분포표를 만드는 순서

도수분포표를 만드는 순서는 다음과 같다.

❶ 변량 중 가장 큰 값과 가장 [❶] 값을 찾는다.

❷ 변량을 일정한 간격으로 구분하여 [❷]을 정한다.

❸ 각 구간에 해당하는 변량의 개수를 세어 정리한다.

국어 성적 (단위 : 점)

63	(59)	88	73
85	90	79	66
75	82	(98)	80

가장 작은 변량: 59
가장 큰 변량: 98

➡

국어 성적(점)	학생 수(명)	
50이상 ~ 60미만	/	1
60 ~ 70	//	2
70 ~ 80	///	3
80 ~ 90	////	4
90 ~ 100	//	[❸]
합계	[❹]	

참고 도수분포표의 특징

① 어떤 자료가 전체에서 차지하는 위치를 파악하는 데 편리하다.

② 각 계급에 속하는 변량의 개수는 알 수 있지만 변량의 실제 값은 알 수 없다.

❶ 작은
❷ 구간
❸ 2
❹ 12

핵심 4 히스토그램

(1) **히스토그램** : 도수분포표의 각 계급의 크기를 [❺]로, 각 계급의 [❻]를 세로로 하는 직사각형으로 나타낸 그래프

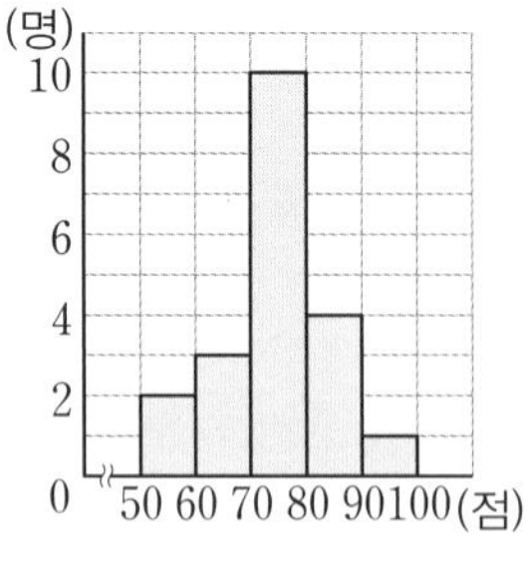

(2) **히스토그램을 그리는 순서**

❶ 가로축에 계급의 양 끝 값을 차례로 써넣는다.

❷ 세로축에 도수를 차례로 써넣는다.

❸ 각 계급의 크기를 가로로, 도수를 세로로 하는 직사각형을 차례로 그린다.

참고 히스토그램의 특징

① 자료의 분포 상태를 한눈에 알아볼 수 있다.

② 각 직사각형의 넓이는 각 계급의 도수에 [❼]한다.

➡ (직사각형의 넓이)=(계급의 크기)×(계급의 도수)

➡ (직사각형의 넓이의 합)=(계급의 크기)×([❽])

❺ 가로
❻ 도수
❼ 정비례
❽ 도수의 총합

5 다음은 소율이네 반 학생들의 하루 수학 공부 시간을 조사한 자료이다. 도수분포표를 완성하시오.

수학 공부 시간 (단위 : 분)

15	40	35	55	100	60	30	20	65	70
90	85	25	10	45	70	110	95	60	80

수학 공부 시간(분)	학생 수(명)
0이상 ~ 20미만	2
20 ~ 40	
40 ~ 60	
60 ~ 80	
80 ~ 100	
100 ~ 120	
합계	

6 다음은 귤 30개의 무게를 조사하여 나타낸 도수분포표이다. 이 표를 히스토그램으로 나타내시오.

귤의 무게(g)	개수(개)
80이상 ~ 90미만	2
90 ~ 100	4
100 ~ 110	10
110 ~ 120	8
120 ~ 130	6
합계	30

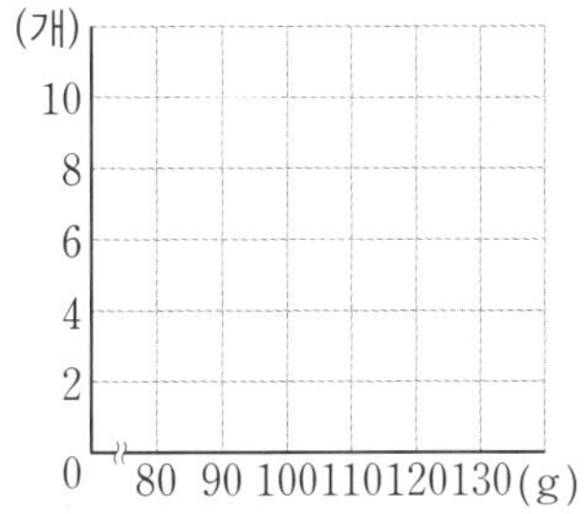

7 아래는 민정이네 반 학생들의 영어 성적을 조사하여 나타낸 히스토그램이다. 다음을 구하시오.

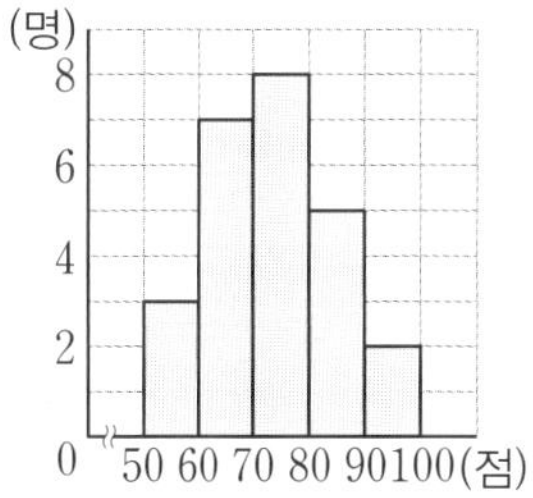

(1) 계급의 크기

(2) 계급의 개수

(3) 전체 학생 수

(4) 도수가 가장 큰 계급

8 다음은 미혜네 반 학생들이 온라인 수업 시간에 히스토그램에 대하여 설명하는 모습이다. 바르게 설명한 학생을 고르시오.

4일 교과서 기출 베스트 1회

대표 예제 1

아래는 다은이네 반 학생들의 팔굽혀펴기 횟수를 조사하여 나타낸 줄기와 잎 그림이다. 다음을 구하시오.

팔굽혀펴기 횟수 (1|1은 11회)

줄기	잎
1	1 2 4 5 7 9
2	0 1 2 3 3 4 4 5 5 7
3	0 1 1 2 4 5 7
4	2 5

(1) 팔굽혀펴기 횟수가 30회 이상인 학생 수
(2) 팔굽혀펴기 횟수가 5번째로 많은 학생의 횟수

개념 가이드

줄기와 잎 그림에서 줄기는 ① 의 자리의 숫자, 잎은 ② 의 자리의 숫자를 나타낸다.

답 ① 십 ② 일

대표 예제 2

다음 중 ( ) 안에 들어갈 것으로 적절하지 않은 것은?

> 변량을 일정한 간격으로 나눈 구간을 (①), 구간의 폭을 (②), 각 계급에 속하는 변량의 개수를 (③)라 한다. 또, 주어진 자료를 몇 개의 계급으로 나누고 각 계급에 속하는 도수를 조사하여 나타낸 표를 (④)라 한다. (④)에서는 전체 자료의 분포를 파악할 수 있으나 (⑤)의 실제 값은 알 수 없다.

① 계급 ② 계급의 크기 ③ 도수
④ 히스토그램 ⑤ 변량

개념 가이드

① 는 전체 자료를 몇 개의 계급으로 나누고 각 계급에 속하는 도수를 조사하여 나타낸 표이다.

답 ① 도수분포표

대표 예제 3

아래는 어느 반 학생 30명의 통학 시간을 조사하여 나타낸 도수분포표이다. 다음 중 옳지 않은 것은?

통학 시간(분)	학생 수(명)
0이상 ~ 10미만	5
10 ~ 20	A
20 ~ 30	7
30 ~ 40	4
40 ~ 50	2
합계	30

① 계급의 개수는 5이다.
② 계급의 크기는 10분이다.
③ 도수가 가장 큰 계급의 도수는 7명이다.
④ 통학 시간이 30분 이상인 학생은 전체 학생 수의 20 %이다.
⑤ 통학 시간이 짧은 쪽에서 18번째인 학생이 속하는 계급의 도수는 7명이다.

개념 가이드

도수분포표에서
(1) (계급의 개수)=(① 의 개수)
(2) (계급의 크기)=(계급의 양 끝 값의 ②)
(3) 도수 : 각 계급에 속하는 자료의 수

답 ① 구간 ② 차

대표 예제 4

아래는 지혜네 반 학생들의 몸무게를 조사하여 나타낸 히스토그램이다. 다음 중 바르게 말한 학생을 고르시오.

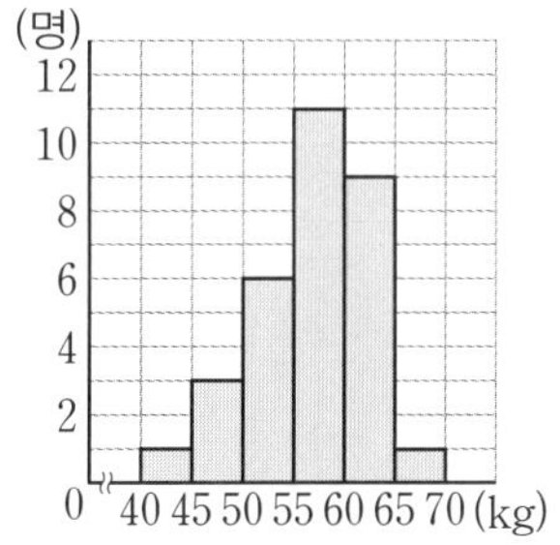

개념 가이드

히스토그램에서 직사각형의 가로의 길이는 ① ______ 의 크기, 세로의 길이는 ② ______ 를 나타낸다.

답 ① 계급 ② 도수

대표 예제 5

오른쪽은 지수네 반 학생들의 하루 수면 시간을 조사하여 나타낸 히스토그램이다. 다음 보기 중 알 수 없는 것을 고르시오.

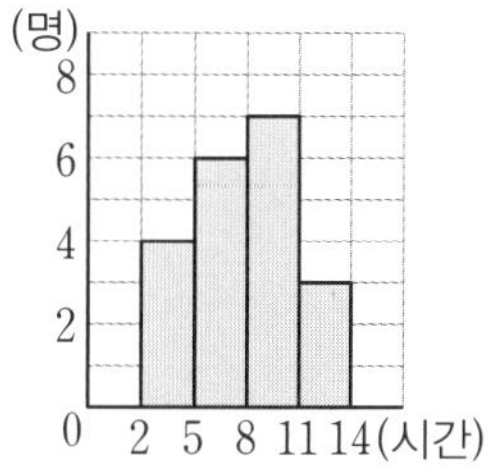

보기
- ㉠ 수면 시간이 가장 많은 학생의 수면 시간
- ㉡ 계급의 크기
- ㉢ 수면 시간이 8시간 이상인 학생 수
- ㉣ 수면 시간의 분포 상태

개념 가이드

히스토그램에서는 ① ______ 의 실제 값은 알 수 없다.

답 ① 변량

대표 예제 6

다음은 세훈이네 반 학생들의 영어 성적을 조사하여 나타낸 히스토그램이다. 영어 성적이 70점 이상인 학생은 전체의 몇 %인지 구하시오.

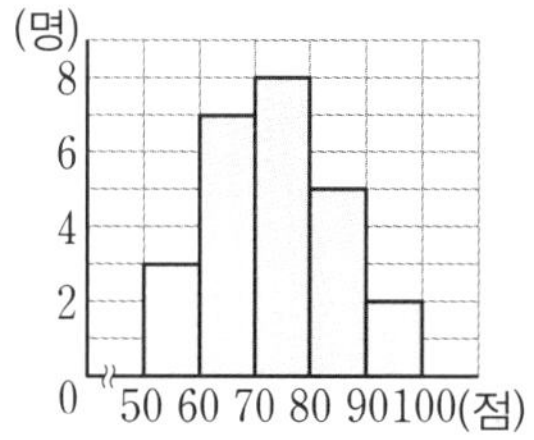

개념 가이드

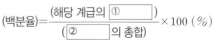

$$(\text{백분율})=\frac{(\text{해당 계급의 ① \_\_\_\_})}{(\text{② \_\_\_\_ 의 총합})}\times 100\ (\%)$$

답 ① 도수 ② 도수

교과서 기출 베스트 2회

1 아래는 어느 반 학생들의 1년 동안 읽은 책의 수를 조사하여 나타낸 줄기와 잎 그림이다. 다음을 구하시오.

읽은 책의 수 (0|2는 2권)

줄기	잎
0	2 3 4 6
1	0 1 2 2 4 7 8
2	1 3 5 6 8
3	1 1 2 4

(1) 전체 학생 수

(2) 읽은 책의 수가 12권 이상 23권 미만인 학생 수

(3) 가장 많이 읽은 학생의 책의 수가 a권, 가장 적게 읽은 학생의 책의 수가 b권일 때, $a-b$의 값

2 아래는 연아네 학교 선생님들의 나이를 조사하여 나타낸 줄기와 잎 그림이다. 다음 중 옳지 않은 것은?

선생님들의 나이 (2|7은 27세)

줄기	잎
2	7 9
3	0 2 3 6 8 9
4	1 1 4 7 8
5	3 6

① 줄기가 5인 잎은 3, 6이다.
② 전체 선생님 수는 15명이다.
③ 가장 젊은 선생님의 나이는 27세이다.
④ 30대 선생님이 가장 많다.
⑤ 40대 선생님의 수는 전체의 40 %이다.

3 다음 중 옳지 않은 것은?

① 도수의 총합은 변량의 총 개수와 같다.
② 각 계급의 양 끝 값의 차를 계급의 크기라고 한다.
③ 각 계급에 속하는 자료의 개수를 도수라고 한다.
④ 변량을 일정한 간격으로 나눈 구간을 계급이라고 한다.
⑤ 도수분포표를 만들 때 계급의 크기를 다르게 해도 상관없다.

4 다음 만화를 보고 x의 값을 구하시오.

5 아래는 서진이네 반 학생 30명의 영어 성적을 조사하여 나타낸 도수분포표이다. 다음 중 옳지 않은 것은?

영어 성적(점)	학생 수(명)
50^{이상} ~ 60^{미만}	5
60 ~ 70	A
70 ~ 80	12
80 ~ 90	4
90 ~ 100	1
합계	30

① 계급의 크기는 10점이다.
② A의 값은 8이다.
③ 도수가 가장 큰 계급은 70점 이상 80점 미만이다.
④ 도수가 가장 작은 계급은 90점 이상 100점 미만이다.
⑤ 성적이 6번째로 높은 학생이 속해 있는 계급의 도수는 4명이다.

6 오른쪽은 어느 농장에서 수확한 레드향의 무게를 조사하여 나타낸 그래프이다. 다음 중 옳지 않은 것은?

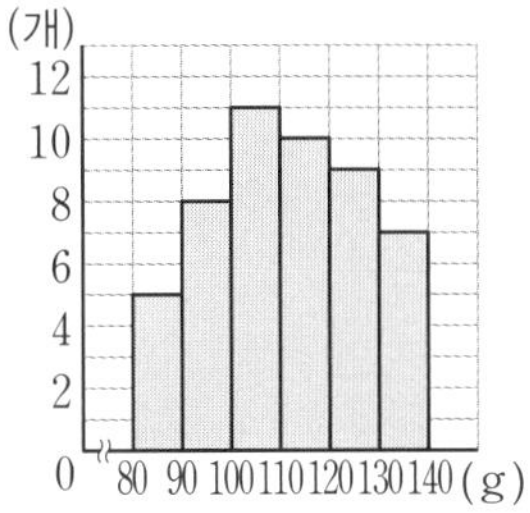

① 이 그림과 같은 그래프를 히스토그램이라 한다.
② 계급의 크기는 10 g이다.
③ 계급의 개수는 6이다.
④ 무게가 110 g 이상 120 g 미만인 계급의 도수는 11개이다.
⑤ 무게가 94 g인 레드향이 속한 계급의 도수는 8개이다.

7 아래 만화를 보고 다음을 구하시오.

(1) 지후네 반 전체 학생 수

(2) 지후보다 수학 점수가 낮은 학생 수

8 오른쪽은 어느 영화관에서 관객들이 영화를 보기 위해 기다린 시간을 조사하여 나타낸 히스토그램이다. 기다린 시간이 50분 이상인 관객은 전체의 몇 %인지 구하시오.

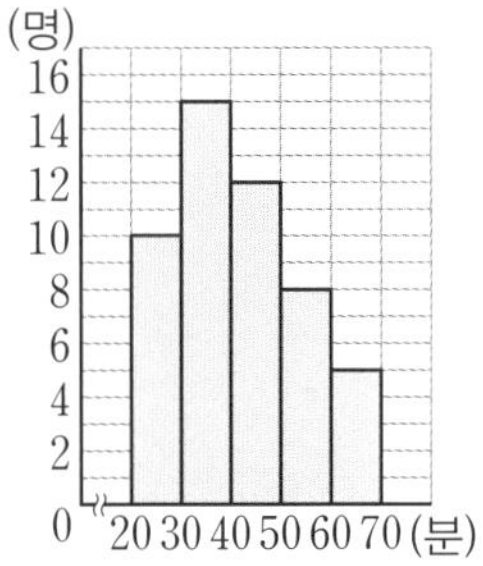

5일 도수분포다각형과 상대도수

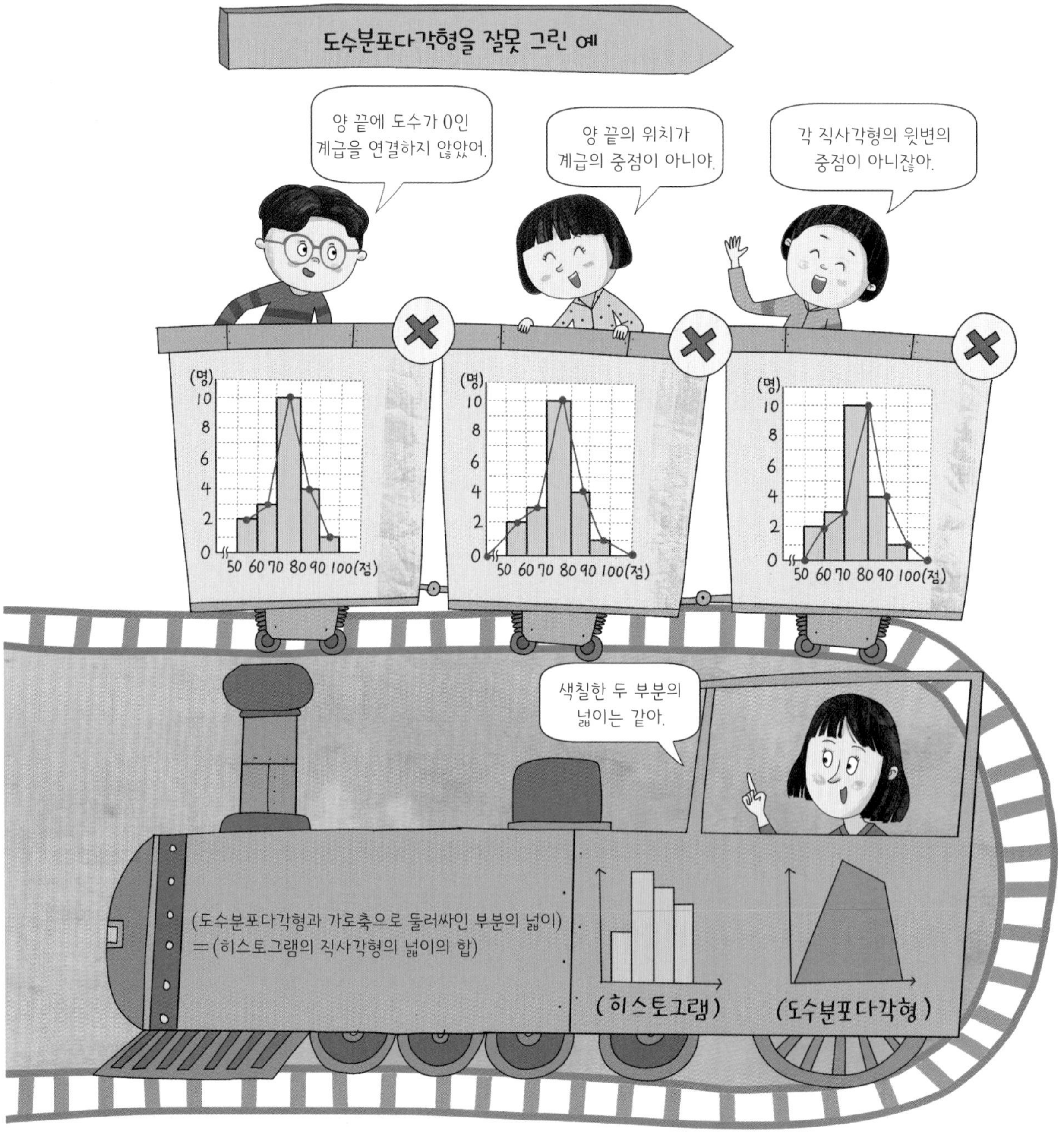

공부할 내용

❶ 도수분포다각형
❷ 상대도수
❸ 상대도수의 분포를 나타낸 그래프
❹ 도수의 총합이 다른 두 집단의 비교

㉠에서는 현아네 반의 학생 수가 지수네 반의 학생 수보다는 적지만 상대도수는 더 커. 그러니까 키가 145 cm 이상 150 cm 미만인 학생은 상대적으로 현아네 반에 더 많아.
㉡에서는 현아네 반과 지수네 반의 학생 수는 다르지만 상대도수는 같아. 즉 키가 160 cm 이상 165 cm 미만인 학생이 두 반에서 차지하는 비율은 같은 거야.

키(cm)	학생 수(명)		상대도수	
	현아네	지수네	현아네	지수네
$145^{이상} \sim 150^{미만}$	㉠ 6	4	0.2	0.16
150 ~ 155	3	5	0.1	0.2
155 ~ 160	12	8	0.4	0.32
160 ~ 165	㉡ 6	5	0.2	0.2
165 ~ 170	3	3	0.1	0.12
합계	30	25	1	1

이것만은 꼭꼭!

(1) 다음은 효은이네 반 학생들의 음악 실기 점수를 조사하여 나타낸 도수분포표와 도수분포다각형이다. ☐ 안에 알맞은 수를 써넣으시오.

실기 점수(점)	학생 수(명)
$4^{이상} \sim 5^{미만}$	1
5 ~ 6	❶ ☐
6 ~ 7	5
7 ~ 8	7
8 ~ 9	❷ ☐
9 ~ 10	3
합계	❸ ☐

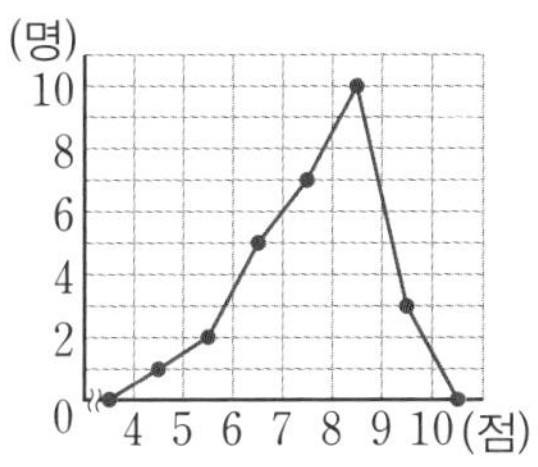

(2) 다음과 같은 상대도수의 분포표에서 ☐ 안에 알맞은 수를 써넣으시오.

계급	도수	상대도수
$40^{이상} \sim 50^{미만}$	4	0.2
50 ~ 60	8	0.4
60 ~ 70	5	❹ ☐
70 ~ 80	3	0.15
합계	20	❺ ☐

답 ❶ 2 ❷ 10 ❸ 28 ❹ 0.25 ❺ 1

5일 교과서 **핵심 정리 ❶**

핵심 1 도수분포다각형

도수분포다각형 : 히스토그램에서 각 직사각형의 윗변의 중앙에 점을 찍고, 양 끝에 도수가 [❶   ]인 계급을 하나씩 추가하여 그 중앙에 점을 찍은 후, 이 점들을 차례로 선분으로 연결하여 나타낸 그래프

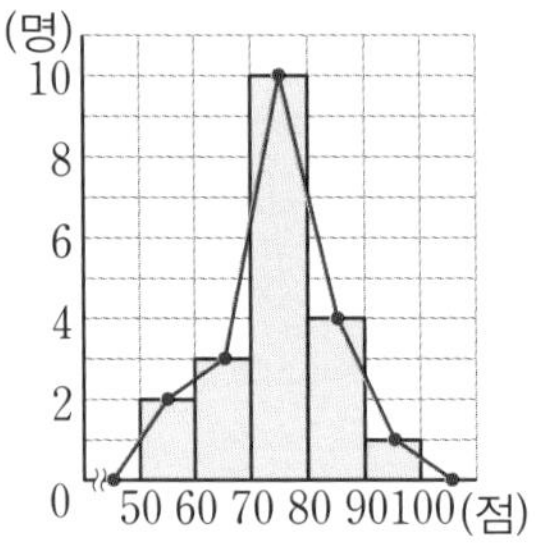

참고 도수분포다각형의 특징

① 자료의 분포 상태를 연속적으로 관찰할 수 있다.

② 두 개 이상의 자료의 분포 상태를 동시에 나타내어 비교할 때 편리하다.

③ (도수분포다각형과 가로축으로 둘러싸인 부분의 넓이)
=(히스토그램의 직사각형의 넓이의 [❷   ])
=([❸   ])×(도수의 총합)

❶ 0

❷ 합

❸ 계급의 크기

핵심 2 상대도수

(1) **상대도수** : 전체 도수에 대한 각 계급의 [❹   ]의 비율

➡ $(\text{어떤 계급의 상대도수})=\dfrac{(\text{그 계급의 도수})}{(\text{❺   })}$

(2) **상대도수의 분포표** : 각 계급의 상대도수를 나타낸 표

수학 성적(점)	학생 수(명)	상대도수
60 이상 ~ 70 미만	3	0.15 ← $\frac{3}{20}$
70 ~ 80	6	0.3
80 ~ 90	7	0.35
90 ~ 100	4 → 20 × 0.2	0.2
합계	20	1

참고 상대도수의 특징

① 상대도수의 합은 항상 [❻   ]이다.

② 각 계급의 상대도수는 그 계급의 도수에 [❼   ]한다.

③ 도수의 총합이 [❽   ] 두 개 이상의 자료의 분포 상태를 비교할 때 편리하다.

❹ 도수

❺ 도수의 총합

❻ 1

❼ 정비례

❽ 다른

시험지 속 개념 문제

정답과 풀이 37쪽

1 오른쪽은 반려견 15마리의 몸무게를 조사한 자료이다. 다음 물음에 답하시오.

몸무게 (단위 : kg)

31	34	37	26	29
40	33	32	39	41
34	37	33	33	43

(1) 위 자료를 다음과 같은 도수분포표로 나타내었다. A, B의 값을 각각 구하시오.

몸무게(kg)	반려견 수(마리)
26이상 ~ 30미만	2
30 ~ 34	A
34 ~ 38	4
38 ~ 42	B
42 ~ 46	1
합계	15

(2) (1)의 도수분포표를 도수분포다각형으로 나타내시오.

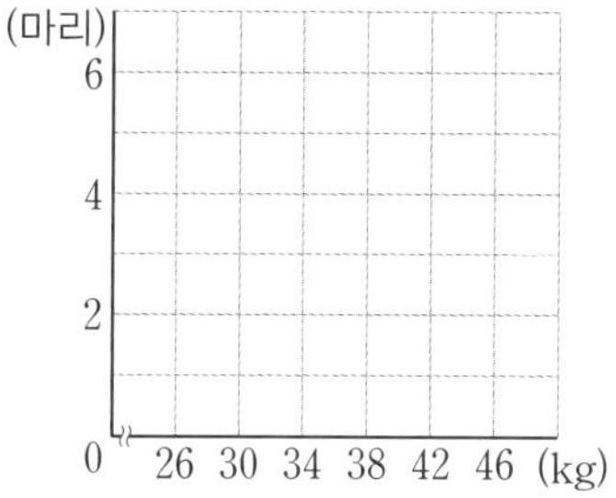

2 오른쪽은 민지네 반 학생들이 작년 한 해 동안 관람한 영화의 수를 조사하여 나타낸 도수분포다각형이다. 다음을 구하시오.

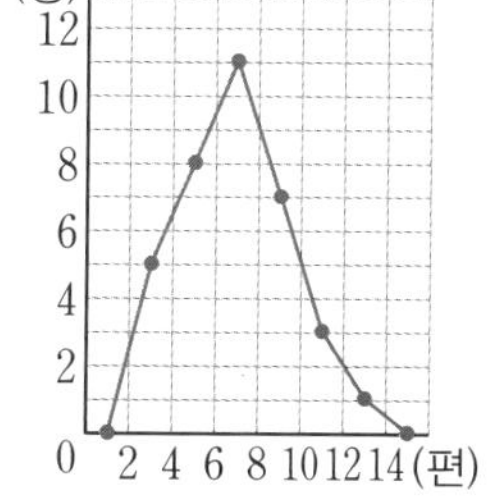

(1) 계급의 크기

(2) 전체 학생 수

(3) 도수가 가장 작은 계급

(4) 관람한 영화의 수가 10편 이상인 학생 수

3 다음은 과수원에서 수확한 자두의 무게를 조사하여 나타낸 상대도수의 분포표이다. A, B의 값을 각각 구하시오.

자두의 무게(g)	개수(개)	상대도수
40이상 ~ 50미만	3	0.15
50 ~ 60	4	0.2
60 ~ 70	6	
70 ~ 80	A	B
80 ~ 90	2	
합계	20	1

5일 교과서 핵심 정리 ❷

핵심 3 상대도수의 분포를 나타낸 그래프

(1) **상대도수의 분포를 나타낸 그래프** : 상대도수의 분포표를 ❶ [   ]이나 도수분포다각형과 같은 모양으로 나타낸 그래프

(2) **상대도수의 분포를 나타낸 그래프를 그리는 순서**

❶ 가로축에 계급의 양 ❷ [   ]을 차례로 써넣는다.

❷ 세로축에 ❸ [   ]를 차례로 써넣는다.

❸ 히스토그램 또는 ❹ [   ]과 같은 방법으로 그린다.

국어 성적(점)	학생 수(명)	상대도수
60이상 ~ 70미만	3	0.15
70 ~ 80	6	0.3
80 ~ 90	7	0.35
90 ~ 100	4	0.2
합계	20	1

→

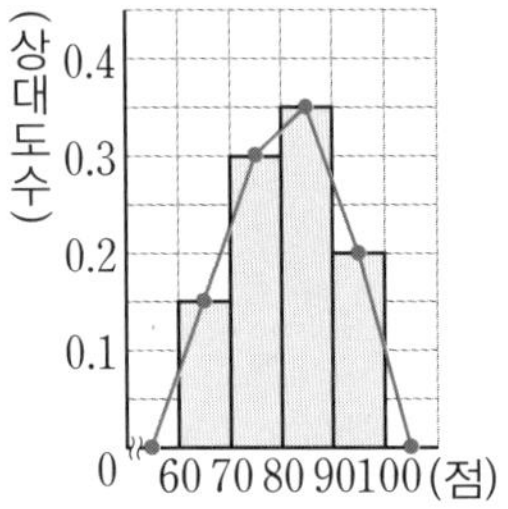

참고 (상대도수의 분포를 나타낸 그래프와 가로축으로 둘러싸인 부분의 넓이)
=(계급의 크기)×(상대도수의 합)
=(계급의 크기)×1
=(계급의 크기)

❶ 히스토그램
❷ 끝 값
❸ 상대도수
❹ 도수분포다각형

핵심 4 도수의 총합이 다른 두 집단의 비교

도수의 총합이 다른 두 집단의 분포를 비교할 때, 상대도수의 분포표를 보고 비교하는 것보다 ❺ [   ]로 나타내어 비교하는 것이 더 편리하다.

예 오른쪽은 어느 중학교 1학년 남학생과 여학생의 달리기 기록에 대한 상대도수의 분포를 나타낸 그래프이다.

→ 기록이 16초 이상 17초 미만인 학생의 비율은 ❻ [   ]이 더 높음을 알 수 있다.

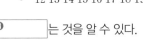

→ 기록이 14초 이상 15초 미만인 학생의 비율은 ❼ [   ]이 더 높음을 알 수 있다.

→ 대체적으로 남학생의 기록이 여학생의 기록보다 더 ❽ [   ]는 것을 알 수 있다.

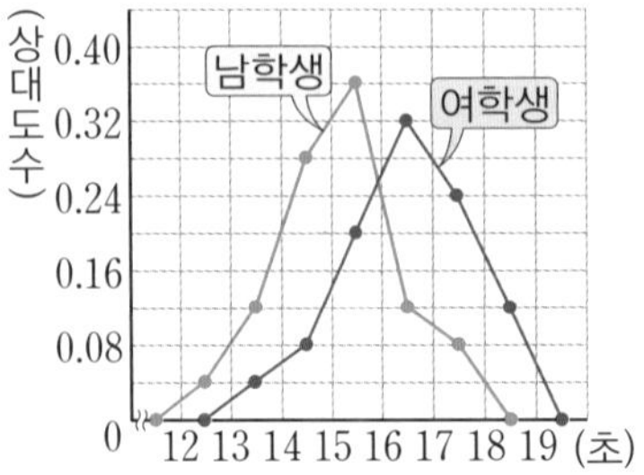

❺ 그래프
❻ 여학생
❼ 남학생
❽ 좋다

4 다음은 어느 중학교 학생 50명의 윗몸일으키기 기록을 조사하여 나타낸 상대도수의 분포표이다. 물음에 답하시오.

기록(회)	학생 수(명)	상대도수
5이상 ~ 10미만	6	
10 ~ 15	10	
15 ~ 20	12	
20 ~ 25	14	
25 ~ 30	8	
합계	50	

(1) 위의 표를 완성하시오.

(2) 위의 표를 도수분포다각형 모양의 그래프로 나타내시오.

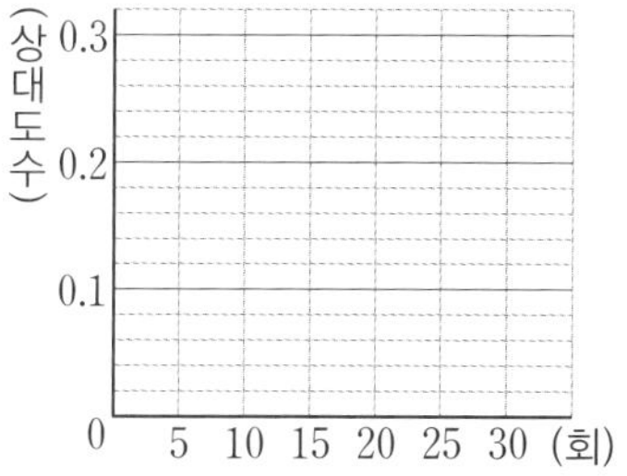

5 다음 중 도수의 총합이 다른 두 자료를 비교할 때, 무엇을 비교하는 것이 편리한지 바르게 말한 학생을 고르시오.

6 아래는 어느 중학교 1학년 1반과 2반 학생들의 여름 방학 동안 읽은 책의 수에 대한 상대도수의 분포를 나타낸 그래프이다. 다음 보기 중 옳은 것을 모두 고르시오.

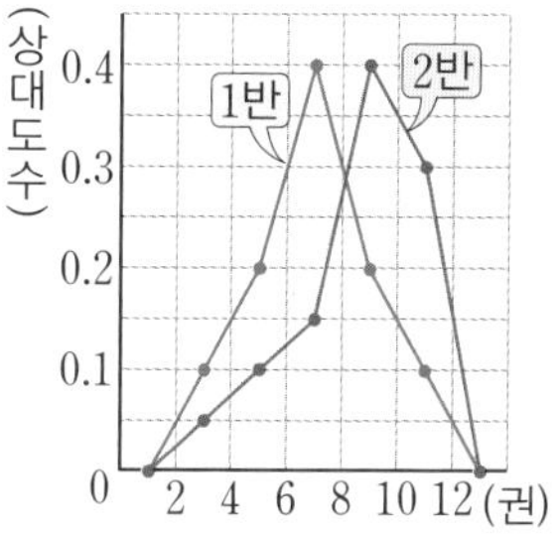

보기

㉠ 1반 학생 수와 2반 학생 수는 서로 같다.

㉡ 읽은 책의 수가 6권 이상 8권 미만인 학생의 비율은 1반이 2반보다 더 높다.

㉢ 대체적으로 2반 학생들이 1반 학생들보다 책을 더 많이 읽었다고 볼 수 있다.

5일 교과서 기출 베스트 1회

대표 예제 1

오른쪽은 민서네 반 학생들의 수학 성적을 조사하여 나타낸 도수분포다각형이다. 이 그래프에 대해 바르게 설명한 학생을 모두 고르시오.

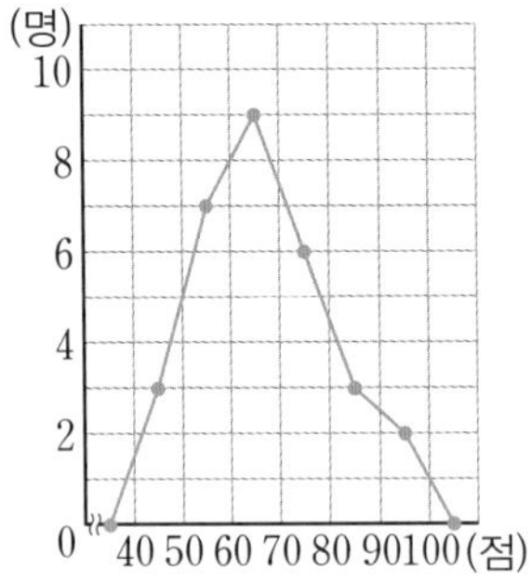

계급의 개수는 8이야.
민서
계급의 크기는 10점이야.
소희
성적이 60점 이상 80점 미만인 학생은 전체의 50 %네.
지훈
성적이 가장 높은 학생은 95점이지.
민준
성적이 10번째로 높은 학생이 속하는 계급은 70점 이상 80점 미만이야.
하은

개념 가이드

도수분포다각형에서 계급의 개수를 구할 때 양 끝에 도수가 ① 인 계급은 포함하지 않는다.

답 ① 0

대표 예제 2

아래는 어느 중학교 1학년 여학생과 남학생의 키를 조사하여 나타낸 도수분포다각형이다. 다음 중 옳은 것은?

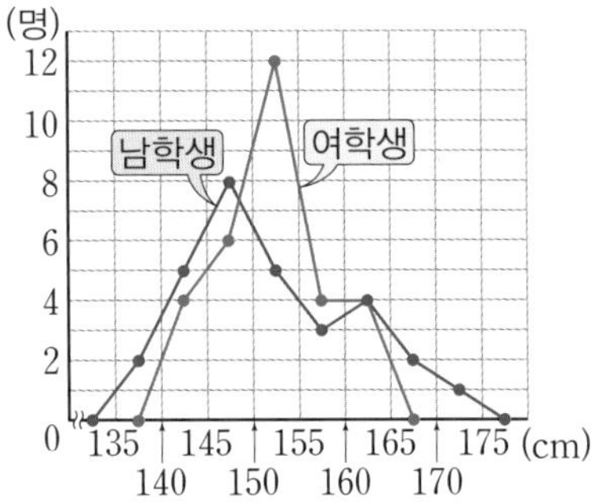

① 전체 학생 수는 50명이다.
② 남학생 수가 여학생 수보다 적다.
③ 여학생과 남학생의 계급의 개수는 서로 같다.
④ 키가 155 cm 이상인 학생은 여학생이 남학생보다 더 많다.
⑤ 키가 150 cm 이상 155 cm 미만인 학생은 여학생이 남학생보다 7명 더 많다.

개념 가이드

서로 다른 두 자료에 대한 각각의 ① 을 함께 그리면 두 자료의 분포 상태를 비교할 때 편리하다.

답 ① 도수분포다각형

대표 예제 3

다음은 지운이네 반 학생 25명의 몸무게를 조사하여 나타낸 도수분포표이다. 몸무게가 50 kg 이상 55 kg 미만인 계급의 상대도수를 구하시오.

몸무게(kg)	학생 수(명)
40이상 ~ 45미만	1
45 ~ 50	4
50 ~ 55	A
55 ~ 60	8
60 ~ 65	3
합계	25

개념 가이드

(어떤 계급의 상대도수)$=\dfrac{(①\square)}{(②\square)}$

답 ① 그 계급의 도수 ② 도수의 총합

대표 예제 4

다음은 지호네 학교 1학년 학생들이 한 달 동안 분식점에 간 횟수를 조사하여 나타낸 상대도수의 분포표이다. A, B, C, D, E, F의 값을 각각 구하시오.

분식점에 간 횟수(회)	학생 수(명)	상대도수
3이상 ~ 5미만	16	0.08
5 ~ 7	30	A
7 ~ 9	B	0.25
9 ~ 11	C	D
11 ~ 13	48	0.24
합계	E	F

개념 가이드

(도수의 총합)$=\dfrac{(①\square)}{(\text{어떤 계급의 상대도수})}$

답 ① 그 계급의 도수

대표 예제 5

오른쪽은 어느 중학교 1학년 학생 100명이 등교하는 데 걸리는 시간에 대한 상대도수의 분포를 나타낸 그래프이다. 등교하는 데 30분 이상 걸리는 학생은 전체의 몇 %인지 구하시오.

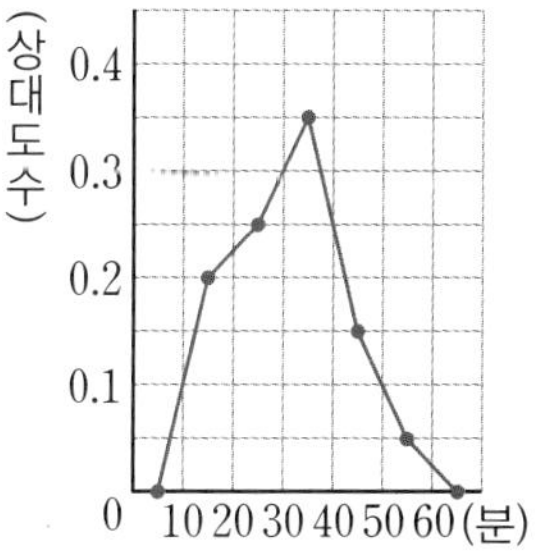

개념 가이드

(백분율)$=$(①$\square$)$\times 100$ (%)

답 ① 상대도수

대표 예제 6

다음은 어느 중학교 1학년과 2학년의 50 m 달리기 기록에 대한 상대도수의 분포를 나타낸 그래프이다. 1학년과 2학년 중 어느 학년의 달리기 기록이 더 좋다고 할 수 있는지 말하시오.

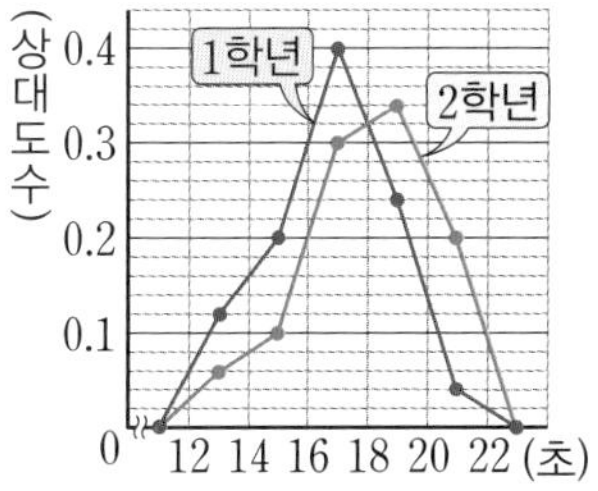

개념 가이드

상대도수의 분포를 나타낸 두 그래프에서 ①$\square$쪽으로 더 치우쳐 있는 학년의 달리기 기록이 더 좋다고 할 수 있다.

답 ① 왼

5일 교과서 기출 베스트 2회

1 아래는 준서네 반 학생들의 수학 성적을 조사하여 나타낸 도수분포다각형이다. 다음 중 옳지 <u>않은</u> 것을 모두 고르면? (정답 2개)

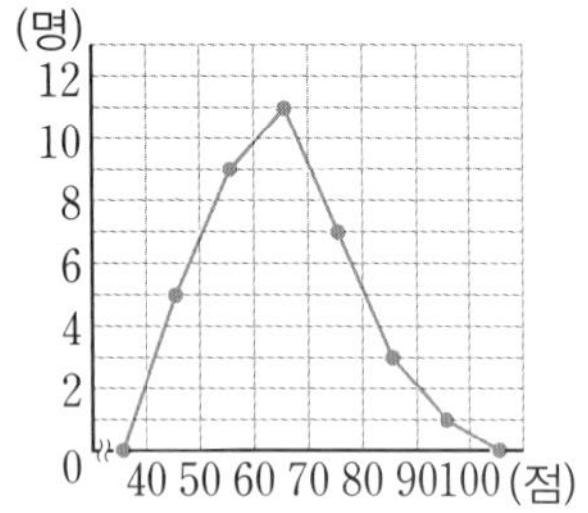

① 계급의 크기는 10점이다.
② 전체 학생 수는 30명이다.
③ 성적이 70점 이상인 학생은 10명이다.
④ 도수가 가장 작은 계급은 90점 이상 100점 미만이다.
⑤ 성적이 60점 이상 80점 미만인 학생은 전체의 50 %이다.

2 다음은 어느 도시의 9월 한 달 동안 일평균 기온을 조사하여 나타낸 도수분포다각형이다. 일평균 기온이 높은 쪽에서 8번째인 기온이 속하는 계급을 구하시오.

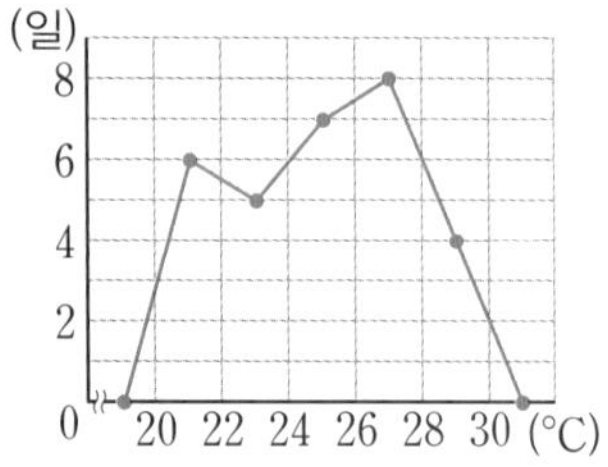

3 다음은 1반과 2반 학생들의 사회 성적을 조사하여 나타낸 도수분포다각형이다. 물음에 답하시오.

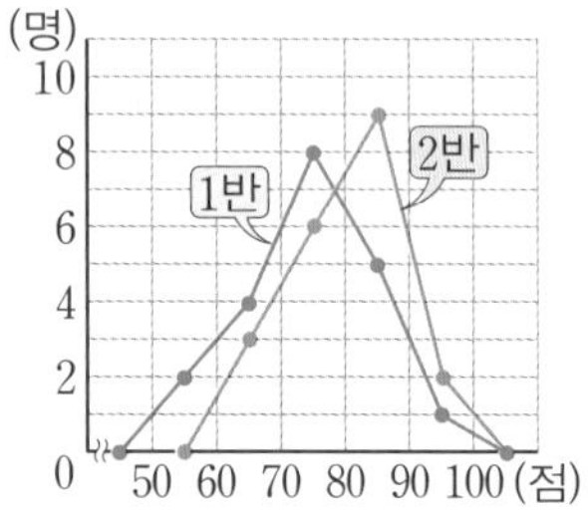

(1) 1반과 2반의 학생 수를 각각 구하시오.

(2) 1반과 2반 중 어느 반의 성적이 더 좋다고 할 수 있는지 말하시오.

4 다음은 어느 중학교 학생 400명의 통학 거리를 조사하여 나타낸 상대도수의 분포표이다. 통학 거리가 4 km 이상 5 km 미만인 학생 수를 구하시오.

통학 거리(km)	상대도수
0이상 ~ 1미만	0.36
1 ~ 2	0.28
2 ~ 3	0.23
3 ~ 4	0.11
4 ~ 5	
합계	

5 다음은 연서네 학교 학생들의 하루 통화 시간을 조사하여 나타낸 상대도수의 분포표이다. $A+100B$의 값을 구하시오.

통화 시간(분)	학생 수(명)	상대도수
0이상 ~ 10미만	A	0.2
10 ~ 20	5	0.1
20 ~ 30	15	
30 ~ 40		B
40 ~ 50	8	
합계		

6 다음은 어느 중학교 학생들의 하루 수면 시간에 대한 상대도수의 분포를 나타낸 그래프이다. 전체 학생 수가 800명일 때, 가장 많은 학생이 속하는 계급의 학생 수는?

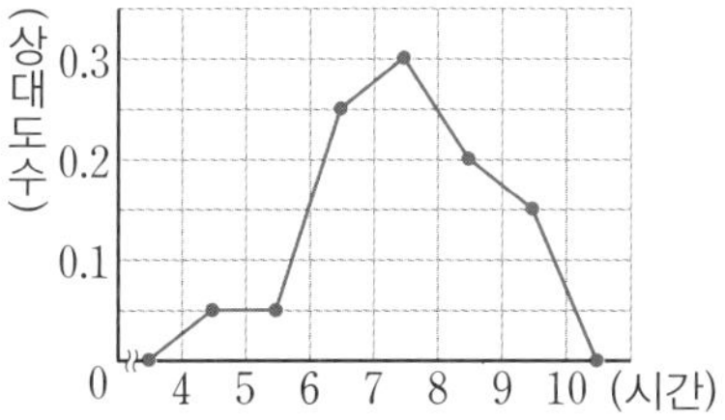

① 160명 ② 200명 ③ 220명
④ 240명 ⑤ 300명

7 다음은 유정이네 중학교 학생 300명의 연간 독서량에 대한 상대도수의 분포를 나타낸 그래프이다. 책을 5권 이상 15권 미만 읽은 학생은 전체의 몇 %인지 구하시오.

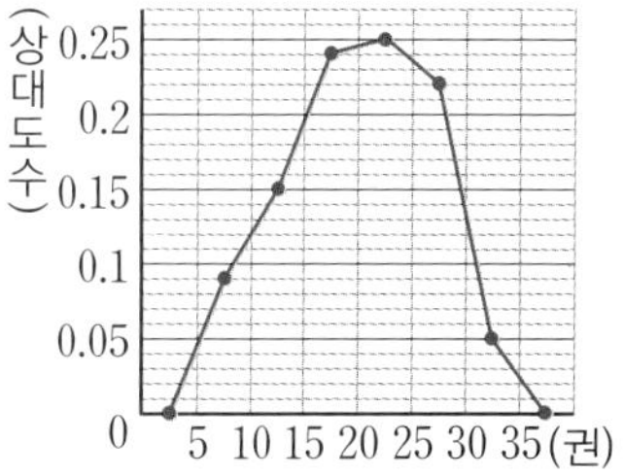

8 다음은 송현이네 반 남학생과 여학생의 키에 대한 상대도수의 분포를 나타낸 그래프이다. 키가 150 cm 이상인 학생의 비율은 남학생과 여학생 중 어느 쪽이 더 높은지 말하시오.

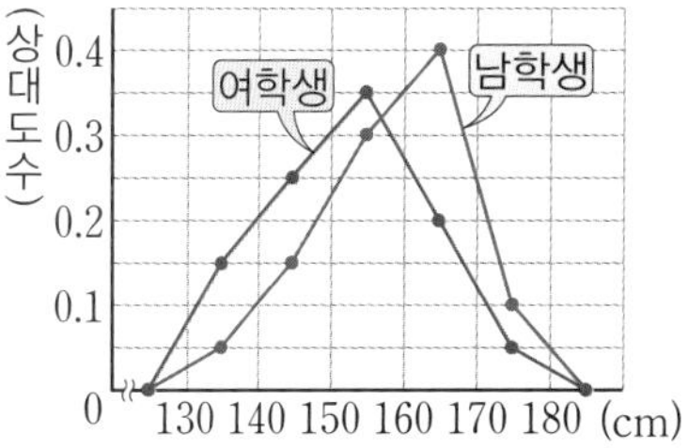

6일 누구나 100점 테스트 1회

1 오른쪽 그림의 원 O에서 x의 값을 구하시오.

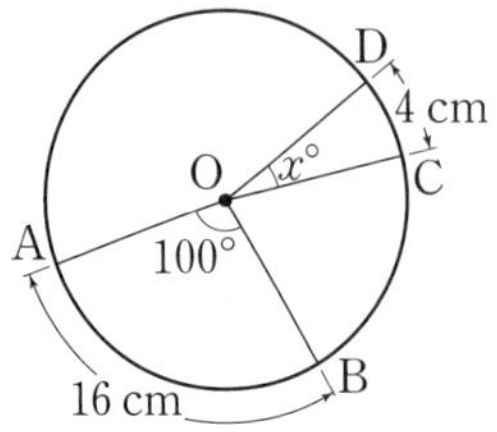

2 오른쪽 그림의 원 O에서 $\angle AOC=90°$, $\angle BOD=45°$이고 $\overline{AB}$는 지름일 때, 다음 중 옳지 않은 것을 모두 고르면? (정답 2개)

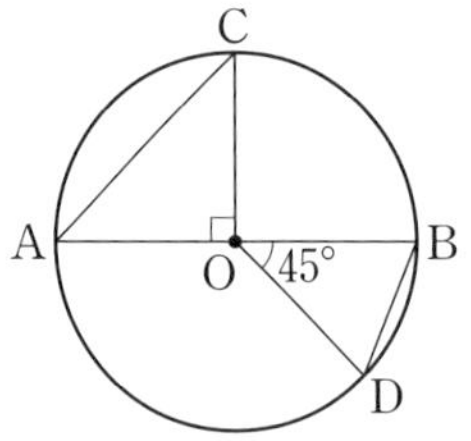

① $\widehat{AC}=2\widehat{BD}$ ② $\overline{AC}=2\overline{BD}$
③ $\widehat{AC}=\widehat{BC}$ ④ $\triangle AOC=2\triangle BOD$
⑤ (부채꼴 AOC의 넓이)$=2\times$(부채꼴 BOD의 넓이)

3 오른쪽 그림과 같이 반지름의 길이가 9 cm이고 중심각의 크기가 120°인 부채꼴의 호의 길이를 구하시오.

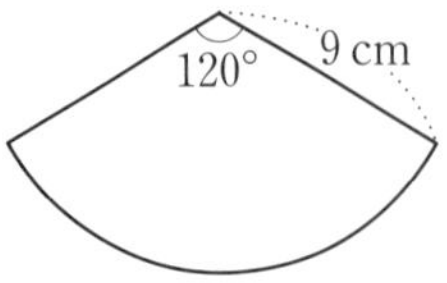

4 어느 탐험가가 깨진 거울 조각을 발견하였다. 조사 결과 이 깨진 거울 조각은 본래 원형 거울임을 알았다. 탐험가가 다음 그림과 같이 자로 연장선을 그렸더니 깨지기 전 원형 거울의 반지름의 길이는 10 cm이고, 깨진 거울 조각의 호의 길이는 2π cm이었다. $\angle x$의 크기를 구하시오. (단, 깨진 거울 조각의 두께는 무시한다.)

5 다음 중 다면체와 그 다면체의 옆면의 모양이 잘못 짝지어진 것은?

① 삼각뿔 – 삼각형 ② 사각기둥 – 사각형
③ 오각뿔대 – 사다리꼴 ④ 육각뿔 – 삼각형
⑤ 칠각뿔대 – 직사각형

6 다음 중 한 꼭짓점에 모인 면의 개수가 4인 정다면체는?

① 정사면체 ② 정육면체 ③ 정팔면체
④ 정십이면체 ⑤ 정이십면체

7 다음 중 오른쪽 그림과 같은 직각삼각형을 직선 l을 축으로 하여 1회전 시킬 때 생기는 회전체와 이 회전체를 회전축에 수직인 평면으로 자를 때 생기는 단면의 모양을 바르게 짝 지은 것은?

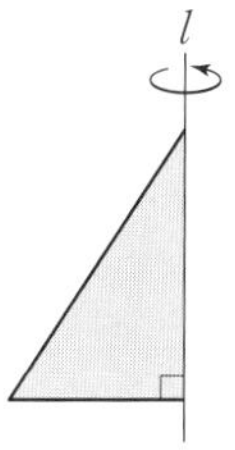

	회전체	단면의 모양
①	원뿔	직각삼각형
②	원뿔	원
③	원기둥	직사각형
④	원기둥	원
⑤	삼각기둥	원

8 오른쪽 그림과 같은 원기둥의 겉넓이와 부피를 차례대로 구하면?

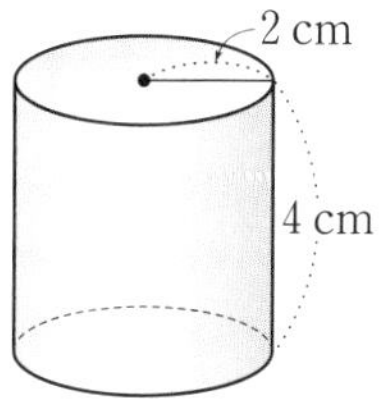

① 20π cm², 16π cm³
② 20π cm², 20π cm³
③ 24π cm², 16π cm³
④ 24π cm², 20π cm³
⑤ 32π cm², 16π cm³

9 오른쪽 그림과 같은 원뿔의 부피를 구하시오.

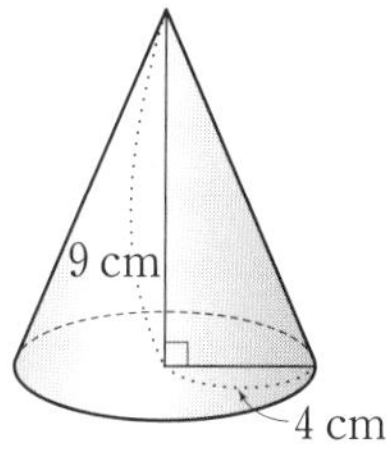

10 다음은 생텍쥐페리의 동화 「어린 왕자」의 일부분이다.

> 어린 왕자가 5번째로 찾아간 별은 아주 신기했다. 그 별은 이제까지 본 별들 중에서 가장 작았다. 그리고 불을 켜는 사람이 하나 서 있을 뿐이었다.
>
> (중략)
>
> 어린 왕자가 6번째로 방문한 별은 먼젓번 별보다 열 배나 큰 별이었다. 그 별에는 어마어마하게 큰 책에 무엇인가를 쓰고 있는 노신사가 살고 있었다.

위 글에서 5번째 별은 반지름의 길이가 5 m인 구 모양이고 6번째 별은 5번째 별보다 반지름의 길이가 10배인 구 모양이라 할 때, 5번째 별과 6번째 별의 겉넓이의 합을 구하시오.

6일 누구나 100점 테스트 2회

1 다음은 어느 중학교 1학년 3반 학생들의 생일을 조사하여 나타낸 줄기와 잎 그림이다. 10월 1일 이후에 태어난 학생은 전체의 몇 %인지 구하시오.

생일 (1|11은 1월 11일)

줄기	잎
1	11 21
2	12 23
3	7 23 24
4	3 9 26
5	6 11 30
6	8 22
7	3 14
8	2
9	15
10	10 16 27
11	11 17
12	10

2 오른쪽은 은별이네 반 학생 30명의 통학 시간을 조사하여 나타낸 도수분포표이다. 다음 중 옳지 <u>않은</u> 것은?

통학 시간(분)	학생 수(명)
0이상 ~ 10미만	4
10 ~ 20	8
20 ~ 30	A
30 ~ 40	5
40 ~ 50	3
합계	30

① 계급의 크기는 10분이다.
② A의 값은 10이다.
③ 통학 시간이 30분 이상인 학생은 8명이다.
④ 통학 시간이 가장 긴 학생의 통학 시간은 49분이다.
⑤ 통학 시간이 짧은 쪽에서 5번째인 학생이 속하는 계급의 도수는 8명이다.

3 오른쪽은 어느 중학교 학생들의 과학 성적을 조사하여 나타낸 그래프이다. 다음 중 옳은 것은?

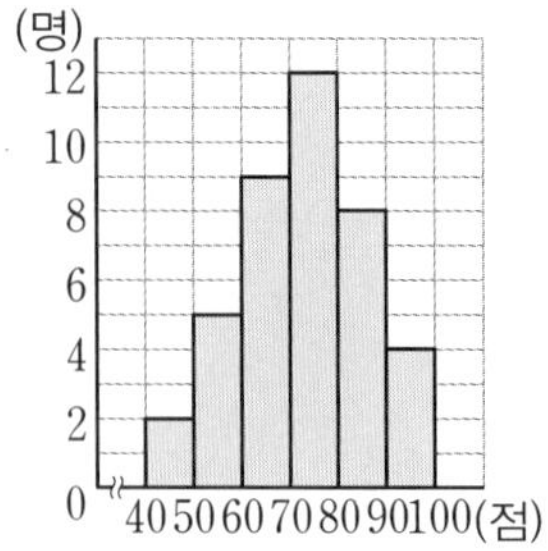

① 이 그림과 같은 그래프를 도수분포다각형이라 한다.
② 계급의 크기는 20점이다.
③ 조사한 학생 수는 30명이다.
④ 도수가 가장 큰 계급은 70점 이상 80점 미만이다.
⑤ 과학 성적이 60점 이상 80점 미만인 학생 수는 12명이다.

[4~5] 오른쪽은 준서네 반 학생들의 몸무게를 조사하여 나타낸 히스토그램이다. 다음 물음에 답하시오.

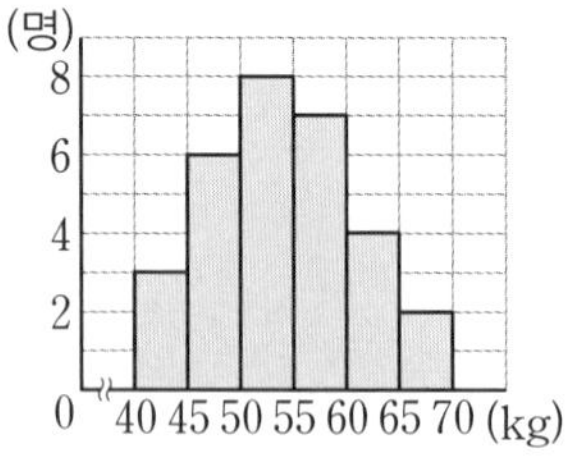

4 전체 학생 수를 구하시오.

5 몸무게가 60 kg 이상인 학생은 전체의 몇 %인지 구하시오.

6 오른쪽은 경민이네 학교 학생들이 지난 1년 동안 저축한 금액을 조사하여 나타낸 도수분포다각형이다. 다음 중 옳은 것을 모두 고르면? (정답 2개)

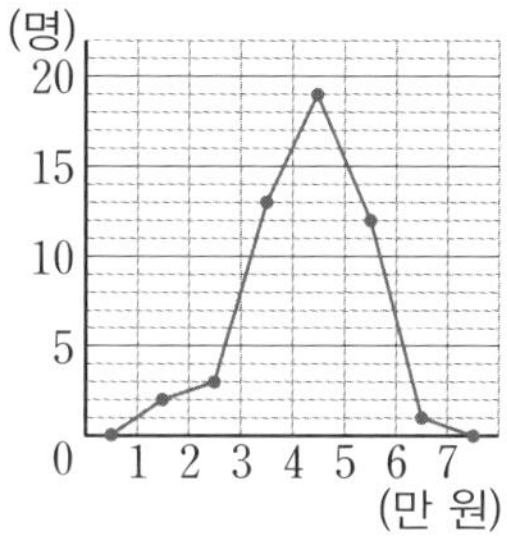

① 계급의 개수는 8이다.
② 계급의 크기는 1만 원이다.
③ 저축한 금액이 2만 원인 학생은 3명이다.
④ 도수가 가장 작은 계급은 1만 원 이상 2만 원 미만이다.
⑤ 저축한 금액이 3만 5천 원인 학생이 속하는 계급의 도수는 13명이다.

7 다음은 어느 영화관에서 작년 한 해 상영한 영화의 상영 시간을 조사하여 나타낸 도수분포다각형이다. 상영 시간이 120분 미만인 영화 수를 구하시오.

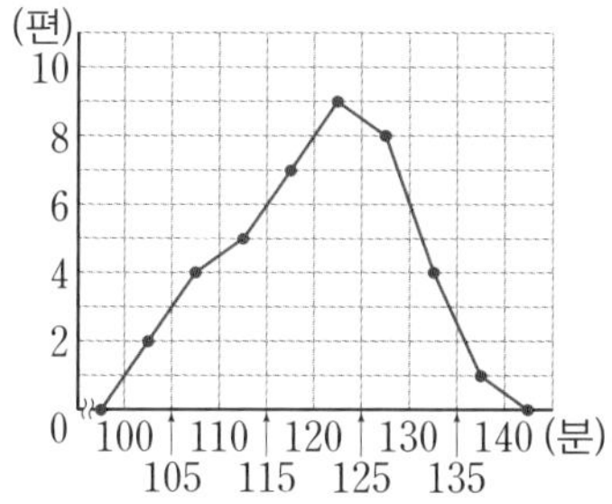

[8~9] 다음은 지수네 반 학생들의 수학 성적을 조사하여 나타낸 상대도수의 분포표이다. 물음에 답하시오.

수학 성적(점)	학생 수(명)	상대도수
50이상 ~ 60미만	2	B
60 ~ 70	8	0.2
70 ~ 80	A	C
80 ~ 90	6	0.15
90 ~ 100	4	0.1
합계	40	D

8 A, B, C, D의 값을 각각 구하시오.

9 수학 점수가 70점 이상인 학생은 전체의 몇 %인지 구하시오.

10 오른쪽은 어느 중학교 육상부 선수 20명의 100 m 달리기 기록에 대한 상대도수의 분포를 나타낸 그래프이다. 기록이 11초 이상 13초 미만인 학생 수를 구하시오.

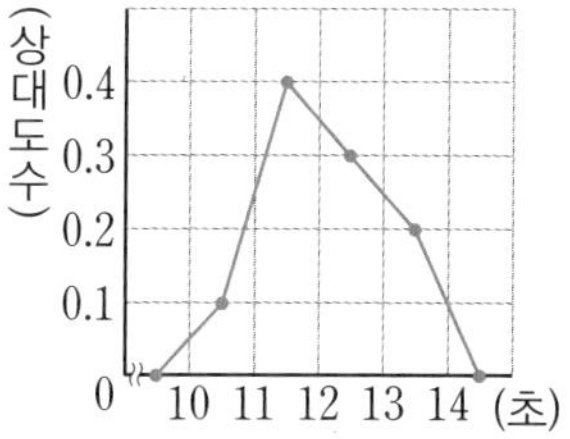

6일 서술형·사고력 테스트

1 정환이는 어느 피자 가게에서 원 모양의 피자 한 조각을 사려고 한다. 다음 피자 가게 점원과 정환이의 대화를 읽고, 정환이가 A, B 두 가지의 피자 중 어느 피자 한 조각을 선택해야 더 많은 양을 먹을 수 있는지 구하시오.

풀이

답 ________

2 반지름의 길이가 6 cm, 넓이가 12π cm^2인 부채꼴이 있다. 다음을 구하시오.

(1) 부채꼴의 중심각의 크기

(2) 부채꼴의 호의 길이

풀이

답 ________

3 다음 그림과 같이 한 모서리의 길이가 4 cm인 정육면체를 세 점 A, B, C를 지나는 평면으로 잘랐다. 물음에 답하시오.

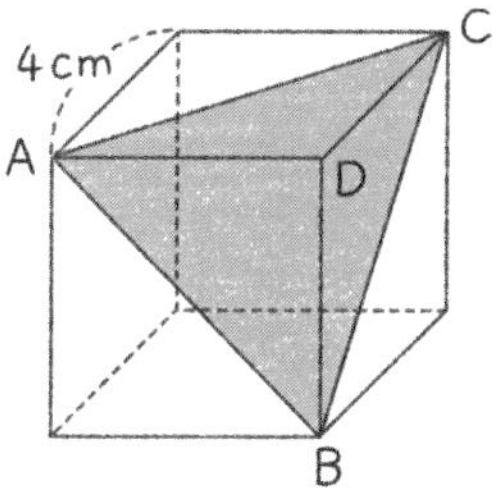

(1) 정육면체에서 잘라낸 입체도형은 다음 그림과 같은 삼각뿔 D－ABC이다. □ 안에 공통으로 들어갈 수를 써넣으시오.

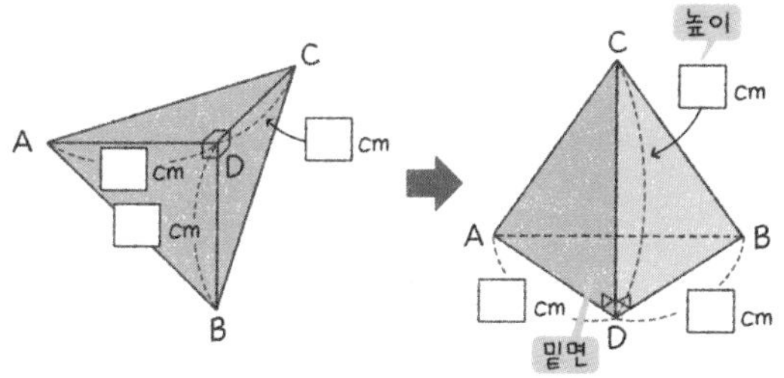

(2) 잘라낸 입체도형의 부피를 구하시오.

풀이

답 ______________

4 다음은 기타 강습반 회원의 나이를 조사한 것이다. 물음에 답하시오.

회원의 나이 (단위 : 세)

15	30	42	51	32	44	34	24	36	30
22	34	33	48	39	29	40	45	58	35

(1) 계급의 크기가 10세인 도수분포표를 완성하시오.

회원의 나이(세)	회원 수(명)
10이상 ~ 20미만	
합계	

(2) (1)의 도수분포표를 보고 아래 도수분포다각형을 완성하시오.

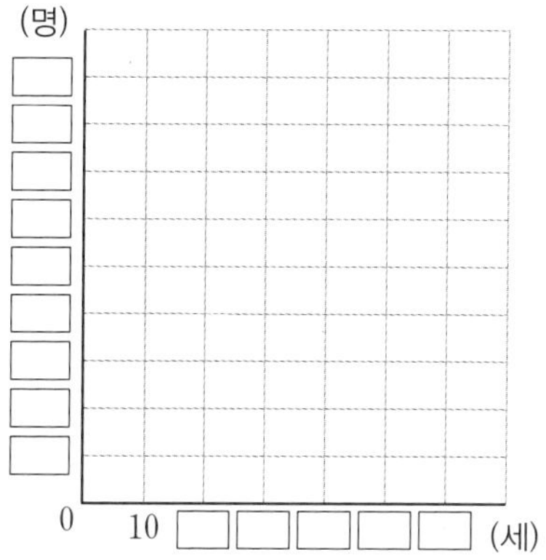

답 ______________

6일 창의·융합·코딩 테스트

1 다음 그림과 같이 중심이 같고 반지름의 길이가 각각 2 cm, 4 cm, 6 cm, 8 cm인 원 4개를 그린 다음 8등분하여 다트 판을 만들었다. 색칠한 부분에 색종이를 붙여 다트 판을 꾸미려고 할 때, 필요한 색종이의 넓이를 구하시오.

색칠한 부분들을 옆으로 이동시켜서 부채꼴 모양을 만들어야겠군.

2 영은이는 다음 그림과 같은 정사각뿔 모양의 모래 피라미드를 만들었다. 모래 피라미드의 밑면은 한 변의 길이가 10 cm인 정사각형이고, 모래 피라미드의 부피가 200 cm^3라 할 때, 영은이가 만든 모래 피라미드의 높이를 구하시오.

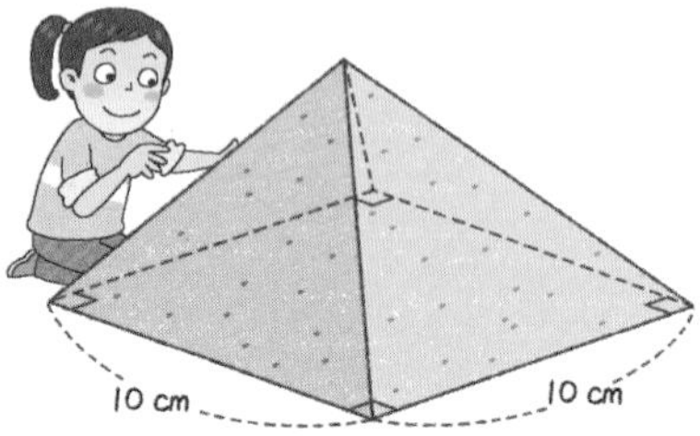

3 오른쪽 그림은 아프리카에서 사용되는 물통인 큐-드럼이다. 큰 원기둥에 작은 원기둥 구멍이 나 있는 모양으로 다음 그림처럼 줄을 연결해서 굴릴 수 있다. 이 큐-드럼에 물을 가득 담아 한 번에 옮길 수 있는 물의 부피는 몇 L인지 구하시오.

(단, π는 3으로 계산하고, $1000\ cm^3$는 1 L이다.)

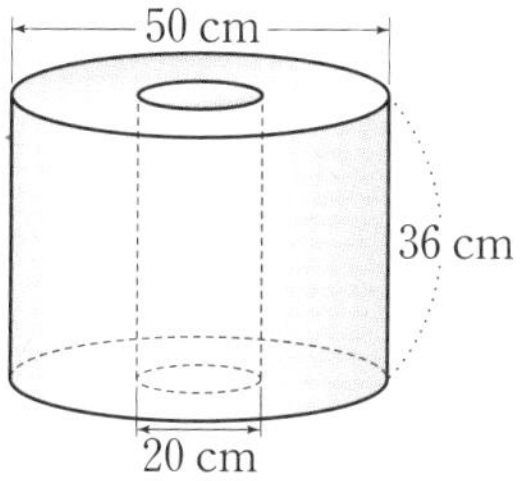

4 아래는 어느 중학교 1학년 1반과 2반 학생들의 하루 인터넷 사용 시간에 대한 상대도수의 분포를 나타낸 그래프이다. 1반과 2반 전체 학생 수가 각각 30명, 20명일 때, 다음 중 바르게 말한 학생을 고르시오.

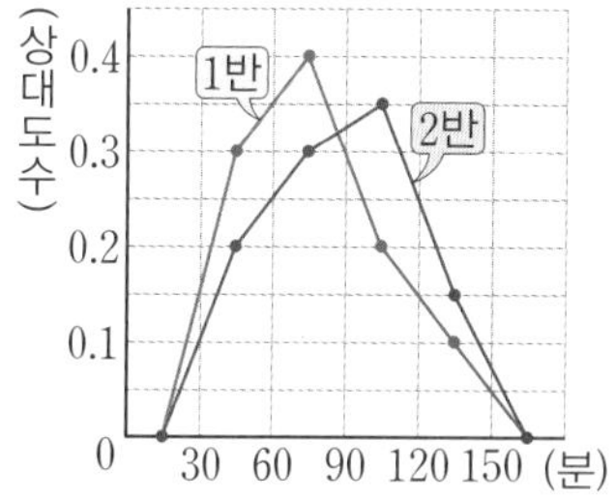

1반 학생들의 인터넷 사용 시간이 2반 학생들의 인터넷 사용 시간보다 길어.
민준
인터넷 사용 시간이 90분 미만인 학생의 비율은 1반이 2반보다 높아.
하은
인터넷 사용 시간이 120분 이상인 학생 수는 2반이 1반보다 많아.
소희

7일 기말고사 기본 테스트 ①회

범위 1. 원과 부채꼴 ~ 5. 도수분포다각형과 상대도수

1 오른쪽 그림의 원 O에서 x, y의 값을 각각 구하면?

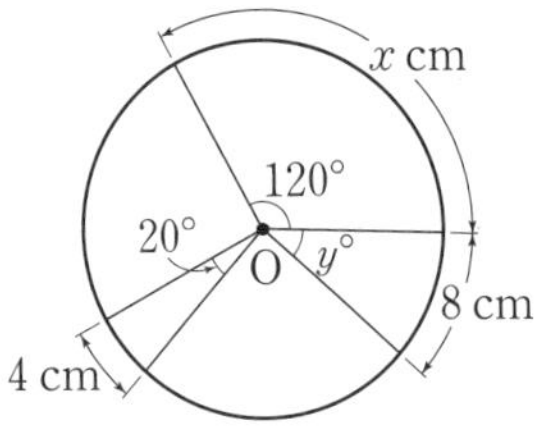

① $x=12$, $y=40$
② $x=12$, $y=80$
③ $x=24$, $y=40$
④ $x=24$, $y=80$
⑤ $x=48$, $y=40$

2 오른쪽 그림의 원 O에서 $\angle AOB=90°$, $\angle DOC=30°$이고 $\overline{AC}$는 지름일 때, 다음 보기 중 옳은 것을 모두 고른 것은?

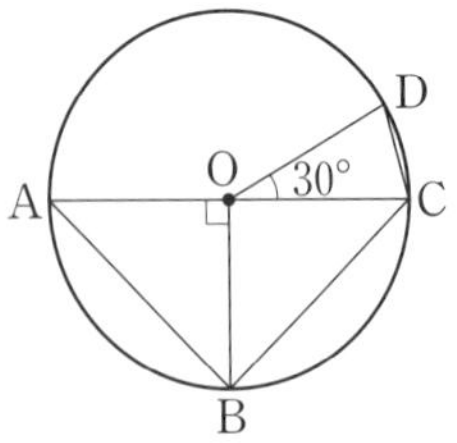

보기
- ㉠ $\overline{AB}=\overline{BC}$
- ㉡ $\widehat{AB}=\widehat{BC}$
- ㉢ $\overline{AB}=3\overline{CD}$
- ㉣ $\widehat{BC}=3\widehat{CD}$
- ㉤ $\triangle AOB=3\triangle COD$
- ㉥ (부채꼴 AOB의 넓이) $=3\times$(부채꼴 COD의 넓이)

① ㉠, ㉡, ㉢, ㉣　② ㉠, ㉡, ㉢, ㉤
③ ㉠, ㉡, ㉣, ㉥　④ ㉠, ㉡, ㉤, ㉥
⑤ ㉡, ㉣, ㉤, ㉥

3 반지름의 길이가 9 cm이고 중심각의 크기가 240°인 부채꼴의 넓이는?

① 42π cm^2　② 45π cm^2　③ 48π cm^2
④ 51π cm^2　⑤ 54π cm^2

4 오른쪽 그림에서 색칠한 부분의 둘레의 길이는?

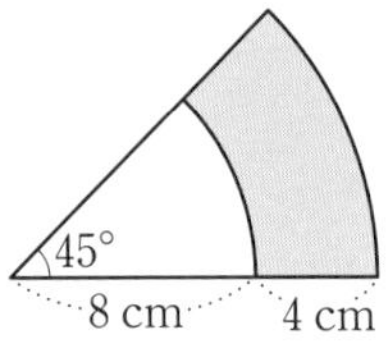

① $(2\pi+8)$ cm
② $(3\pi+8)$ cm
③ $(4\pi+8)$ cm
④ $(5\pi+8)$ cm
⑤ $(6\pi+8)$ cm

5 다음 보기 중 팔면체를 모두 고른 것은?

보기
- ㉠ 육각기둥
- ㉡ 팔각뿔
- ㉢ 오각뿔대
- ㉣ 정팔면체

① ㉠, ㉡　② ㉠, ㉣　③ ㉡, ㉢
④ ㉡, ㉣　⑤ ㉢, ㉣

정답과 풀이 43쪽

6 다음 그림과 같은 평면도형 ⓐ~ⓔ를 직선 l을 축으로 하여 1회전 시킬 때 생기는 회전체의 모양을 짝 지은 것으로 옳지 않은 것은?

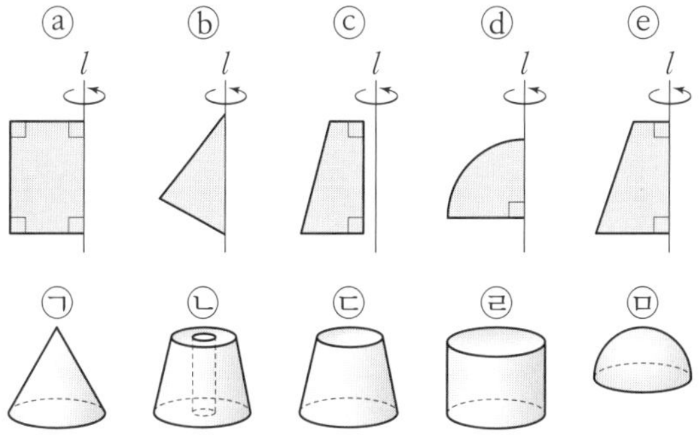

① ⓐ-㉣　② ⓑ-㉠　③ ⓒ-㉡
④ ⓓ-㉤　⑤ ⓔ-㉢

7 오른쪽 그림과 같은 회전체를 회전축을 포함하는 평면으로 자를 때 생기는 단면의 모양은?

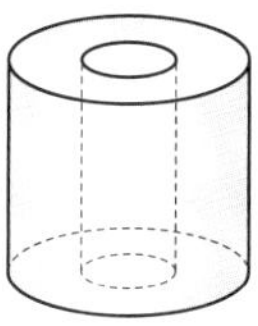

① 　② 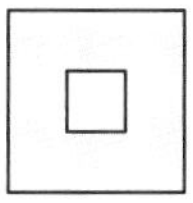　③ 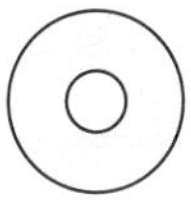
④ 　⑤ 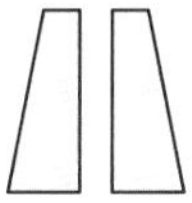

8 다음 중 옳은 것은?

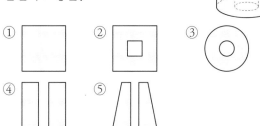

① 각뿔대의 옆면의 모양은 직사각형이다.
② 모든 면이 합동인 정다각형으로 이루어진 다면체를 정다면체라 한다.
③ 원뿔대의 밑면의 개수는 1이다.
④ 회전체의 옆면을 만드는 선분을 모선이라 한다.
⑤ 원뿔을 회전축을 포함한 면으로 자른 단면은 원이다.

9 아래 만화를 보고 참치 회사가 다음 그림과 같은 A, B 두 참치 캔 중 알루미늄이 적게 드는 것을 선택했을 때, 어느 참치 캔을 선택했는지 구하시오.
(단, 참치 캔의 두께는 같다.)

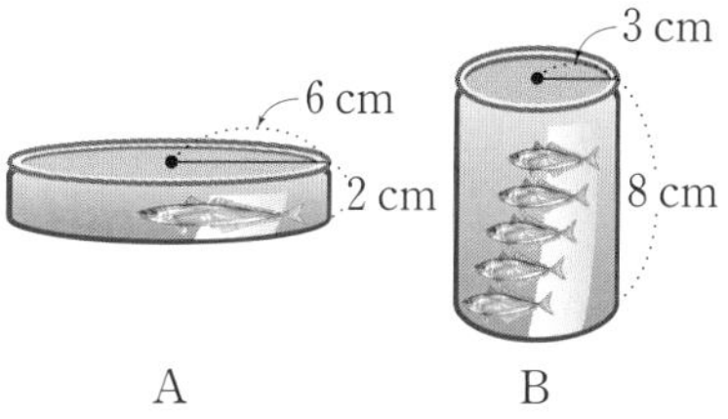

10 오른쪽 그림과 같은 정사각뿔의 겉넓이는?

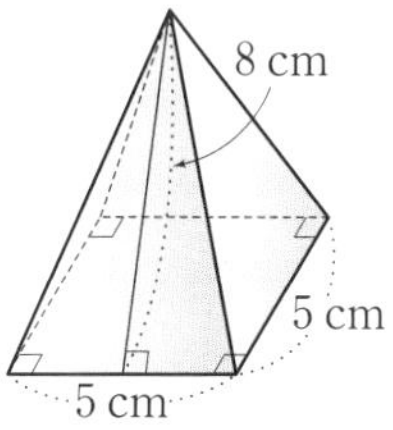

① 100 cm^2　② 105 cm^2
③ 110 cm^2　④ 115 cm^2
⑤ 120 cm^2

기말고사 기본 테스트 1회

11 오른쪽 그림과 같은 원뿔대의 부피는?

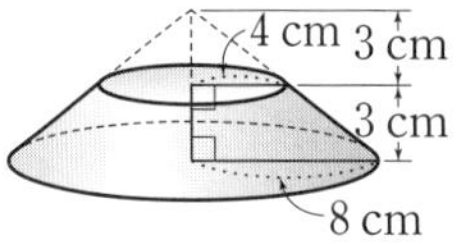

① $112\pi\ cm^3$
② $114\pi\ cm^3$
③ $116\pi\ cm^3$
④ $118\pi\ cm^3$
⑤ $120\pi\ cm^3$

12 다음 그림과 같이 지름의 길이가 8 cm인 야구공의 겉면은 똑같이 생긴 두 개의 조각으로 이루어져 있다. 이때 한 조각의 넓이는?

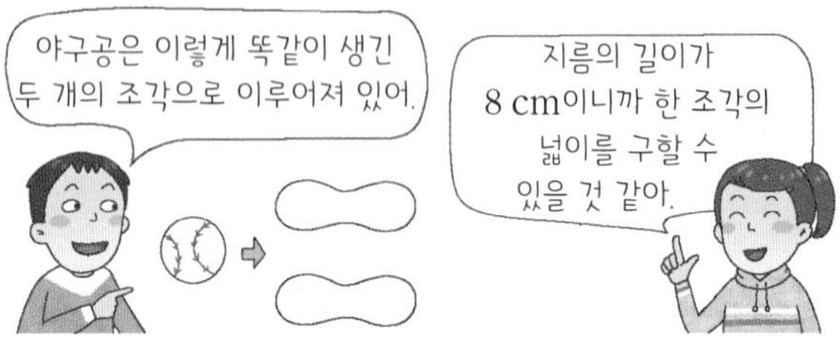

① $64\pi\ cm^2$　② $32\pi\ cm^2$　③ $24\pi\ cm^2$
④ $16\pi\ cm^2$　⑤ $8\pi\ cm^2$

13 다음은 어느 상가에 입주한 사람들의 나이를 조사하여 나타낸 줄기와 잎 그림이다. 사람들이 가장 적게 분포한 나이대는?

사람들의 나이　(3|4는 34세)

줄기	잎
3	4 6
4	0 3 7 8
5	2 3 3 5 7 8 9
6	1 2 3 4 6
7	2 5 7 8

① 30대　② 40대　③ 50대
④ 60대　⑤ 70대

14 아래는 어느 중학교 학생 40명의 제자리멀리뛰기 기록을 조사하여 나타낸 도수분포표이다. 다음 중 옳지 않은 것을 모두 고르면? (정답 2개)

제자리멀리뛰기 기록(cm)	학생 수(명)
60^{이상} ~ 90^{미만}	5
90 ~ 120	10
120 ~ 150	12
150 ~ 180	7
180 ~ 210	5
210 ~ 240	1
합계	40

① 계급의 개수는 6이다.
② 계급의 크기는 30 cm이다.
③ 도수가 가장 큰 계급은 210 cm 이상 240 cm 미만이다.
④ 제자리멀리뛰기 기록이 180 cm 이상인 학생 수는 5명이다.
⑤ 제자리멀리뛰기 기록이 150 cm 미만인 학생 수는 27명이다.

15 오른쪽 그림은 어느 버스 정류장에서 사람들이 버스를 기다리는 시간을 조사하여 나타낸 히스토그램이다. 다음 중 옳은 것은?

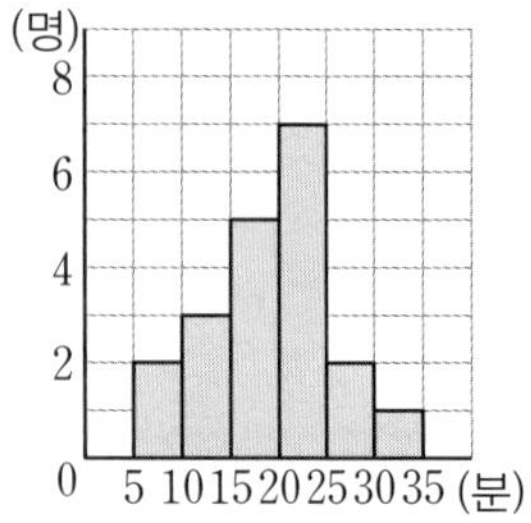

① 계급의 개수는 5이다.
② 조사한 사람 수는 25명이다.
③ 도수가 가장 큰 계급의 도수는 5명이다.
④ 버스를 기다리는 시간이 15분 미만인 사람은 5명이다.
⑤ 버스를 기다리는 시간이 25분 이상인 사람은 전체의 12 %이다.

16 아래는 어느 온라인 상점 회원들이 작성한 후기 수를 조사하여 나타낸 도수분포다각형이다. 다음 중 옳지 않은 것은?

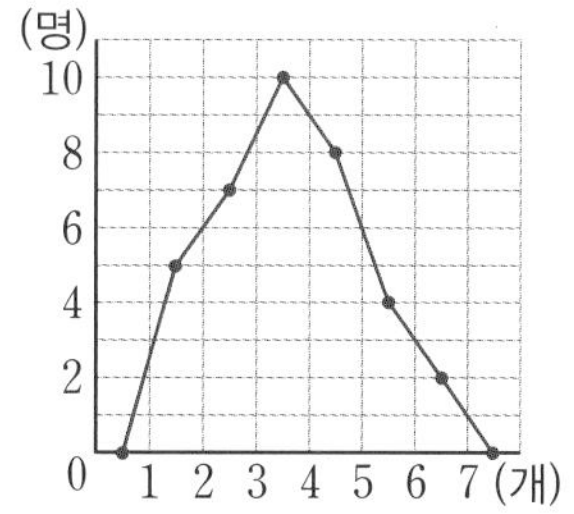

① 계급의 크기는 1개이다.
② 계급의 개수는 8이다.
③ 조사한 회원 수는 36명이다.
④ 작성한 후기 수가 5개 이상인 회원은 6명이다.
⑤ 도수가 가장 큰 계급은 3개 이상 4개 미만이다.

17 다음은 어느 중학교 학생 40명의 주당 TV 시청 시간에 대한 상대도수의 분포를 나타낸 그래프이다. TV 시청 시간이 9시간 미만인 학생은 전체의 몇 %인가?

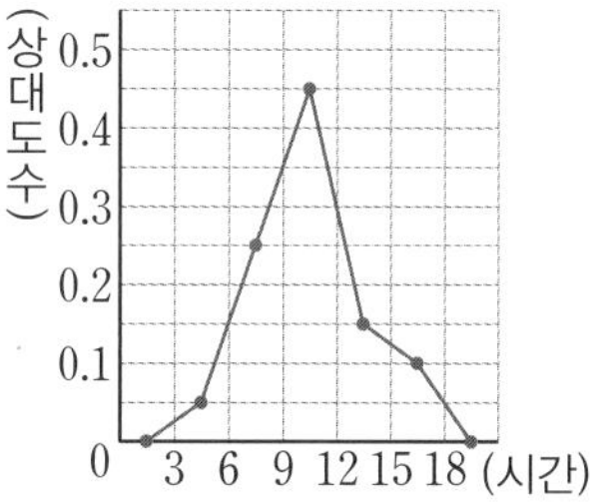

① 5 %　② 10 %　③ 15 %
④ 25 %　⑤ 30 %

서술형

18 오른쪽 그림에서 $\overline{AB}$는 원 O의 지름일 때, x의 값을 구하시오.

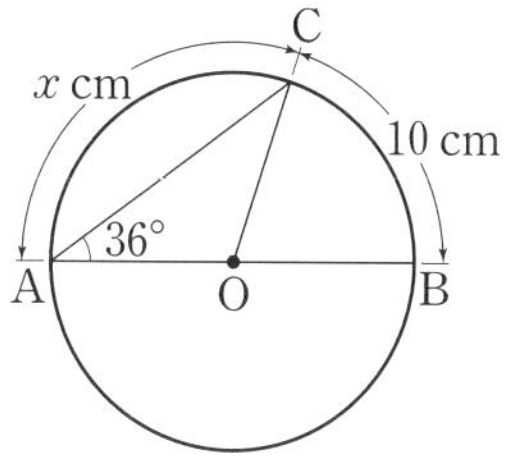

서술형

19 오른쪽 그림과 같은 원뿔의 전개도에 대하여 다음을 구하시오.

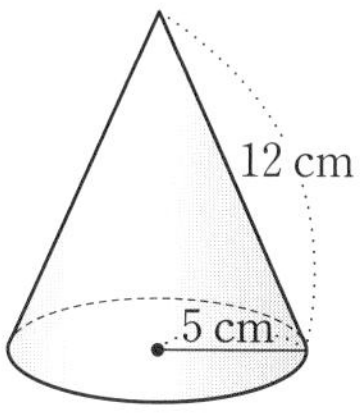

(1) 옆면인 부채꼴의 호의 길이

(2) 옆면인 부채꼴의 중심각의 크기

서술형

20 다음은 어느 중학교 학생 40명이 한 달간 읽은 책의 수를 조사하여 나타낸 상대도수의 분포표이다. 한 달간 읽은 책의 수가 3권 이상 6권 미만인 학생 수를 구하시오.

책의 수(권)	상대도수
0이상 ~ 3미만	0.05
3 ~ 6	A
6 ~ 9	0.35
9 ~ 12	0.2
12 ~ 15	0.1
합계	

7일 기말고사 기본 테스트 2회

1 오른쪽 그림의 원 O에서 부채꼴 AOB의 넓이는 8 cm^2이고 $\angle COD = 5\angle AOB$일 때, 부채꼴 COD의 넓이는?

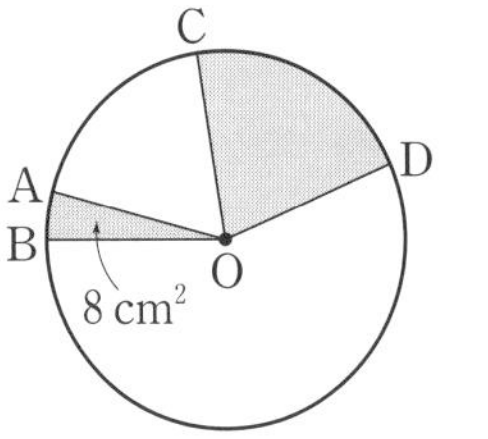

① 16 cm^2 ② 24 cm^2
③ 32 cm^2 ④ 40 cm^2
⑤ 48 cm^2

2 오른쪽 그림의 반원 O에서 $\overline{AC} /\!/ \overline{OD}$, $\angle BOD = 30°$, $\overset{\frown}{BD} = 6$ cm일 때, $\overset{\frown}{AC}$의 길이는?

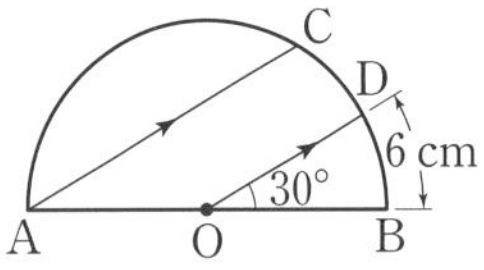

① 23 cm ② 24 cm ③ 25 cm
④ 26 cm ⑤ 27 cm

3 반지름의 길이가 9 cm이고 중심각의 크기가 40°인 부채꼴의 호의 길이와 넓이를 차례대로 구하면?

① π cm, 9π cm^2 ② π cm, 18π cm^2
③ 2π cm, 9π cm^2 ④ 2π cm, 18π cm^2
⑤ 4π cm, 36π cm^2

4 오른쪽 그림에서 색칠한 부분의 넓이는?

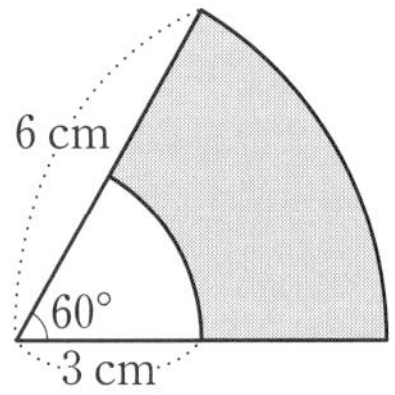

① $\frac{7}{2}\pi$ cm^2 ② 4π cm^2
③ $\frac{9}{2}\pi$ cm^2 ④ 5π cm^2
⑤ $\frac{11}{2}\pi$ cm^2

5 다음 보기 중 옳은 것을 모두 고른 것은?

보기
㉠ 칠각뿔대는 구면체이다.
㉡ 육각뿔의 모서리의 개수는 7이다.
㉢ 오각기둥의 꼭짓점의 개수는 15이다.
㉣ 사각뿔대의 옆면은 사다리꼴이다.

① ㉠, ㉡ ② ㉠, ㉢ ③ ㉠, ㉣
④ ㉡, ㉣ ⑤ ㉢, ㉣

6 다음 조건을 모두 만족하는 정다면체는?

(가) 각 꼭짓점에 모인 면의 개수는 3이다.
(나) 모든 면이 합동인 정삼각형이다.

① 정사면체 ② 정육면체 ③ 정팔면체
④ 정십이면체 ⑤ 정이십면체

7 다음 중 직선 l을 축으로 하여 1회전 시킬 때 생기는 회전체가 오른쪽 그림과 같은 것은?

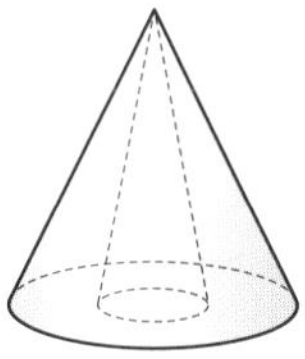

① 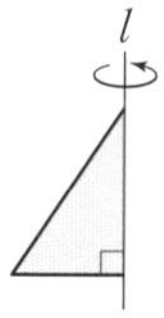
② 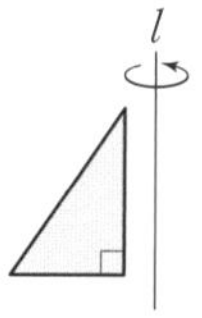
③ 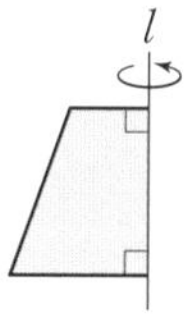
④ 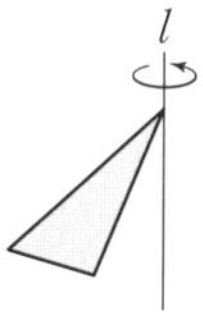
⑤ 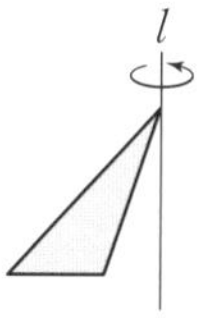

8 다음 중 회전체와 그 회전체를 회전축을 포함하는 평면으로 자를 때 생기는 단면의 모양을 짝 지은 것으로 옳지 않은 것은?

① 구 – 원　② 반구 – 원
③ 원기둥 – 직사각형　④ 원뿔대 – 사다리꼴
⑤ 원뿔 – 이등변삼각형

9 다음 만화를 보고 물음에 답하시오.

다음 그림은 은정이가 다녀온 실내 수영장의 모습이다. 물의 깊이가 1 m에서 2 m까지 바닥이 비스듬하게 경사져 있을 때, 실내 수영장에 물을 가득 채우는 데 필요한 물의 부피는?

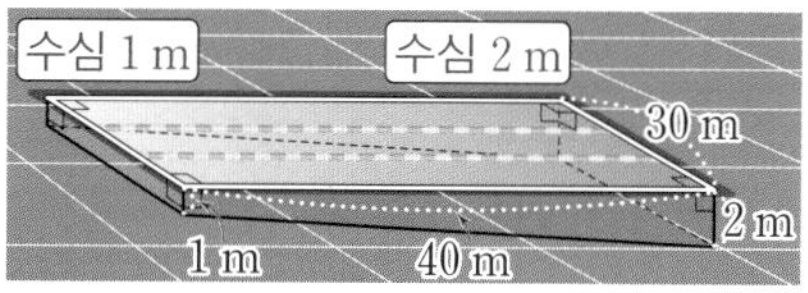

① 1600 m^3　② 1800 m^3　③ 2000 m^3
④ 2200 m^3　⑤ 2400 m^3

10 오른쪽 그림과 같은 사각뿔의 부피가 144 cm^3일 때, 높이는?

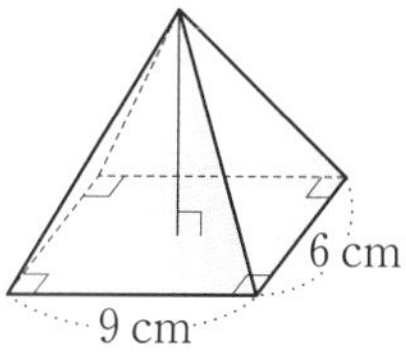

① 6 cm　② 7 cm
③ 8 cm　④ 9 cm
⑤ 10 cm

11 오른쪽 그림과 같이 두 밑면이 정사각형이고 옆면이 모두 합동인 사다리꼴로 이루어진 사각뿔대의 겉넓이는?

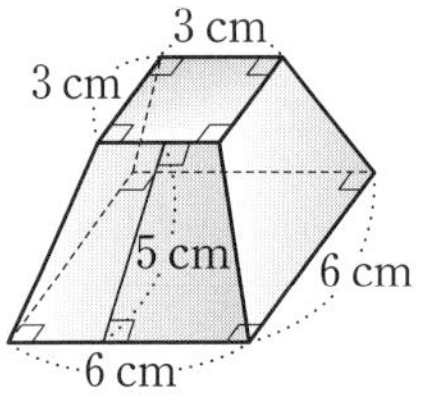

① 135 cm^2 ② 140 cm^2
③ 145 cm^2 ④ 150 cm^2
⑤ 155 cm^2

12 오른쪽 그림과 같이 반지름의 길이가 9 cm인 반구의 부피는?

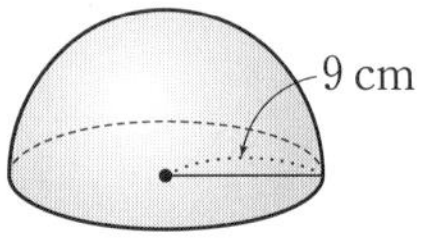

① $162\pi\text{ cm}^3$ ② $243\pi\text{ cm}^3$ ③ $486\pi\text{ cm}^3$
④ $729\pi\text{ cm}^3$ ⑤ $972\pi\text{ cm}^3$

13 다음은 A 지역에서 B 지역으로 가는 일반 고속버스와 우등 고속버스의 배차 시간을 조사하여 나타낸 줄기와 잎 그림이다. 일반 고속버스 중에서 배차 시간이 3번째로 빠른 버스는 일반 고속버스와 우등 고속버스 전체에서는 몇 번째로 빠른 버스인가?

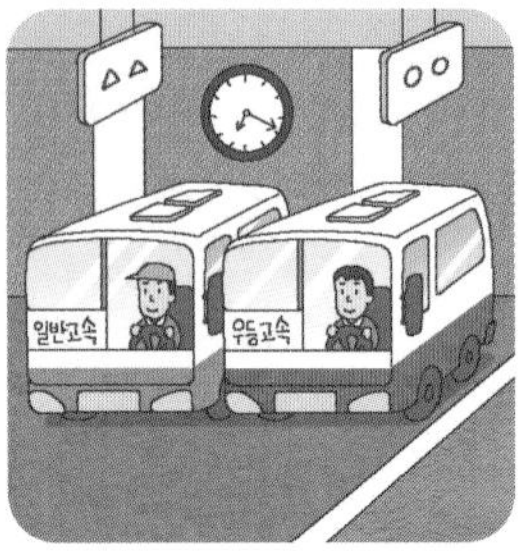

배차 시간 (6|00은 6시 00분)

잎(일반 고속버스)	줄기	잎(우등 고속버스)
20	6	00 40
50 20 00	7	10 30 40
30	8	00 10 20 40 50
40 00	9	10 20 30 50

① 3번째 ② 4번째 ③ 5번째
④ 6번째 ⑤ 7번째

14 오른쪽은 나은이네 반 학생들의 체육 점수를 조사하여 나타낸 도수분포표이다. 다음 보기 중 옳은 것은 모두 몇 개인가?

체육 점수(점)	학생 수(명)
50이상 ~ 60미만	2
60 ~ 70	4
70 ~ 80	8
80 ~ 90	10
90 ~ 100	A
합계	30

보기
ㄱ. A의 값은 6이다.
ㄴ. 계급의 개수는 10이다.
ㄷ. 계급의 크기는 10점이다.
ㄹ. 체육 점수가 가장 낮은 학생의 점수는 55점이다.
ㅁ. 가장 많은 학생이 속하는 계급은 80점 이상 90점 미만이다.

① 1개 ② 2개 ③ 3개
④ 4개 ⑤ 5개

15 오른쪽은 미희네 학교 학생들이 지난 1년간 저축한 금액을 조사하여 나타낸 도수분포다각형이다. 다음 중 옳은 것을 모두 고르면? (정답 2개)

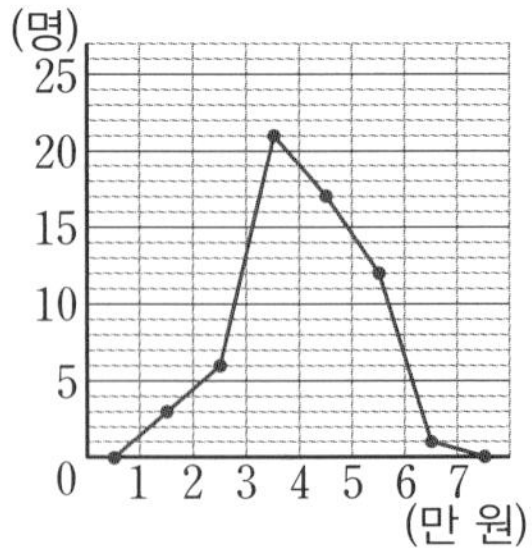

① 계급의 개수는 7이다.
② 계급의 크기는 1원이다.
③ 조사한 학생 수는 60명이다.
④ 가장 많이 저축한 학생의 저축액은 65000원이다.
⑤ 도수가 가장 큰 계급은 3만 원 이상 4만 원 미만이다.

16 오른쪽은 어느 중학교 학생들의 멀리뛰기 기록을 조사하여 나타낸 히스토그램이다. 멀리뛰기 기록이 160 cm 이상 180 cm 미만인 계급의 상대도수는?

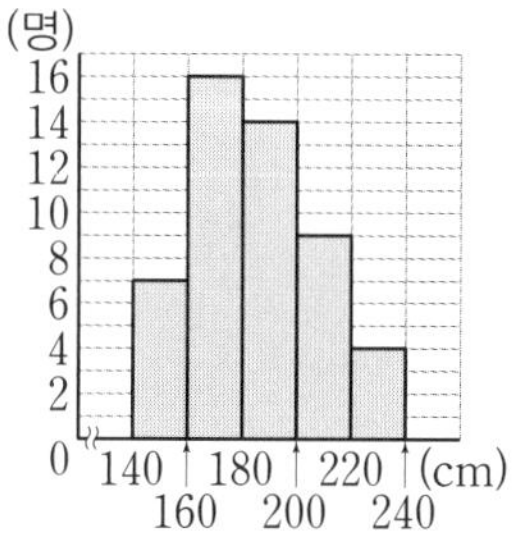

① 0.08 ② 0.14 ③ 0.18
④ 0.28 ⑤ 0.32

17 오른쪽은 1학년 1반과 2반의 사회 성적에 대한 상대도수의 분포를 나타낸 그래프이다. 다음 만화를 보고 잘못 말한 학생을 모두 고르면?

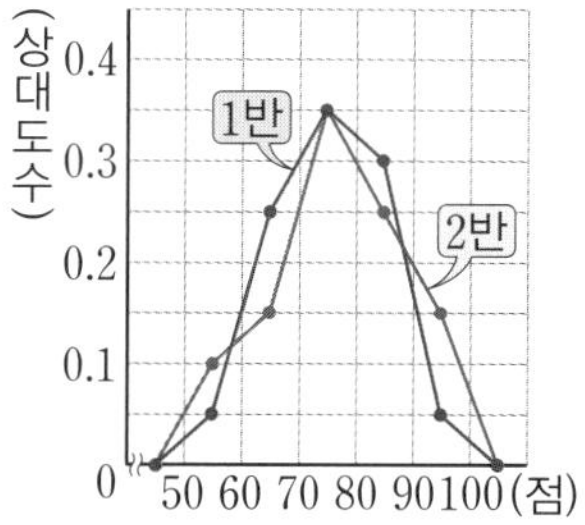

① 지훈, 유리 ② 지훈, 종민 ③ 지훈, 서희
④ 유리, 서희 ⑤ 종민, 서희

서술형

18 오른쪽 그림과 같이 반지름의 길이가 3 cm인 원 O에서 $\overset{\frown}{AB}:\overset{\frown}{BC}:\overset{\frown}{CA}=2:3:4$일 때, 부채꼴 AOB의 넓이를 구하시오.

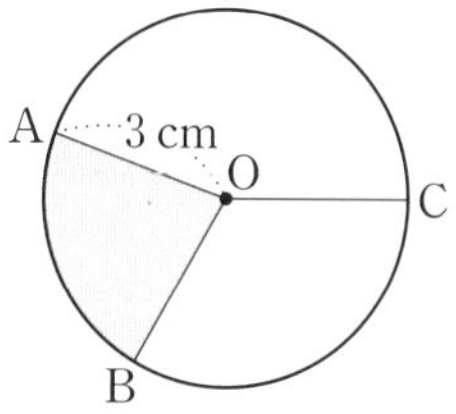

서술형

19 다음 그림과 같은 원뿔과 원기둥의 부피가 같을 때, 원기둥의 높이를 구하시오.

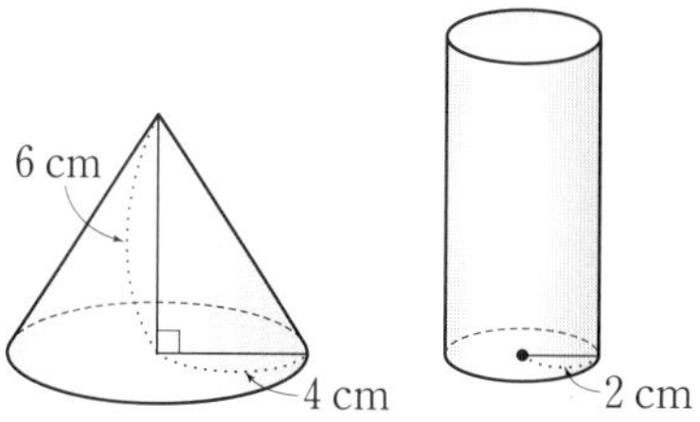

서술형

20 다음은 어느 반 학생들의 3분 동안 윗몸일으키기 횟수를 조사하여 나타낸 줄기와 잎 그림이다. 윗몸일으키기 횟수가 35회 이상인 학생은 전체의 몇 %인지 구하시오.

윗몸일으키기 횟수 (0|7은 7회)

줄기	잎
0	7 8 9
1	4 6 7
2	0 2 3 4 6 6
3	0 1 3 5 5 8 9
4	1 2 4 6 7 7

memo

핵심 정리 01 원과 부채꼴

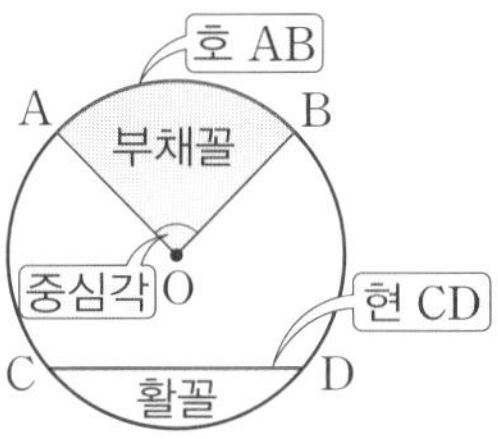

(1) **원** : 평면 위의 한 점 O로부터 일정한 거리에 있는 모든 점들로 이루어진 도형

(2) **호** AB($\widehat{\mathrm{AB}}$) : 원 O 위의 두 점 A, B를 양 끝점으로 하는 원의 일부분

(3) **현** AB($\overline{\mathrm{AB}}$) : 원 O 위의 두 점 A, B를 잇는 선분

(4) **부채꼴** AOB : 원 O에서 두 반지름 OA, OB와 ❶ [　　　] 로 이루어진 도형

(5) **중심각** : 원 O의 두 반지름 OA, OB가 이루는 각
→ ❷ [　　　]

(6) **활꼴** : 원 O에서 호 CD와 현 CD로 이루어진 도형

답 ❶ 호 AB ❷ ∠AOB

핵심 정리 02 중심각과 호, 넓이 사이의 관계

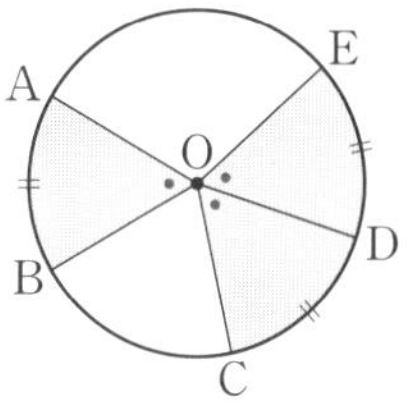

한 원에서

(1) 중심각의 크기가 같은 두 부채꼴의 호의 길이와 넓이는 각각 ❶ [　　　].

참고 한 원에서 호의 길이와 넓이가 각각 같은 부채꼴은 그에 대한 중심각의 크기도 같다.

(2) 부채꼴의 호의 길이와 넓이는 각각 중심각의 크기에 ❷ [　　　] 한다.

답 ❶ 같다 ❷ 정비례

핵심 정리 03 중심각과 현 사이의 관계

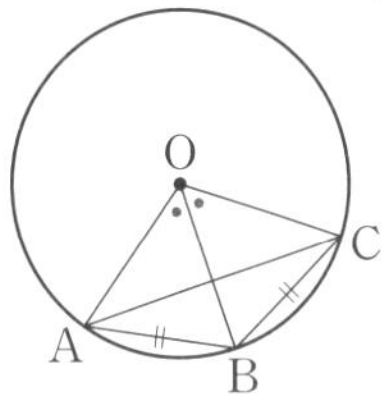

한 원에서

(1) 중심각의 크기가 같은 두 부채꼴의 현의 길이는 ❶ [　　　].

(2) 현의 길이가 같은 두 부채꼴의 ❷ [　　　] 의 크기는 같다.

주의 한 원에서 현의 길이는 중심각의 크기에 정비례하지 않는다.
→ ∠AOC=2∠AOB이지만 $\overline{\mathrm{AC}} \neq 2\overline{\mathrm{AB}}$

답 ❶ 같다 ❷ 중심각

핵심 정리 04 원의 둘레의 길이와 넓이

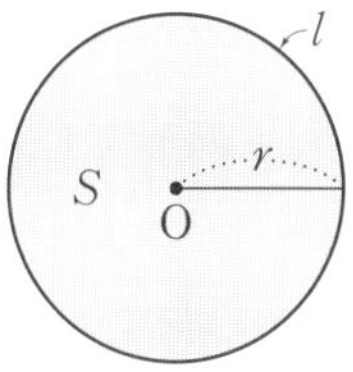

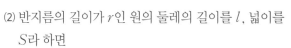

(1) **원주율** : 원의 지름의 길이에 대한 원의 둘레의 길이의 비

(원주율)

$= \dfrac{(\text{원의 둘레의 길이})}{(\text{원의 지름의 길이})}$

= ❶ [　　　]

(2) 반지름의 길이가 r인 원의 둘레의 길이를 l, 넓이를 S라 하면

① $l=2\pi r$

② $S=$ ❷ [　　　]

답 ❶ π ❷ πr^2

절취선에 따라 카드를 잘라서 활용하세요.

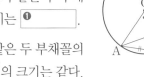

핵심 정리 02

예 1

다음 그림에서 x의 값을 구하시오.

(1)

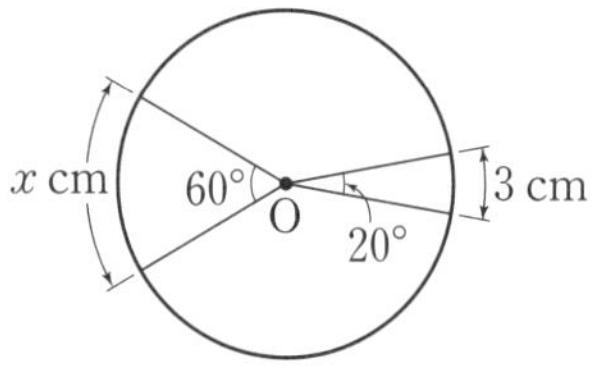

→ $x : 3 = 60° : 20°$에서 $x : 3 = 3 : 1$

$\therefore x =$ ❶ ____

(2)

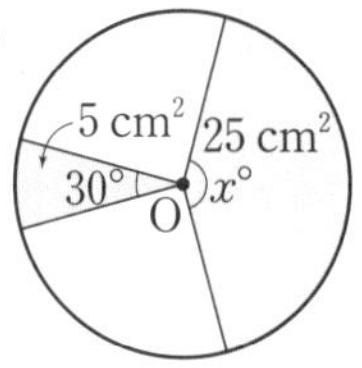

→ $5 : 25 = 30° : x°$에서 $1 : 5 = 30° : x°$

$\therefore x =$ ❷ ____

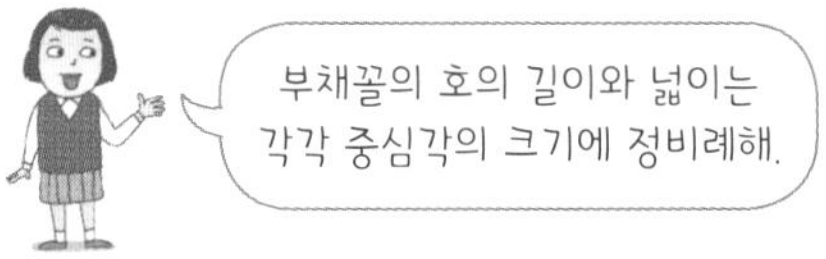

답 ❶ 9 ❷ 150

핵심 정리 01

예 1

다음 ☐ 안에 알맞은 것을 써넣으시오.

(1) 원 위의 두 점 A, B를 양 끝점으로 하는 원의 일부분을 ❶ ____ 라 한다.

(2) 원 위의 두 점 C, D를 이은 선분을 ❷ ____ 라 한다.

(3) 원에서 호와 그에 대한 현으로 이루어진 도형을 ❸ ____ 이라 한다.

(4) 원에서 두 반지름과 그 사이의 호로 이루어진 도형을 ❹ ____ 이라 한다.

답 ❶ 호 AB($\widehat{AB}$) ❷ 현 CD($\overline{CD}$) ❸ 활꼴 ❹ 부채꼴

핵심 정리 04

예 1

다음 그림과 같은 원의 둘레의 길이 l과 넓이 S를 각각 구하시오.

(1)

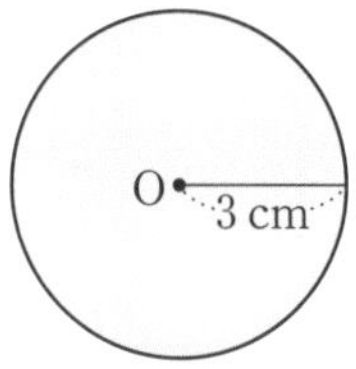

→ $l = 2\pi \times 3 =$ ❶ ____ (cm)

$S = \pi \times 3^2 = 9\pi$ (cm^2)

(2)

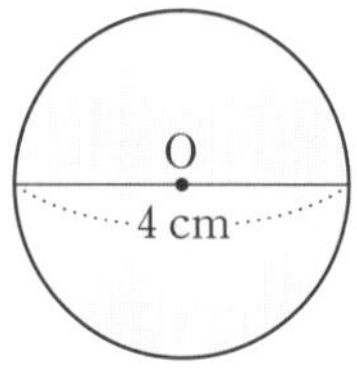

→ $l = 2\pi \times 2 = 4\pi$ (cm)

$S = \pi \times 2^2 =$ ❷ ____ (cm^2)

답 ❶ 6π ❷ 4π

핵심 정리 03

예 1

다음 그림에서 x의 값을 구하시오.

(1)

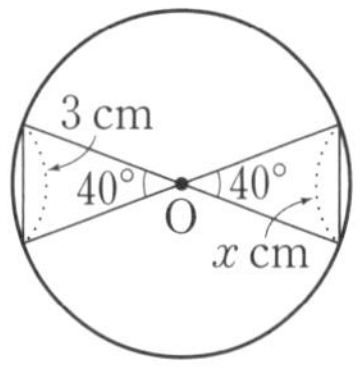

→ 중심각의 크기가 같은 두 부채꼴의 현의 길이는 같으므로 $x =$ ❶ ____

(2)

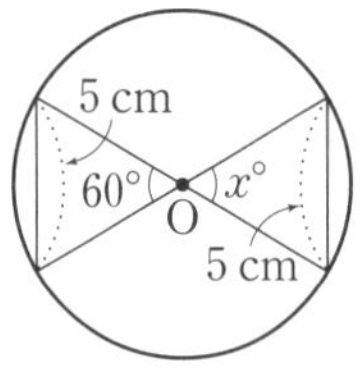

→ 현의 길이가 같은 두 부채꼴의 중심각의 크기는 같으므로 $x =$ ❷ ____

답 ❶ 3 ❷ 60

핵심 정리 05 부채꼴의 호의 길이와 넓이

반지름의 길이가 r, 중심각의 크기가 $x°$인 부채꼴의 호의 길이를 l, 넓이를 S라 하면

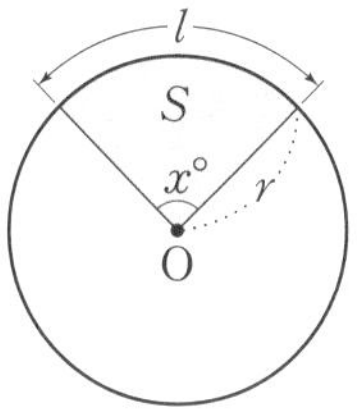

(1) $l=$ ❶ [ ] $\times\frac{x}{360}$

(2) $S=$ ❷ [ ] $\times\frac{x}{360}$ 또는 $S=\frac{1}{2}rl$

참고 $S=\pi r^2\times\frac{x}{360}=\frac{1}{2}\times r\times\left(2\pi r\times\frac{x}{360}\right)$

$=\frac{1}{2}rl$

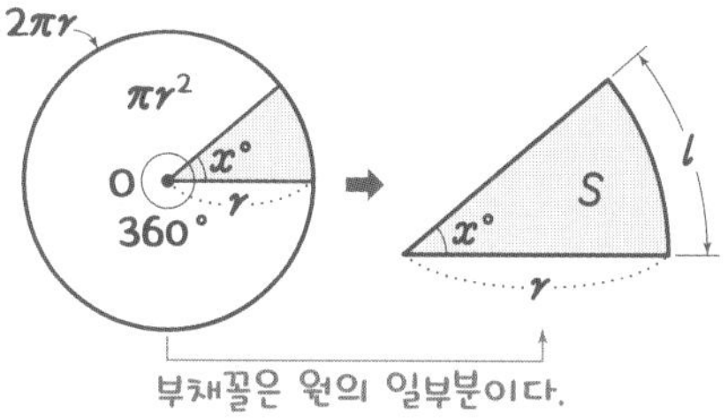

답 ❶ $2\pi r$ ❷ πr^2

핵심 정리 06 다면체

(1) **다면체** : ❶ [ ] 인 면으로만 둘러싸인 입체도형

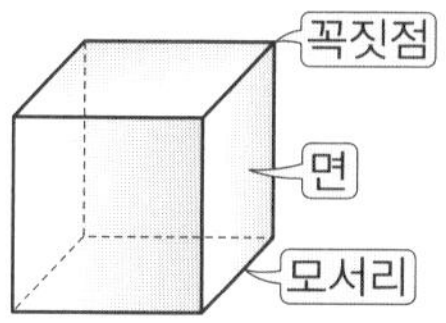

(2) **다면체의 종류**

① 각기둥 : 두 밑면이 서로 평행하고 합동인 다각형이며, 옆면이 모두 직사각형인 입체도형

② 각뿔 : 밑면이 다각형이고 옆면이 모두 삼각형인 입체도형

③ 각뿔대 : 각뿔을 밑면에 평행한 평면으로 자를 때 생기는 두 다면체 중 각뿔이 아닌 쪽의 다면체로 옆면의 모양은 ❷ [ ] 이다.

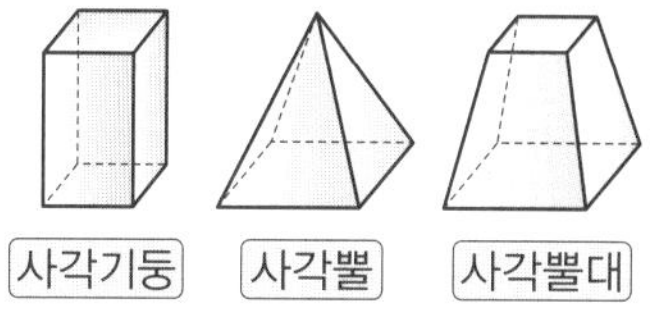

답 ❶ 다각형 ❷ 사다리꼴

핵심 정리 07 정다면체

(1) **정다면체** : 각 면이 모두 합동인 ❶ [ ] 이고, 각 꼭짓점에 모이는 면의 개수가 모두 같은 다면체

(2) **정다면체의 종류** : 정다면체는 정사면체, 정육면체, 정팔면체, 정십이면체, 정이십면체의 5가지뿐이다.

	정사면체	정육면체	정팔면체	정십이면체	정이십면체
겨냥도	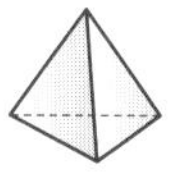	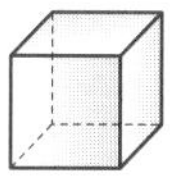	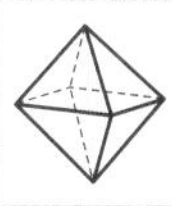	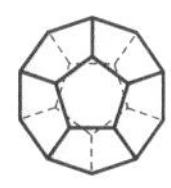	
면의 모양	정삼각형	정사각형	정삼각형	정오각형	정삼각형
한 꼭짓점에 모인 면의 개수	3	3	❷ [ ]	3	5
면의 개수	4	6	8	12	20
모서리의 개수	6	12	12	30	30
꼭짓점의 개수	4	8	6	20	12

답 ❶ 정다각형 ❷ 4

핵심 정리 08 회전체

(1) **회전체** : 평면도형을 한 직선 l을 축으로 하여 1회전 시킬 때 생기는 입체도형

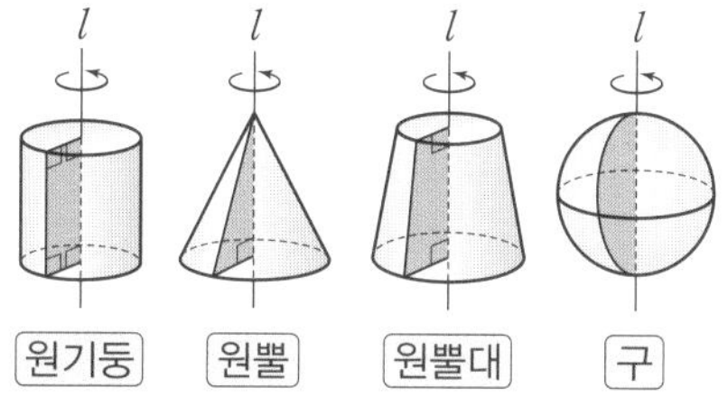

(2) **회전체의 성질**

① 회전체를 회전축에 수직인 평면으로 자른 단면의 경계는 항상 ❶ [ ] 이다.

② 회전체를 회전축을 포함하는 평면으로 자른 단면은 모두 ❷ [ ] 이고, 회전축에 대하여 선대칭도형이다.

답 ❶ 원 ❷ 합동

핵심 정리 06

예 1

다음 중 잘못 말한 학생을 찾으시오.

→ 현석 : 팔각뿔대의 두 밑면의 모양은 ❶ [ ] 으로 같지만 ❷ [ ] 가 다르므로 합동이 아니다.

답 ❶ 팔각형 ❷ 크기

핵심 정리 05

예 1

다음 그림과 같은 부채꼴의 호의 길이 l과 넓이 S를 각각 구하시오.

(1)

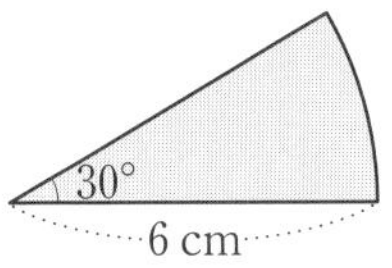

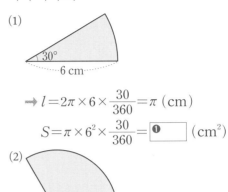

→ $l=2\pi\times6\times\frac{30}{360}=\pi\ (\text{cm})$

$S=\pi\times6^2\times\frac{30}{360}=$ ❶ [ ] (cm^2)

(2)

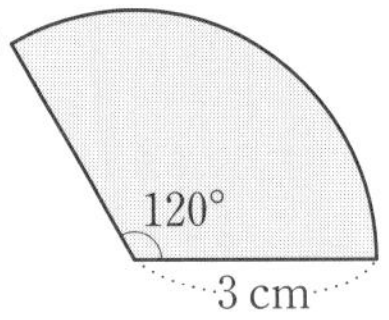

→ $l=2\pi\times3\times\frac{120}{360}=$ ❷ [ ] (cm)

$S=\pi\times3^2\times\frac{120}{360}=3\pi\ (\text{cm}^2)$

답 ❶ 3π ❷ 2π

핵심 정리 08

예 1

다음 그림과 같은 평면도형을 직선 l을 축으로 하여 1회전 시킬 때 생기는 회전체의 겨냥도를 그리고, 그 이름을 말하시오.

(1)

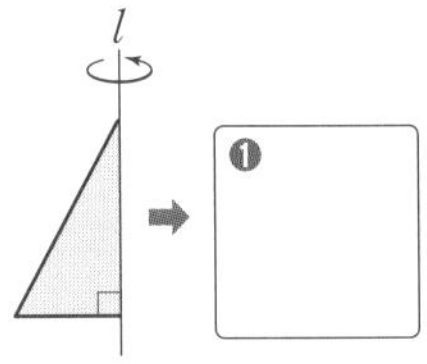

(2)

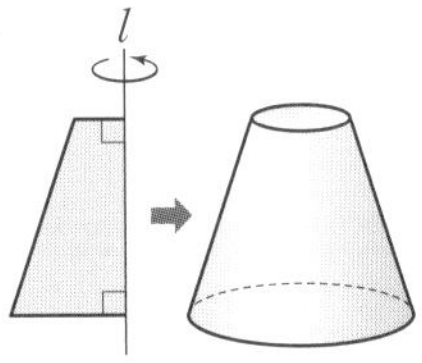

(3)

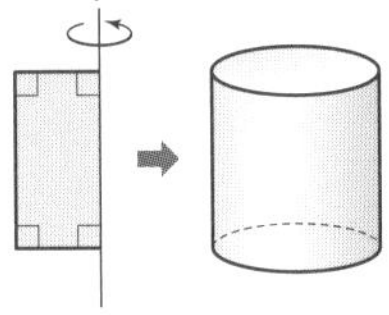

(4)

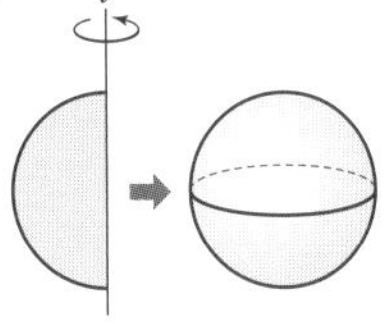

→ (1) 원뿔 (2) 원뿔대 (3) ❷ [ ] (4) 구

답 ❶  ❷ 원기둥

핵심 정리 07

예 1

다음 표를 완성하시오.

	정사면체	정육면체	정팔면체	정십이면체	정이십면체
면의 모양	❶ [ ]	정사각형	정삼각형	정오각형	정삼각형
한 꼭짓점에 모인 면의 개수	3	3	4	3	5
면의 개수	4	6	8	12	20
모서리의 개수	6	12	12	30	30
꼭짓점의 개수	4	8	❷ [ ]	20	12

답 ❶ 정삼각형 ❷ 6

핵심 정리 09 기둥의 겉넓이와 부피

(1) **기둥의 겉넓이**

① (각기둥의 겉넓이)=(밑넓이)×2+(옆넓이)

② (원기둥의 겉넓이)

=(밑넓이)×2

+(옆넓이)

$=2\pi r^2+$ ❶ ______

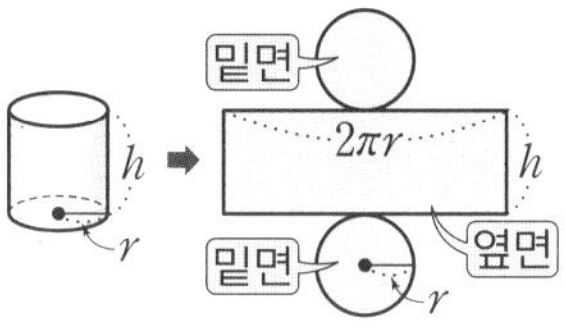

(2) **기둥의 부피**

① 밑넓이가 S, 높이가 h인

(각기둥의 부피)

=(밑넓이)×(높이)

$=Sh$

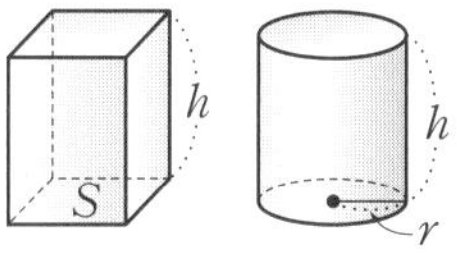

② 밑면인 원의 반지름의 길이가 r, 높이가 h인

(원기둥의 부피)=(밑넓이)×(높이)

= ❷ ______

답 ❶ $2\pi rh$ ❷ $\pi r^2 h$

핵심 정리 10 뿔의 겉넓이와 부피

(1) **뿔의 겉넓이**

① (각뿔의 겉넓이)=(밑넓이)+(옆넓이)

② (원뿔의 겉넓이)

=(밑넓이)

+(옆넓이)

$=\pi r^2+$ ❶ ______

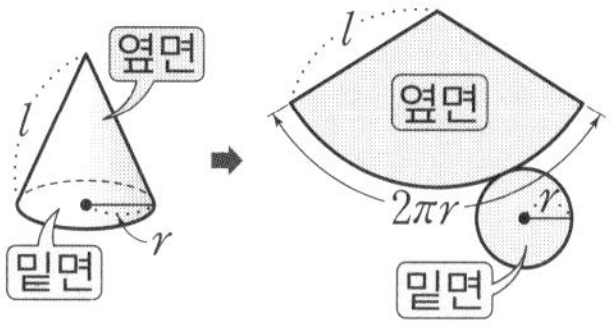

(2) **뿔의 부피**

① 밑넓이가 S, 높이가 h인

(각뿔의 부피)

$=\frac{1}{3}\times$(밑넓이)×(높이)

= ❷ ______

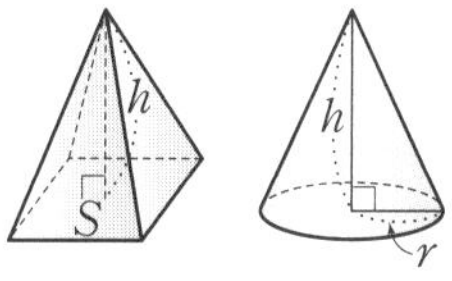

② 밑면인 원의 반지름의 길이가 r, 높이가 h인

(원뿔의 부피)$=\frac{1}{3}\times$(밑넓이)×(높이)

$=\frac{1}{3}\pi r^2 h$

답 ❶ πrl ❷ $\frac{1}{3}Sh$

핵심 정리 11 구의 겉넓이와 부피

구의 반지름의 길이가 r일 때

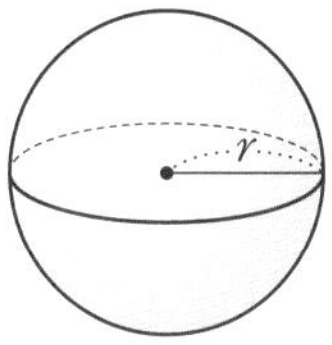

(1) **구의 겉넓이**= ❶ ______

(2) **구의 부피**= ❷ ______

참고

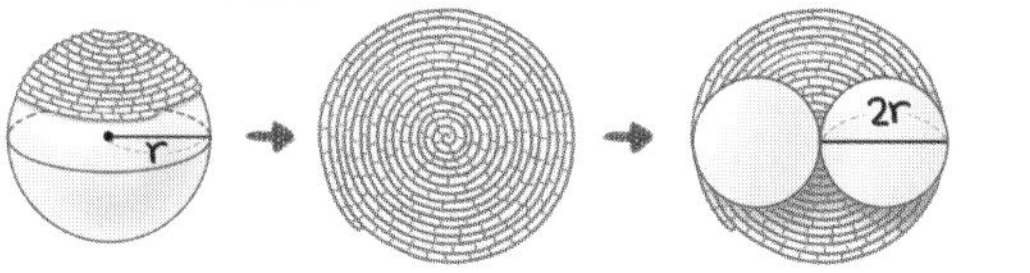

(구의 겉넓이)$=\pi\times$(끈으로 만든 원의 반지름의 길이)^2

$=\pi\times(2r)^2=4\pi r^2$

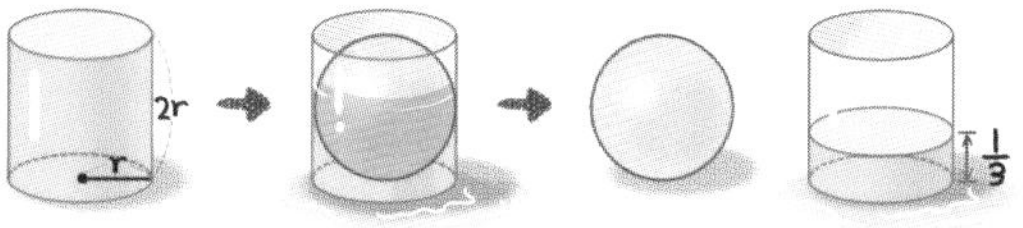

(구의 부피)$=\frac{2}{3}\times$(원기둥의 부피)

$=\frac{2}{3}\times\pi r^2\times 2r=\frac{4}{3}\pi r^3$

답 ❶ $4\pi r^2$ ❷ $\frac{4}{3}\pi r^3$

핵심 정리 12 줄기와 잎 그림

(1) **변량** : 자료를 ❶ ______ 으로 나타낸 것

(2) **줄기와 잎 그림** : 줄기와 잎을 이용하여 자료를 나타낸 그림

(3) **줄기와 잎 그림을 그리는 순서**

❶ 변량을 줄기와 잎으로 구분한다.

❷ 세로선을 긋고, 세로선의 왼쪽에 ❷ ______ 에 해당하는 수를 크기순으로 쓴다.

❸ 세로선의 오른쪽에 각 줄기에 해당되는 잎을 크기순으로 쓴다.

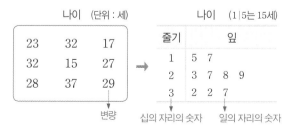

나이 (단위 : 세)

23	32	17
32	15	27
28	37	29

↓ 변량

나이 (1|5는 15세)

줄기	잎
1	5 7
2	3 7 8 9
3	2 2 7

↓ 십의 자리의 숫자 ↓ 일의 자리의 숫자

답 ❶ 수량 ❷ 줄기

핵심 정리 10

예 1

다음 □ 안에 알맞은 수를 써넣으시오.

(1) 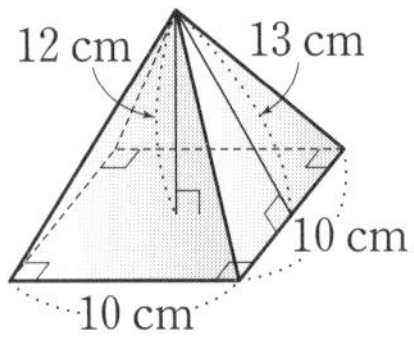

(2) 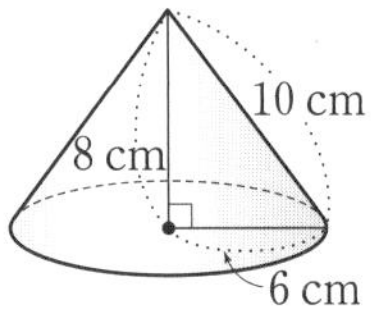

→ (1) (겉넓이)$=10\times10+\left(\frac{1}{2}\times10\times13\right)\times4$

$=100+260=$ ❶ □ (cm^2)

(부피)$=\frac{1}{3}\times(10\times10)\times12=400\ (\text{cm}^3)$

(2) (겉넓이)$=\pi\times6^2+\pi\times6\times10$

$=36\pi+60\pi=96\pi\ (\text{cm}^2)$

(부피)$=\frac{1}{3}\times(\pi\times6^2)\times8=$ ❷ □ (cm^3)

답 ❶ 360 ❷ 96π

핵심 정리 09

예 1

다음 □ 안에 알맞은 수를 써넣으시오.

(1) 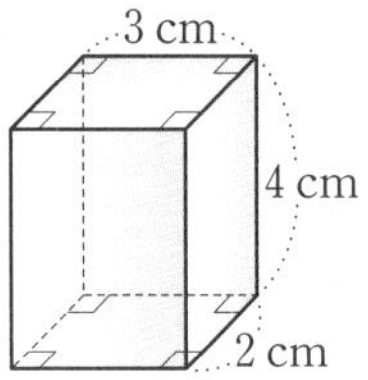

→ (겉넓이)$=(3\times2)\times$ ❶ □ $+(3+2+3+2)\times4$

$=12+40=52\ (\text{cm}^2)$

(부피)$=(3\times2)\times4$

$=24\ (\text{cm}^3)$

(2) 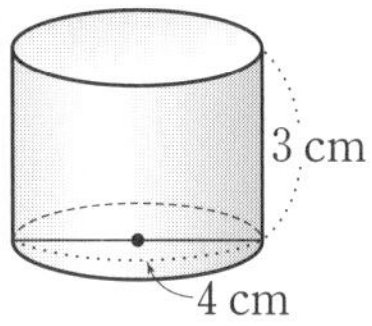

→ (겉넓이)$=(\pi\times2^2)\times2+$ ❷ □

$=8\pi+12\pi$

$=20\pi\ (\text{cm}^2)$

(부피)$=(\pi\times2^2)\times3$

$=12\pi\ (\text{cm}^3)$

나는 위에 있으니까 윗면!
나는 밑에 있으니까 밑면!
윗면은 틀렸어. 위, 아래 모두 밑면이라고 불러.
밑면
위
아래

답 ❶ 2 ❷ $2\pi\times2\times3$

핵심 정리 12

예 1

다음은 어느 모둠 학생들의 영어 말하기 성적을 조사하여 나타낸 줄기와 잎 그림이다. □ 안에 알맞은 수를 써넣으시오.

영어 말하기 성적 (1|2는 12점)

줄기	잎
1	2 6 9
2	0 3 5 7 8
3	1 5

→ (1) 줄기는 ❶ □ 개이다.

(2) 줄기가 2인 잎은 ❷ □ 개이다.

답 ❶ 3 ❷ 5

핵심 정리 11

예 1

오른쪽 그림과 같이 반지름의 길이가 5 cm인 구의 겉넓이와 부피를 각각 구하시오.

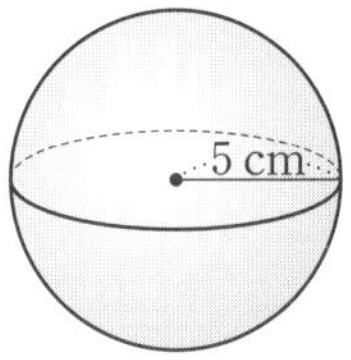

→ (겉넓이)$=4\pi\times$ ❶ □

$=100\pi\ (\text{cm}^2)$

(부피)$=\frac{4}{3}\pi\times$ ❷ □ $=\frac{500}{3}\pi\ (\text{cm}^3)$

답 ❶ 5^2 ❷ 5^3

핵심 정리 13 도수분포표

(1) **계급** : 변량을 일정한 간격으로 나눈 ❶ [   ]

(2) **계급의 크기** : 구간의 너비

→ (계급의 크기)=(계급의 양 끝 값의 차)

(3) **계급의 개수** : 구간의 개수

(4) **도수** : 각 계급에 속하는 자료의 수

(5) **도수분포표** : 자료 전체를 몇 개의 계급으로 나누고 각 계급에 속하는 ❷ [   ]를 조사하여 나타낸 표

수학 성적 (단위 : 점)

60	83	88
67	77	96
70	57	69
88	71	75

→

수학 성적(점)	학생 수(명)
50이상 ~ 60미만	1
60 ~ 70	3
70 ~ 80	4
80 ~ 90	3
90 ~ 100	1
합계	12

계급 / 도수

계급의 크기 : 10점, 계급의 개수 : 5　　도수의 총합

답 ❶ 구간 ❷ 도수

핵심 정리 14 히스토그램

(1) **히스토그램** : 도수분포표의 각 계급의 크기를 가로로, 각 계급의 도수를 세로로 하는 직사각형으로 나타낸 그래프

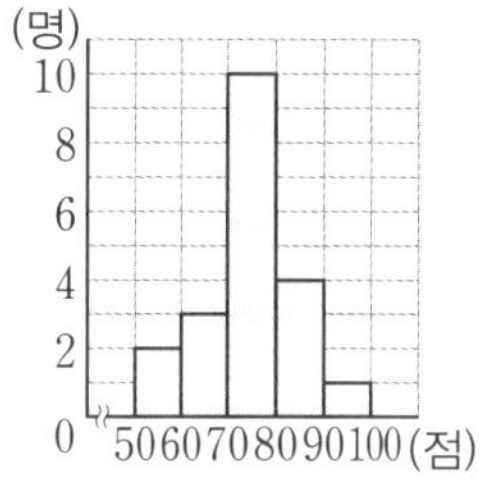

(2) **히스토그램을 그리는 순서**

❶ 가로축에는 각 계급의 양 끝 값을 차례로 써넣는다.

❷ 세로축에 도수를 차례로 써넣는다.

❸ 각 계급의 ❶ [   ]를 가로로, 도수를 세로로 하는 직사각형을 차례로 그린다.

참고 히스토그램의 특징

① 자료의 분포 상태를 한눈에 알아볼 수 있다.

② 각 직사각형의 넓이는 각 계급의 도수에 ❷ [   ]한다.

→ (직사각형의 넓이)=(계급의 크기)×(계급의 도수)

→ (직사각형의 넓이의 합)

=(계급의 크기)×(도수의 총합)

답 ❶ 크기 ❷ 정비례

핵심 정리 15 도수분포다각형

도수분포다각형 : 히스토그램에서 각 직사각형의 윗변의 중앙에 점을 찍고, 양 끝에 도수가 ❶ [   ]인 계급을 하나씩 추가하여 그 중앙에 점을 찍은 후, 이 점들을 차례로 ❷ [   ]으로 연결하여 나타낸 그래프

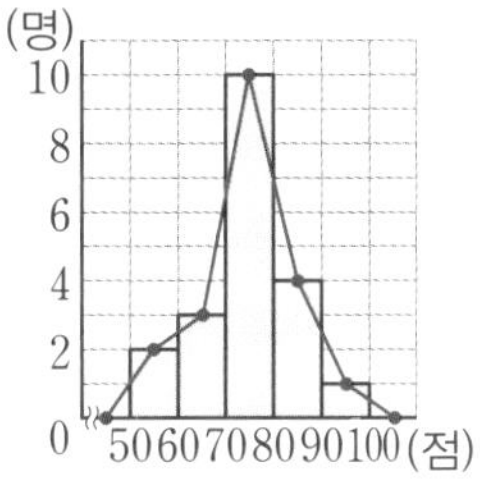

참고 도수분포다각형의 특징

① 자료의 분포 상태를 연속적으로 관찰할 수 있다.

② 두 개 이상의 자료의 분포 상태를 동시에 나타내어 비교할 때 편리하다.

③ (도수분포다각형과 가로축으로 둘러싸인 부분의 넓이)

=(히스토그램의 각 직사각형의 넓이의 합)

=(계급의 크기)×(도수의 총합)

답 ❶ 0 ❷ 선분

핵심 정리 16 상대도수

(1) **상대도수** : 전체 도수에 대한 각 계급의 도수의 비율

→ (어떤 계급의 상대도수) $=\dfrac{(\text{그 계급의 도수})}{(❶\ \square)}$

(2) **상대도수의 분포표** : 각 계급의 상대도수를 나타낸 표

국어 성적(점)	학생 수(명)	상대도수
60이상 ~ 70미만	3	[ ]
70 ~ 80	6	0.3
80 ~ 90	7	0.35
90 ~ 100	[ ]	0.2
합계	20	1

$\frac{3}{20}=0.15$

$20\times0.2=4$

참고 상대도수의 특징

① 상대도수의 합은 항상 ❷ [   ]이다.

② 각 계급의 상대도수는 그 계급의 도수에 정비례한다.

③ 도수의 총합이 다른 두 개 이상의 자료의 분포 상태를 비교할 때 편리하다.

답 ❶ 도수의 총합 ❷ 1

핵심 정리 14

예 1

오른쪽은 진주네 반 학생들의 국어 성적을 조사하여 나타낸 히스토그램이다. 다음을 구하시오.

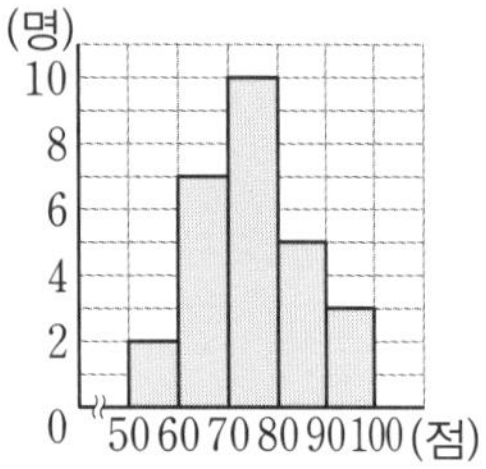

(1) 계급의 크기

(2) 계급의 개수

(3) 전체 학생 수

(4) 도수가 가장 작은 계급

➡ (1) (계급의 크기)$=60-50=70-60=\cdots$

$=100-90=$ [❶] (점)

(2) 계급의 개수는 5이다.

(3) (전체 학생 수)$=2+7+10+5+3=27$(명)

(4) 도수가 가장 작은 계급은 도수가 [❷] 명인 50점 이상 60점 미만이다.

답 ❶ 10 ❷ 2

핵심 정리 13

예 1

다음은 은혁이네 반 학생 20명의 하루 운동 시간을 조사하여 나타낸 도수분포표이다. □ 안에 알맞은 수를 써넣으시오.

하루 운동 시간(분)	학생 수(명)
10이상 ~ 20미만	2
20 ~ 30	8
30 ~ 40	5
40 ~ 50	2
50 ~ 60	3
합계	20

➡ (1) 계급의 크기는 [❶] 분이다.

(2) 계급의 개수는 [❷] 이다.

답 ❶ 10 ❷ 5

핵심 정리 16

예 1

다음은 상우네 반 학생 10명의 미술 실기 성적을 조사하여 나타낸 상대도수의 분포표이다. 표를 완성하시오.

미술 실기 성적(점)	학생 수(명)	상대도수
0이상 ~ 5미만	2	0.2
5 ~ 10	3	[❶]
10 ~ 15	4	0.4
15 ~ 20	1	0.1
합계	10	[❷]

답 ❶ 0.3 ❷ 1

핵심 정리 15

예 1

오른쪽은 은석이네 반 학생들의 윗몸일으키기 기록을 조사하여 나타낸 도수분포다각형이다. 다음을 구하시오.

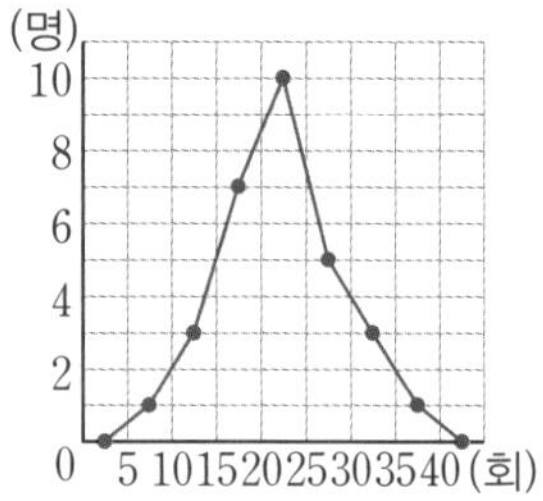

(1) 계급의 크기

(2) 계급의 개수

(3) 전체 학생 수

(4) 도수가 가장 큰 계급

➡ (1) (계급의 크기)$=10-5=15-10=\cdots$

$=40-35=5$(회)

(2) 계급의 개수는 [❶] 이다.

(3) (전체 학생 수)$=1+3+7+10+5+3+1$

$=$ [❷] (명)

(4) 도수가 가장 큰 계급은 도수가 10명인 20회 이상 25회 미만이다.

답 ❶ 7 ❷ 30

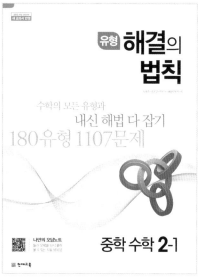

7일 끝

중간고사 기말고사

7일 끝으로 끝내자!

중학 수학 1-2

BOOK 3

정답과 풀이

천재교육

중간 대비

정답과 풀이

7일 끝 중 1-2 중간

1일 점, 선, 면, 각

시험지 속 개념 문제 | 9쪽, 11쪽

1 나람	**2** 교점의 개수 : 4, 교선의 개수 : 6		
3 ③	**4** 6 cm	**5** ②	**6** ㉠, ㉡, ㉤, ㉥
7 ②	**8** ②	**9** ④	**10** ③, ⑤

1 나람 : 선은 무수히 많은 점으로, 면은 무수히 많은 선으로 이루어져 있다.
따라서 잘못 말한 학생은 나람이다.

2 주어진 삼각뿔에서
(교점의 개수)=(꼭짓점의 개수)=4
(교선의 개수)=(모서리의 개수)=6

참고
입체도형에서 모서리의 교점은 꼭짓점이고, 면의 교선은 모서리이다.
→ (교점의 개수)=(꼭짓점의 개수)
(교선의 개수)=(모서리의 개수)

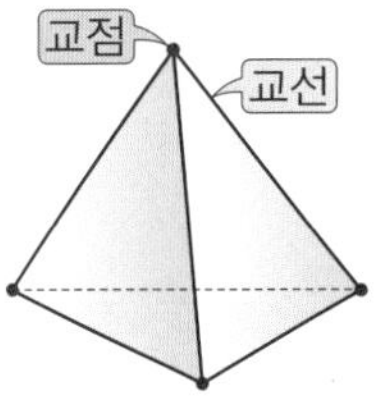

3 ② $\overrightarrow{AB}$와 $\overrightarrow{AC}$는 시작점과 방향이 모두 같으므로
$\overrightarrow{AB}=\overrightarrow{AC}$
③ $\overrightarrow{CA}$와 $\overrightarrow{BA}$는 방향은 같지만 시작점이 다르므로
$\overrightarrow{CA}\neq\overrightarrow{BA}$
따라서 옳지 않은 것은 ③이다.

참고
두 반직선이 서로 같으려면 시작점과 방향이 모두 같아야 한다.

4 점 B가 $\overline{AC}$의 중점이므로
$\overline{BC}=\frac{1}{2}\overline{AC}=\frac{1}{2}\times4=2\ (\text{cm})$
점 C가 $\overline{BD}$의 중점이므로
$\overline{CD}=\overline{BC}=2\text{ cm}$
$\therefore\ \overline{AD}=\overline{AC}+\overline{CD}=4+2=6\ (\text{cm})$

5 두 점 M, N은 각각 $\overline{PQ}$, $\overline{QR}$의 중점이므로
$\overline{PQ}=2\overline{MQ}$, $\overline{QR}=2\overline{QN}$
$\therefore\ \overline{PR}=\overline{PQ}+\overline{QR}$
$=2\overline{MQ}+2\overline{QN}$
$=2(\overline{MQ}+\overline{QN})$
$=2\overline{MN}$
$=2\times6=12\ (\text{cm})$

6 주어진 각을 기호로 나타내면
$\angle XOY$, $\angle YOX$, $\angle O$, $\angle x$이다.
따라서 잘라야 하는 전선은 ㉠, ㉡, ㉤, ㉥이다.

7 ① $\angle AOB$는 예각이다.
② $\angle AOD$는 둔각이다.
③ $\angle BOC$는 예각이다.
④ $\angle COE$는 직각이다.
⑤ $\angle DOE$는 예각이다.
따라서 둔각은 ②이다.

9 ④ 점 C와 $\overleftrightarrow{AB}$ 사이의 거리는 $\overline{CO}$의 길이와 같다.

10 ③ $\overline{AD}$의 수선은 $\overline{AB}$, $\overline{DC}$의 2개이다.
⑤ 점 B와 $\overline{CD}$ 사이의 거리를 나타내는 선분은 $\overline{BC}$이다.

교과서 기출 베스트 1회 | 12쪽~13쪽

1 20	2 ④	3 8	4 9 cm
5 75°	6 30°	7 25°	8 ③

1 주어진 입체도형에서
(교점의 개수)=(꼭짓점의 개수)=8
(교선의 개수)=(모서리의 개수)=12
따라서 $a=8$, $b=12$이므로
$a+b=8+12=20$

2 ④ $\overline{AC}\neq\overline{AD}$

3 직선의 개수는 l의 1
반직선의 개수는 $\overrightarrow{AB}$, $\overrightarrow{BA}$, $\overrightarrow{BC}$, $\overrightarrow{CB}$의 4
선분의 개수는 $\overline{AB}$, $\overline{AC}$, $\overline{BC}$의 3
따라서 $a=1$, $b=4$, $c=3$이므로
$a+b+c=1+4+3=8$

4 점 N이 $\overline{MB}$의 중점이므로
$\overline{MB}=2\overline{MN}=2\times3=6\,(\text{cm})$
점 M이 $\overline{AB}$의 중점이므로
$\overline{AM}=\overline{MB}=6\text{ cm}$
$\therefore \overline{AN}=\overline{AM}+\overline{MN}=6+3=9\,(\text{cm})$

5 평각의 크기는 180°이므로
$(2\angle x-10°)+3\angle x+(\angle x+40°)=180°$
$6\angle x+30°=180°$, $6\angle x=150°$ $\quad\therefore \angle x=25°$
$\therefore \angle COD=3\angle x=3\times25°=75°$

6 평각의 크기는 180°이므로
$\angle ABD+\angle DBE=180°$
$30°+\angle DBE=180°$ $\quad\therefore \angle DBE=150°$
$\therefore \angle DBC=\frac{1}{5}\angle DBE=\frac{1}{5}\times150°=30°$

7

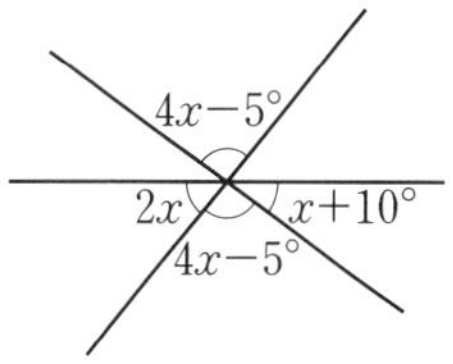

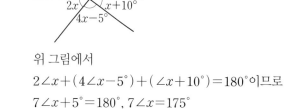

위 그림에서
$2\angle x+(4\angle x-5°)+(\angle x+10°)=180°$이므로
$7\angle x+5°=180°$, $7\angle x=175°$
$\therefore \angle x=25°$

8 ③ 점 C와 $\overline{AB}$ 사이의 거리는 $\overline{AC}$의 길이와 같으므로 3 cm이다.

교과서 기출 베스트 2회 | 14쪽~15쪽

1 2	2 ③	3 10	4 ③
5 ③	6 ⑤	7 10°	8 ①
9 ④	10 ⑤		

1 주어진 입체도형에서
(면의 개수)=7
(교점의 개수)=(꼭짓점의 개수)=10
(교선의 개수)=(모서리의 개수)=15
따라서 $a=7$, $b=10$, $c=15$이므로
$a+b-c=7+10-15=2$

2 ③ $\overrightarrow{AB}$와 $\overrightarrow{AC}$는 시작점과 방향이 모두 같으므로 같은 반직선이다.

3 두 점을 이어서 만들 수 있는 서로 다른 반직선의 개수는 $\overrightarrow{AB}$, $\overrightarrow{AP}$, $\overrightarrow{BA}$, $\overrightarrow{BC}$, $\overrightarrow{BP}$, $\overrightarrow{CB}$, $\overrightarrow{CP}$, $\overrightarrow{PA}$, $\overrightarrow{PB}$, $\overrightarrow{PC}$의 10이다.

4 두 점 M, N이 각각 $\overline{AB}$, $\overline{BC}$의 중점이므로

$\overline{MB}=\frac{1}{2}\overline{AB}$, $\overline{BN}=\frac{1}{2}\overline{BC}$

$\therefore \overline{MN}=\overline{MB}+\overline{BN}$

$=\frac{1}{2}\overline{AB}+\frac{1}{2}\overline{BC}$

$=\frac{1}{2}(\overline{AB}+\overline{BC})$

$=\frac{1}{2}\overline{AC}$

$=\frac{1}{2}\times 24=12\ (\mathrm{cm})$

5 평각의 크기는 180°이므로

$(\angle x+10^\circ)+(2\angle x-10^\circ)+30^\circ=180^\circ$

$3\angle x+30^\circ=180^\circ$, $3\angle x=150^\circ$

$\therefore \angle x=50^\circ$

6 $\angle AOC=90^\circ$이고, $\angle AOC=5\angle COD$이므로

$\angle COD=\frac{1}{5}\angle AOC=\frac{1}{5}\times 90^\circ=18^\circ$

한편 $\angle DOB=90^\circ-\angle COD=90^\circ-18^\circ=72^\circ$이므로

$\angle DOE+\angle EOB=72^\circ$

이때 $\angle EOB=2\angle DOE$이므로

$\angle DOE+2\angle DOE=72^\circ$, $3\angle DOE=72^\circ$

$\therefore \angle DOE=24^\circ$

7 맞꼭지각의 크기는 서로 같으므로

$3\angle x+10^\circ=\angle x+30^\circ$

$2\angle x=20^\circ$ $\quad\therefore \angle x=10^\circ$

8

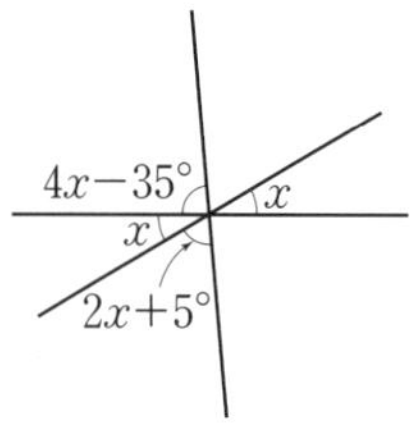

위 그림에서

$(4\angle x-35^\circ)+\angle x+(2\angle x+5^\circ)=180^\circ$이므로

$7\angle x-30^\circ=180^\circ$, $7\angle x=210^\circ$

$\therefore \angle x=30^\circ$

9 ① $\overline{PH}$는 $\overline{AB}$의 수선이다.

② $\overline{PH}$의 길이와 $\overline{HB}$의 길이가 서로 같은지는 알 수 없다.

③ 점 H는 점 P에서 해안 도로에 내린 수선의 발이다.

⑤ 점 A와 $\overline{PH}$ 사이의 거리는 $\overline{AH}$의 길이와 같다.

따라서 옳은 것은 ④이다.

10 ⑤ 점 C에서 변 AB에 내린 수선의 발은 점 B이다.

2일 위치 관계와 평행선의 성질

시험지 속 개념 문제 | 19쪽, 21쪽

1 송, 싸, 은 **2** ③ **3** 나은, 우빈

4 (1) $\overline{AE}$, $\overline{BF}$, $\overline{EH}$, $\overline{FG}$ (2) $\overline{AD}$, $\overline{BC}$, $\overline{FG}$ (3) $\overline{FG}$

5 5 **6** ②, ⑤

7 (1) 125° (2) 65° (3) 50°

8 (1) 100° (2) 50° **9** 근수

2 ① 점 A는 직선 l 위에 있지 않다.

② 점 B는 직선 m 위에 있다.

④ 두 직선 l과 m은 한 점에서 만나므로 평행하지 않다.
⑤ 점 D는 두 직선 l, m의 교점이 아니다.
따라서 옳은 것은 ③이다.

3 나은 : 꼬인 위치에 있는 두 직선은 한 평면 위에 있지 않다.
우빈 : 공간에서 만나지 않는 두 직선은 평행하거나 꼬인 위치에 있다.

4 (1) 모서리 CD와 꼬인 위치에 있는 모서리는 $\overline{AE}$, $\overline{BF}$, $\overline{EH}$, $\overline{FG}$이다.
(2) 모서리 EH와 평행한 모서리는 $\overline{AD}$, $\overline{BC}$, $\overline{FG}$이다.
(3) 모서리 CD와 꼬인 위치에 있으면서 모서리 EH와 평행한 모서리는 $\overline{FG}$이다.

5 면 ABCD와 평행한 면의 개수는
면 EFGH의 1
면 ABCD와 수직인 모서리의 개수는
$\overline{AE}$, $\overline{BF}$, $\overline{CG}$, $\overline{DH}$의 4
따라서 $a=1$, $b=4$이므로
$a+b=1+4=5$

6 오른쪽 그림에서 동위각끼리 짝 지으면
$\angle a$와 $\angle h$, $\angle b$와 $\angle g$,
$\angle c$와 $\angle f$, $\angle d$와 $\angle e$이다.
따라서 동위각끼리 짝 지어진 것은 ②, ⑤이다.

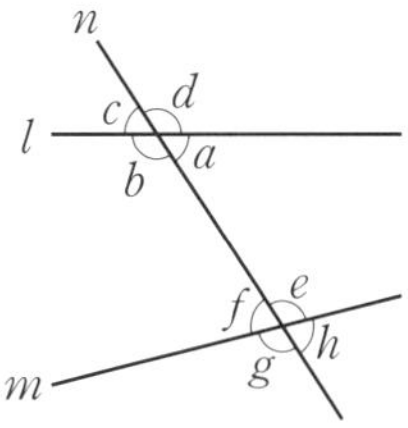

7 (1) $\angle x=125°$ (엇각)
(2) 오른쪽 그림에서
$\angle x+75°+40°=180°$
$\therefore \angle x=65°$

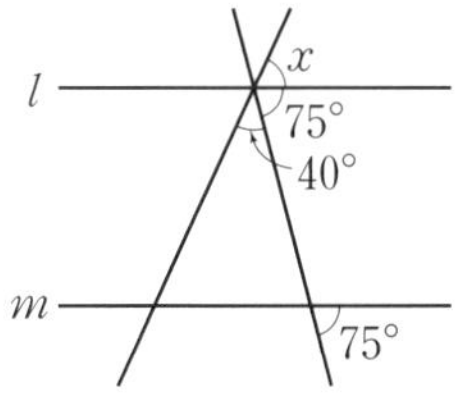

(3) 오른쪽 그림에서 삼각형의 세 내각의 크기의 합은 180°이므로
$\angle x+75°+55°=180°$
$\therefore \angle x=50°$

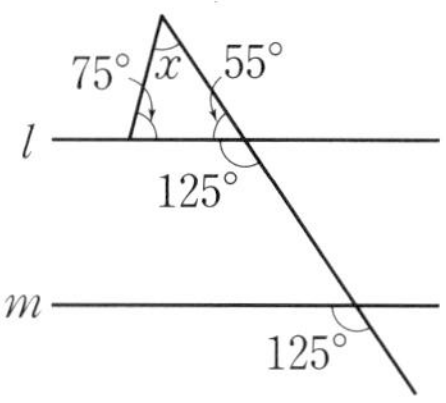

8 (1) 오른쪽 그림과 같이 $l \,/\!/\, m \,/\!/\, n$이 되도록 직선 n을 그으면
$\angle x=40°+60°=100°$

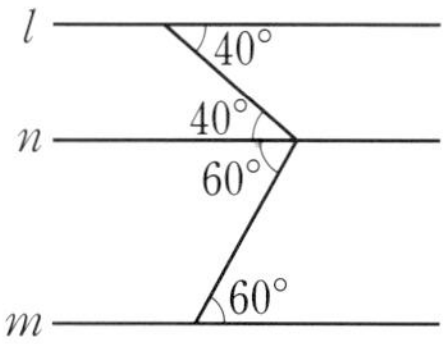

(2) 오른쪽 그림과 같이 $l \,/\!/\, m \,/\!/\, n$이 되도록 직선 n을 그으면
$\angle x=50°$ (엇각)

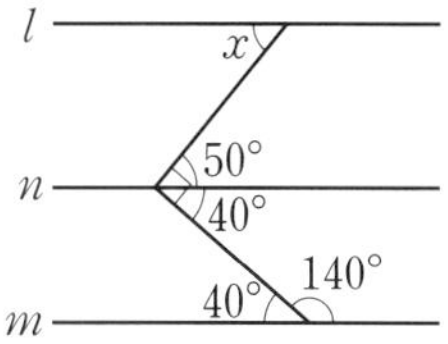

9 근수 : 오른쪽 그림과 같이 동위각의 크기가 같으므로 $l \,/\!/\, m$이다.

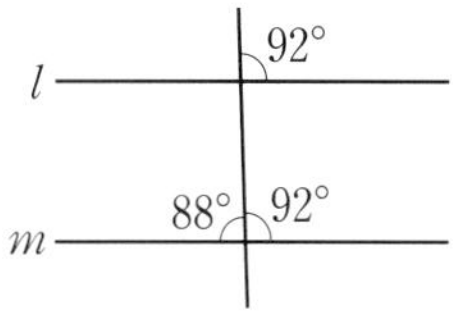

교과서 기출 베스트 1회 | 22쪽~23쪽

1 ②, ⑤	**2** ⑤	**3** ⑤	**4** 7
5 ⑤	**6** $\angle x=50°$, $\angle y=90°$	**7** 85°	
8 50°			

1 ② 변 AB와 변 DC는 서로 평행하지 않다.
⑤ 변 BC와 변 DC는 한 점에서 만난다.

2 $\overline{AB}$와 $\overline{AC}$, $\overline{AD}$, $\overline{BC}$, $\overline{BE}$는 각각 한 점에서 만난다.
⑤ $\overline{AB}$와 $\overline{CD}$는 꼬인 위치에 있다.

3 ① 모서리 AB와 면 ADFC는 한 점에서 만난다.
② 모서리 AC와 꼬인 위치에 있는 모서리는 $\overline{BE}$, $\overline{DE}$, $\overline{EF}$의 3개이다.
③ 모서리 BE는 면 ADFC와 평행하다.
④ 면 ADEB에 수직인 모서리는 $\overline{BC}$, $\overline{EF}$의 2개이다.
⑤ 면 ABC와 평행한 모서리는 $\overline{DE}$, $\overline{EF}$, $\overline{DF}$의 3개이다.
따라서 옳은 것은 ⑤이다.

4 면 DEFG와 평행한 모서리의 개수는
$\overline{AB}$, $\overline{BC}$, $\overline{AC}$의 3
모서리 AB와 꼬인 위치에 있는 모서리의 개수는
$\overline{CF}$, $\overline{CG}$, $\overline{DG}$, $\overline{EF}$의 4
따라서 $a=3$, $b=4$이므로
$a+b=3+4=7$

5 $\angle a$의 동위각은 $\angle d$이고, $\angle d=180^\circ-100^\circ=80^\circ$
$\angle b$의 엇각은 $\angle e$이고, $\angle e=100^\circ$ (맞꼭지각)

6 오른쪽 그림에서

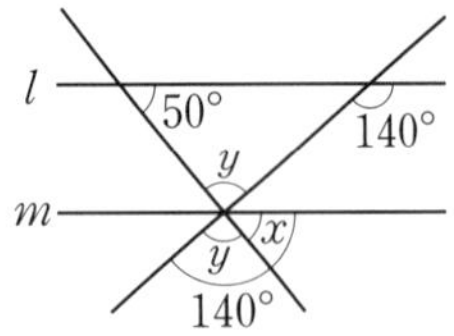

$\angle x=50^\circ$ (동위각)
$\angle y=140^\circ-\angle x$
$=140^\circ-50^\circ$
$=90^\circ$ (맞꼭지각)

7 오른쪽 그림과 같이 $l /\!/ m /\!/ n$이 되도록 직선 n을 그으면

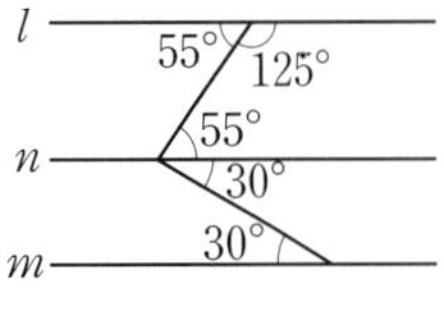

$\angle x=55^\circ+30^\circ=85^\circ$

8

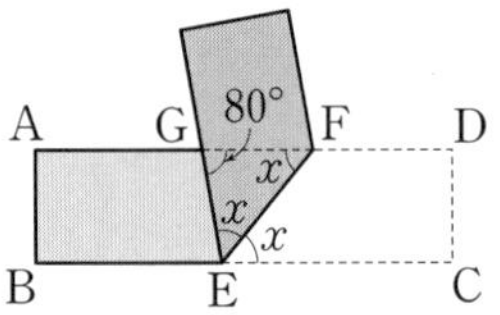

$\overline{AD} /\!/ \overline{BC}$이므로
$\angle FEC=\angle GFE=\angle x$ (엇각)
이때 $\angle GEF=\angle FEC=\angle x$ (접은 각)이므로
$\triangle GEF$에서
$80^\circ+\angle x+\angle x=180^\circ$
$2\angle x=100^\circ$ $\therefore \angle x=50^\circ$

교과서 기출 베스트 ②회

24쪽~25쪽

1 준석, 직선 m은 점 D를 지나지 않는다.			2 ⑤
3 ④	4 ②	5 197°	6 10°
7 ④	8 ③	9 56°	

2 ①, ②, ③, ④ 꼬인 위치에 있다.
⑤ 평행하다.
따라서 위치 관계가 나머지 넷과 다른 하나는 ⑤이다.

3 ④ 면 CGHD와 모서리 EF는 평행하다.

4 ① 면 BEF와 만나는 면은 면 ABC, 면 ABED, 면 DEFG, 면 CFG, 면 BFC의 5개이다.
③ 모서리 AB에 수직인 면은 면 ADGC, 면 BEF의 2개이다.
④ 모서리 AD와 평행한 모서리는 $\overline{BE}$, $\overline{CG}$의 2개이다.
⑤ 모서리 BE와 꼬인 위치에 있는 모서리는 $\overline{AC}$, $\overline{CF}$, $\overline{DG}$, $\overline{GF}$의 4개이다.
따라서 옳은 것은 ②이다.

5 $\angle a$의 엇각은 $\angle b$이고, $\angle b=180^\circ-78^\circ=102^\circ$
$\angle b$의 동위각의 크기는 95°
따라서 구하는 합은
$102^\circ+95^\circ=197^\circ$

6 오른쪽 그림에서

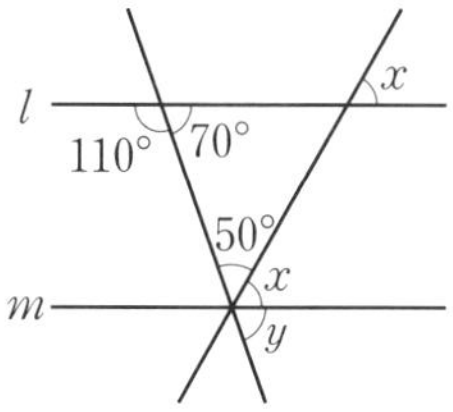

$50^\circ+\angle x=110^\circ$ (엇각)
$\therefore \angle x=60^\circ$ (동위각)
$\angle y=70^\circ$ (동위각)
$\therefore \angle y-\angle x=70^\circ-60^\circ$
$=10^\circ$

7 ④ $180^\circ-100^\circ=80^\circ$, 즉 동위각의 크기가 80°로 같으므로 두 직선 l, m은 서로 평행하다.

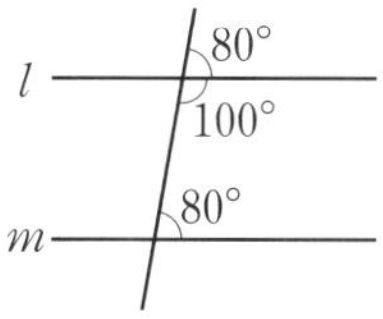

8 오른쪽 그림과 같이 $l /\!/ m /\!/ p /\!/ q$가 되도록 두 직선 p, q를 그으면
$\angle x=30^\circ+75^\circ=105^\circ$

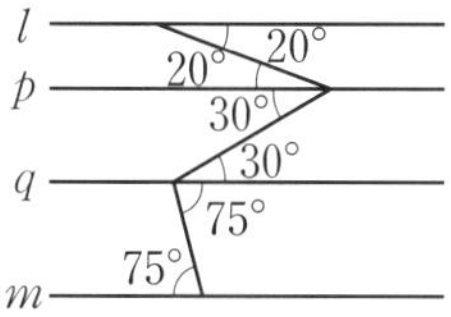

9

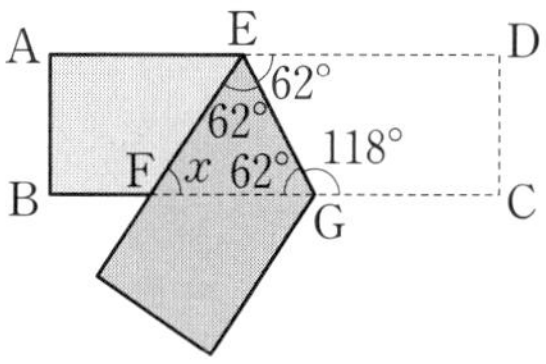

$\angle EGF=180^\circ-118^\circ=62^\circ$
$\overline{AD} /\!/ \overline{BC}$이므로
$\angle DEG=\angle EGF=62^\circ$ (엇각)
이때 $\angle FEG=\angle DEG=62^\circ$ (접은 각)이므로
$\triangle EFG$에서
$62^\circ+\angle x+62^\circ=180^\circ$
$\therefore \angle x=56^\circ$

3일 작도와 합동

시험지 속 개념 문제 | 29쪽, 31쪽

1 ②	**2** ㉡ → ㉠ → ㉢
3 ㉤, ㉠, ㉢	**4** ①
5 ③	**6** ④
7 ①	**8** (1) 10 cm (2) 75°
9 ②	

10 $\triangle ABC \equiv \triangle RQP$ (ASA 합동)
$\triangle DEF \equiv \triangle JLK$ (SAS 합동)
$\triangle GHI \equiv \triangle ONM$ (SSS 합동)

11 ②

1 ② 두 선분의 길이를 비교할 때에는 컴퍼스를 사용한다.

참고
작도에 사용되는 도구
① 눈금 없는 자를 사용하는 경우
– 두 점을 연결하여 선분을 그릴 때
– 주어진 선분을 연장할 때
② 컴퍼스를 사용하는 경우
– 원을 그릴 때
– 주어진 선분의 길이를 재어서 옮길 때

3 ㉡ 점 O를 중심으로 하는 원을 그려 $\overrightarrow{OX}$, $\overrightarrow{OY}$와의 교점을 각각 A, B라 한다.
㉤ 점 P를 중심으로 하고 반지름의 길이가 $\overline{OA}$인 원을 그려 $\overrightarrow{PQ}$와의 교점을 C라 한다.
㉠ 컴퍼스를 사용하여 $\overline{AB}$의 길이를 잰다.
㉣ 점 C를 중심으로 하고 반지름의 길이가 $\overline{AB}$인 원을 그려 ㉤에서 그린 원과의 교점을 D라 한다.
㉢ 두 점 P, D를 지나는 $\overrightarrow{PD}$를 그으면 $\angle DPC$가 구하는 각이다.
따라서 작도 순서는 ㉡ → ㉤ → ㉠ → ㉣ → ㉢이다.

4 ① 7=2+5

② 7<5+5

③ 7<5+7

④ 9<5+7

⑤ 11<5+7

따라서 x의 값이 될 수 없는 것은 ①이다.

5 △ABC를 작도하는 순서는 다음의 네 가지 경우가 있다.

(ⅰ) $\angle A \rightarrow \overline{AB} \rightarrow \overline{AC} \rightarrow \overline{BC}$

(ⅱ) $\angle A \rightarrow \overline{AC} \rightarrow \overline{AB} \rightarrow \overline{BC}$

(ⅲ) $\overline{AB} \rightarrow \angle A \rightarrow \overline{AC} \rightarrow \overline{BC}$

(ⅳ) $\overline{AC} \rightarrow \angle A \rightarrow \overline{AB} \rightarrow \overline{BC}$

(ⅰ)~(ⅳ)에서 맨 마지막에 작도해야 하는 것은 $\overline{BC}$를 긋는 것이다.

참고

두 변의 길이와 그 끼인각의 크기가 주어졌을 때에는 각을 작도한 후 두 변을 작도하거나((ⅰ), (ⅱ)) 또는 한 변 → 각 → 다른 한 변((ⅲ), (ⅳ))의 순서로 작도한다.

6 한 변의 길이와 그 양 끝 각의 크기가 주어졌을 때에는

(ⅰ) 선분을 작도한 후 두 각을 작도하거나

(ⅱ) 한 각을 작도한 후 선분을 작도하고 다른 한 각을 작도한다.

따라서 △ABC의 작도 순서로 옳지 않은 것은 ④이다.

7 ①

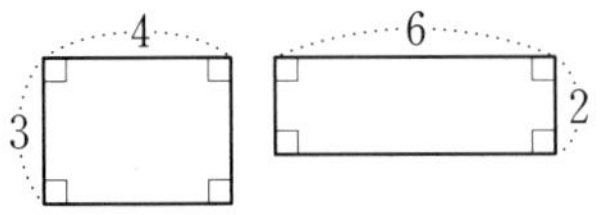

위 그림과 같이 넓이가 같다고 하여 두 직사각형이 합동인 것은 아니다.

8 (1) $\overline{DE}=\overline{AB}=10\text{ cm}$

(2) $\angle A=\angle D=75^\circ$

9 보기의 삼각형에서 나머지 한 각의 크기는

$180^\circ-(75^\circ+60^\circ)=45^\circ$

② 한 변의 길이가 같고 그 양 끝 각의 크기가 각각 같으므로 ASA 합동이다.

10 △ABC와 △RQP에서

$\overline{BC}=\overline{QP}$, $\angle B=\angle Q$, $\angle C=\angle P$이므로

△ABC≡△RQP (ASA 합동)

△DEF와 △JLK에서

$\overline{DE}=\overline{JL}$, $\overline{EF}=\overline{LK}$, $\angle E=\angle L$이므로

△DEF≡△JLK (SAS 합동)

△GHI와 △ONM에서

$\overline{GH}=\overline{ON}$, $\overline{HI}=\overline{NM}$, $\overline{GI}=\overline{OM}$이므로

△GHI≡△ONM (SSS 합동)

11 ② △ABD와 △ACD에서

$\overline{AB}=\overline{AC}$, $\overline{BD}=\overline{CD}$, $\overline{AD}$는 공통이므로

△ABD≡△ACD (SSS 합동)

교과서 기출 베스트 1회 | 32쪽~33쪽

1 ⑤	2 ②	3 ㉠, ㉢	4 ②, ⑤
5 79	6 ④		
7 $\overline{AB}=\overline{DE}$, $\angle A=\angle D$, $\angle C=\angle F$			8 120 m

1 ⑤ $\overline{OC}=\overline{OD}=\overline{AE}=\overline{AF}$, $\overline{CD}=\overline{EF}$이지만 $\overline{OD}=\overline{EF}$인지는 알 수 없다.

2 ㉠ 점 P를 지나는 직선을 그어 직선 l과의 교점을 A라 한다.
㉤ 점 A를 중심으로 하는 원을 그려 직선 PA, 직선 l과의 교점을 각각 B, C라 한다.
㉡ 점 P를 중심으로 하고 반지름의 길이가 $\overline{AB}$인 원을 그려 직선 PA와의 교점을 Q라 한다.
㉥ 컴퍼스를 사용하여 $\overline{BC}$의 길이를 잰다.
㉢ 점 Q를 중심으로 하고 반지름의 길이가 $\overline{BC}$인 원을 그려 ㉡에서 그린 원과의 교점을 R라 한다.
㉣ 두 점 P, R를 이으면 직선 PR가 구하는 직선이다.
따라서 작도 순서는
㉠ → ㉤ → ㉡ → ㉥ → ㉢ → ㉣이다.

3 ㉠ $5<2+4$
㉡ $10=5+5$
㉢ $9<8+2$
㉣ $7>2+3$
따라서 삼각형을 작도할 수 있는 것은 ㉠, ㉢이다.

4 ② $\angle A$가 $\overline{AB}$, $\overline{BC}$의 끼인각이 아니므로 $\triangle ABC$가 하나로 정해지지 않는다.
⑤ $\overline{AB}>\overline{BC}+\overline{AC}$, 즉 가장 긴 변의 길이가 나머지 두 변의 길이의 합보다 크므로 삼각형이 그려지지 않는다.

5 $\overline{AD}=\overline{EH}=9$ cm이므로 $x=9$
$\angle G=\angle C=70°$이므로 $y=70$
$\therefore x+y=9+70=79$

6 ④ 길이가 9 cm인 변의 양 끝 각의 크기가 70°, 45°가 아니므로 나머지 넷과 합동이 아니다.

7 $\overline{AB}=\overline{DE}$이면 SAS 합동이다.
$\angle A=\angle D$ 또는 $\angle C=\angle F$이면 ASA 합동이다.

8 오른쪽 그림과 같이 각 지점을 A~E라 하면

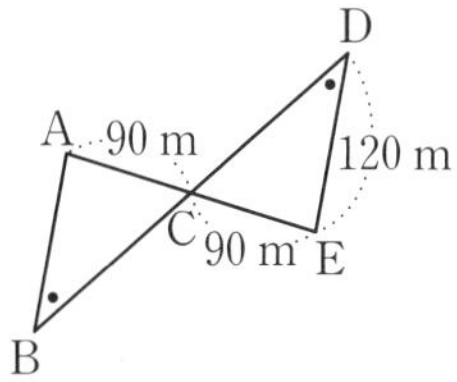

$\triangle ABC$와 $\triangle EDC$에서
$\overline{AC}=\overline{EC}$ …… ㉠
$\angle ACB=\angle ECD$ (맞꼭지각) …… ㉡
또, $\angle ABD=\angle EDC$이므로
$\angle BAC=180°-(\angle ABC+\angle ACB)$
$=180°-(\angle EDC+\angle ECD)$
$=\angle DEC$ …… ㉢
㉠, ㉡, ㉢에서
$\triangle ABC\equiv\triangle EDC$ (ASA 합동)
따라서 $\overline{AB}=\overline{ED}=120$ m이므로 두 사람의 현재 위치에서 매점까지의 거리는 120 m이다.

교과서 기출 베스트 2회 | 34쪽~35쪽

1 ⑤ **2** ① **3** ③
4 (1) ㉠ → ㉤ → ㉣ → ㉥ → ㉢ → ㉡
(2) 서로 다른 두 직선이 한 직선과 만날 때, 엇각의 크기가 같으면 두 직선은 서로 평행하다.
5 ①
6 4모둠, 세 각의 크기가 주어질 때에는 모양은 같고 크기가 다른 삼각형이 무수히 많이 그려진다.
7 ④ **8** ③, ④

1 ㉠ 작도할 때에는 눈금 없는 자와 컴퍼스를 사용한다.
㉡ 선분의 길이를 잴 때에는 컴퍼스를 사용한다.
따라서 옳은 것은 ㉢, ㉣이다.

2 선분의 길이를 재어서 다른 직선 위로 옮길 때에는 컴퍼스를 사용한다.

3 ③ $\overline{OA}=\overline{OB}=\overline{PC}=\overline{PD}$, $\overline{AB}=\overline{CD}$이지만 $\overline{OB}=\overline{CD}$인지는 알 수 없다.

4 (1) ㉠ 점 P를 지나는 직선을 그어 직선 l과의 교점을 Q라 한다.
㉤ 점 Q를 중심으로 하는 원을 그려 직선 PQ, 직선 l과의 교점을 각각 A, B라 한다.
㉣ 점 P를 중심으로 하고 반지름의 길이가 $\overline{QA}$인 원을 그려 직선 PQ와의 교점을 C라 한다.
㉥ 컴퍼스를 사용하여 $\overline{AB}$의 길이를 잰다.
㉢ 점 C를 중심으로 하고 반지름의 길이가 $\overline{AB}$인 원을 그려 ㉣에서 그린 원과의 교점을 D라 한다.
㉡ 두 점 P, D를 이으면 직선 PD가 구하는 직선이다.
따라서 작도 순서는
㉠ → ㉤ → ㉣ → ㉥ → ㉢ → ㉡이다.

5 $11-7<x<11+7$ $\therefore 4<x<18$

6 1모둠 : 삼각형의 세 변의 길이가 주어졌으므로 삼각형이 하나로 정해진다.
2모둠 : 삼각형의 두 변의 길이와 그 끼인각의 크기가 주어졌으므로 삼각형이 하나로 정해진다.
3모둠 : 삼각형의 한 변의 길이와 그 양 끝 각의 크기가 주어졌으므로 삼각형이 하나로 정해진다.
4모둠 : 세 각의 크기가 주어질 때에는 모양은 같고 크기가 다른 삼각형이 무수히 많이 그려진다.
따라서 네 모둠의 학생들 중 4모둠만 학생들이 그린 삼각형의 크기가 모두 달랐다.

7 ④ $\angle D=\angle A=180^\circ-(82^\circ+38^\circ)=60^\circ$

8 ① ASA 합동
② SSS 합동
③ 두 변의 길이가 각각 같고, 그 끼인각이 아닌 한 각의 크기가 같으므로 $\triangle ABC\equiv\triangle DEF$라 할 수 없다.
④ 세 각의 크기가 각각 같으므로 모양은 같지만 크기가 다를 수 있다. 따라서 $\triangle ABC\equiv\triangle DEF$라 할 수 없다.
⑤ SAS 합동
따라서 $\triangle ABC\equiv\triangle DEF$라 할 수 없는 것은 ③, ④이다.

4일 다각형

시험지 속 개념 문제 | 39쪽, 41쪽

1 ③, ⑤	**2** ③
3 그림은 풀이 참조 ($\angle C$의 외각의 크기)$=180^\circ-60^\circ=120^\circ$	
4 (1) 6 (2) 3	**5** ③
6 (1) 55° (2) 35°	**7** (1) 15° (2) 50°
8 (1) 114° (2) 120°	**9** (1) 35° (2) 30°
10 ④	

1 ③, ⑤ 곡선으로 둘러싸여 있으므로 다각형이 아니다.

2 ③ 다각형의 외각은 한 내각에 대하여 두 개이다.

3

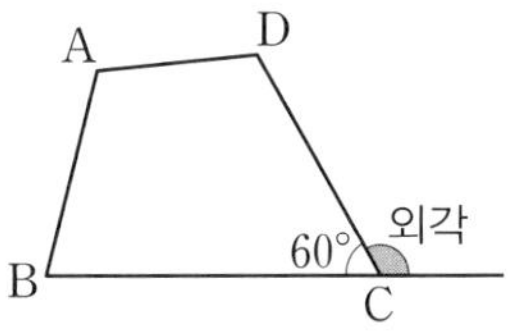

4 (1) 육각형의 꼭짓점의 개수는 6이다.
(2) 육각형의 한 꼭짓점에서 그을 수 있는 대각선의 개수는 $6-3=3$이다.

5 (십각형의 대각선의 개수)$=\dfrac{10\times(10-3)}{2}=35$

6 (1) $90^\circ+35^\circ+\angle x=180^\circ$이므로
$\angle x=55^\circ$
(2) $\angle x+115^\circ+30^\circ=180^\circ$이므로
$\angle x=35^\circ$

7 (1) $45^\circ+3\angle x+(4\angle x+30^\circ)=180^\circ$이므로
$7\angle x=105^\circ$ $\quad\therefore \angle x=15^\circ$
(2) $(2\angle x-30^\circ)+60^\circ+\angle x=180^\circ$이므로
$3\angle x=150^\circ$ $\quad\therefore \angle x=50^\circ$

8 (1) $\angle x=60^\circ+54^\circ=114^\circ$
(2) $30^\circ+\angle x=150^\circ$이므로
$\angle x=120^\circ$

9 (1) $\angle x+(\angle x+10^\circ)=80^\circ$이므로
$2\angle x=70^\circ$ $\quad\therefore \angle x=35^\circ$
(2) $(\angle x+40^\circ)+(2\angle x-10^\circ)=120^\circ$이므로
$3\angle x=90^\circ$ $\quad\therefore \angle x=30^\circ$

교과서 기출 베스트 1회

42쪽~43쪽

1 ④	2 25	3 십각형	4 60°
5 130°	6 85°	7 130°	8 42°

1 ④ 부채꼴에는 곡선이 있으므로 다각형이 아니다.

2 팔각형의 한 꼭짓점에서 그을 수 있는 대각선의 개수는 $8-3=5$이므로 $a=5$
팔각형의 대각선의 개수는 $\dfrac{8\times(8-3)}{2}=20$이므로
$b=20$
$\therefore a+b=5+20=25$

3 구하는 다각형을 n각형이라 하면
$\dfrac{n(n-3)}{2}=35$
$n(n-3)=70=10\times7$이므로 $n=10$
따라서 구하는 다각형은 십각형이다.

4 △ACP에서
$\angle x+45^\circ+\angle APC=180^\circ$
△PBD에서
$\angle DPB+40^\circ+65^\circ=180^\circ$
이때 $\angle APC=\angle DPB$ (맞꼭지각)이므로
$\angle x+45^\circ=40^\circ+65^\circ$ $\therefore \angle x=60^\circ$

5 △ABC에서
$\angle ACD=30^\circ+55^\circ=85^\circ$
△ECD에서
$\angle x=85^\circ+45^\circ=130^\circ$

6 △ABC에서
$65^\circ+\angle ABC=105^\circ$ $\therefore \angle ABC=40^\circ$
$\overline{BD}$는 ∠B의 이등분선이므로
$\angle DBC=\frac{1}{2}\angle ABC=\frac{1}{2}\times 40^\circ=20^\circ$
따라서 △BCD에서
$\angle x+20^\circ=105^\circ$ $\therefore \angle x=85^\circ$

7 △ABC에서 $80^\circ+2\bullet+2\blacktriangle=180^\circ$이므로
$2\bullet+2\blacktriangle=100^\circ$, $2(\bullet+\blacktriangle)=100^\circ$
$\therefore \bullet+\blacktriangle=50^\circ$
△DBC에서 $\angle x+\bullet+\blacktriangle=180^\circ$이므로
$\angle x+50^\circ=180^\circ$ $\therefore \angle x=130^\circ$

8 △ABC는 $\overline{AB}=\overline{AC}$인 이등변삼각형이므로
$\angle ACB=\angle B=\angle x$
$\therefore \angle CAD=\angle B+\angle ACB$
$=\angle x+\angle x=2\angle x$
△ACD는 $\overline{CA}=\overline{CD}$인 이등변삼각형이므로
$\angle CDA=\angle CAD=2\angle x$
따라서 △BCD에서
$2\angle x+\angle x=126^\circ$, $3\angle x=126^\circ$ $\therefore \angle x=42^\circ$

교과서 기출 베스트 2회 | 44쪽~45쪽

1 3개	2 ④	3 9개	4 ②
5 ③	6 86°	7 ⑤	8 117°
9 75°	10 (1) 20°, 40°, 40° (2) 60°		

1 다각형은 ㉠, ㉢, ㉥의 3개이다.

2 구하는 다각형을 n각형이라 하면
한 꼭짓점에서 그을 수 있는 대각선의 개수가 6이므로
$n-3=6$ $\therefore n=9$
따라서 구하는 다각형은 구각형이고 대각선의 개수는
$\frac{9\times(9-3)}{2}=27$

3 새로 만들어야 하는 도로의 수는 육각형의 대각선의 개수와 같으므로 $\frac{6\times(6-3)}{2}=9$(개)

4 $(2\angle x+50^\circ)+(4\angle x+10^\circ)+6\angle x=180^\circ$이므로
$12\angle x=120^\circ$ $\therefore \angle x=10^\circ$

5 삼각형의 세 내각의 크기의 합은 180°이므로 가장 작은 내각의 크기는
$180^\circ\times\frac{1}{1+2+3}=180^\circ\times\frac{1}{6}=30^\circ$

6 △ABO에서
$42^\circ+83^\circ+\angle AOB=180^\circ$
△ODC에서
$\angle COD+39^\circ+\angle x=180^\circ$
이때 $\angle AOB=\angle COD$ (맞꼭지각)이므로
$42^\circ+83^\circ=39^\circ+\angle x$ $\therefore \angle x=86^\circ$

7 $\angle x+(\angle x-20^\circ)=3\angle x-75^\circ$이므로
$2\angle x-20^\circ=3\angle x-75^\circ$ $\therefore \angle x=55^\circ$

8 △ABD에서

$73^\circ+\angle ABD=95^\circ$ $\quad\therefore \angle ABD=22^\circ$

$\overline{BD}$는 $\angle B$의 이등분선이므로

$\angle ABC=2\angle ABD=2\times22^\circ=44^\circ$

따라서 △ABC에서

$\angle x=73^\circ+44^\circ=117^\circ$

9 △DBC에서 $125^\circ+\angle DBC+\angle DCB=180^\circ$

$\therefore \angle DBC+\angle DCB=55^\circ$

△ABC에서

$\angle x+(20^\circ+\angle DBC)+(30^\circ+\angle DCB)=180^\circ$

$\angle x+50^\circ+(\angle DBC+\angle DCB)=180^\circ$

$\angle x+50^\circ+55^\circ=180^\circ$ $\quad\therefore \angle x=75^\circ$

10 (2) △BCD에서

$\angle x=\angle B+\angle BDC=20^\circ+40^\circ=60^\circ$

5일 다각형의 내각과 외각

시험지 속 개념 문제 | 49쪽

1 (1) 720°, 360° (2) 900°, 360°
2 (1) 70° (2) 125° 3 (1) 80° (2) 120°
4 (1) 108°, 72° (2) 144°, 36°
5 (1) 정팔각형 (2) 정십오각형
6 (1) 정십각형 (2) 정육각형

1 (1) 육각형의

(내각의 크기의 합)$=180^\circ\times(6-2)=720^\circ$

(외각의 크기의 합)$=360^\circ$

(2) 칠각형의

(내각의 크기의 합)$=180^\circ\times(7-2)=900^\circ$

(외각의 크기의 합)$=360^\circ$

2 (1) 사각형의 내각의 크기의 합은

$180^\circ\times(4-2)=360^\circ$이므로

$90^\circ+110^\circ+90^\circ+\angle x=360^\circ$ $\quad\therefore \angle x=70^\circ$

(2) 오각형의 내각의 크기의 합은

$180^\circ\times(5-2)=540^\circ$이므로

$125^\circ+85^\circ+\angle x+110^\circ+95^\circ=540^\circ$

$\therefore \angle x=125^\circ$

3 (1) $60^\circ+90^\circ+130^\circ+\angle x=360^\circ$이므로

$\angle x=80^\circ$

(2)

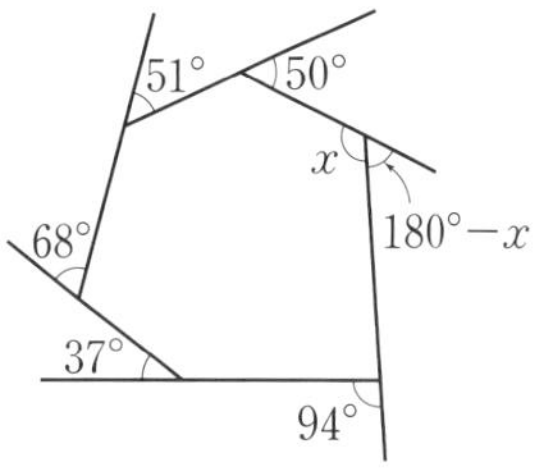

$51^\circ+68^\circ+37^\circ+94^\circ+(180^\circ-\angle x)+50^\circ=360^\circ$

이므로

$\angle x=120^\circ$

4 (1) 정오각형의

(한 내각의 크기)$=\dfrac{180^\circ\times(5-2)}{5}=108^\circ$

(한 외각의 크기)$=\dfrac{360^\circ}{5}=72^\circ$

(2) 정십각형의

(한 내각의 크기)$=\dfrac{180^\circ\times(10-2)}{10}=144^\circ$

(한 외각의 크기)$=\dfrac{360^\circ}{10}=36^\circ$

5 (1) 구하는 정다각형을 정n각형이라 하면

$\dfrac{180^\circ\times(n-2)}{n}=135^\circ$

$180^\circ\times n-360^\circ=135^\circ\times n$

$45^\circ\times n=360^\circ$ $\quad\therefore n=8$

따라서 구하는 정다각형은 정팔각형이다.

중간

(2) 구하는 정다각형을 정n각형이라 하면

$\frac{180^\circ \times (n-2)}{n}=156^\circ$

$180^\circ \times n-360^\circ=156^\circ \times n$

$24^\circ \times n=360^\circ \qquad \therefore n=15$

따라서 구하는 정다각형은 정십오각형이다.

6 (1) 구하는 정다각형을 정n각형이라 하면

$\frac{360^\circ}{n}=36^\circ \qquad \therefore n=10$

따라서 구하는 정다각형은 정십각형이다.

(2) 구하는 정다각형을 정n각형이라 하면

$\frac{360^\circ}{n}=60^\circ \qquad \therefore n=6$

따라서 구하는 정다각형은 정육각형이다.

교과서 기출 베스트 1회 | 50쪽~51쪽

1 ⑤	2 55°	3 ④	4 ⑤
5 50°	6 정구각형	7 ①	8 정오각형

1 구하는 다각형을 n각형이라 하면

$180^\circ \times (n-2)=1980^\circ$

$180^\circ \times n-360^\circ=1980^\circ$

$180^\circ \times n=2340^\circ \qquad \therefore n=13$

따라서 구하는 다각형은 십삼각형이다.

2 오각형의 내각의 크기의 합은

$180^\circ \times (5-2)=540^\circ$이므로

$2\angle x+125^\circ+2\angle x+140^\circ+\angle x=540^\circ$

$5\angle x=275^\circ \qquad \therefore \angle x=55^\circ$

3 구하는 다각형을 n각형이라 하면

한 꼭짓점에서 그을 수 있는 대각선의 개수가 6이므로

$n-3=6 \qquad \therefore n=9$

따라서 구각형의 내각의 크기의 합은

$180^\circ \times (9-2)=1260^\circ$

4 구하는 정다각형을 정n각형이라 하면

$\frac{180^\circ \times (n-2)}{n}=150^\circ$

$180^\circ \times n-360^\circ=150^\circ \times n$

$30^\circ \times n=360^\circ \qquad \therefore n=12$

따라서 구하는 정다각형은 정십이각형이다.

5 $(\angle x+10^\circ)+2\angle x+50^\circ+60^\circ+90^\circ=360^\circ$이므로

$3\angle x=150^\circ \qquad \therefore \angle x=50^\circ$

6 모든 변의 길이가 같고, 모든 내각의 크기가 같은 다각형은 정다각형이다.

이때 구하는 정다각형을 정n각형이라 하면

$\frac{360^\circ}{n}=40^\circ \qquad \therefore n=9$

따라서 구하는 다각형은 정구각형이다.

7 구하는 정다각형을 정n각형이라 하면 대각선의 개수가 20이므로

$\frac{n(n-3)}{2}=20,\ n(n-3)=40=8\times 5 \qquad \therefore n=8$

따라서 정팔각형의 한 외각의 크기는

$\frac{360^\circ}{8}=45^\circ$

8 (한 외각의 크기)$=180^\circ \times \frac{2}{3+2}=180^\circ \times \frac{2}{5}=72^\circ$

구하는 정다각형을 정n각형이라 하면

$\frac{360^\circ}{n}=72^\circ \qquad \therefore n=5$

따라서 구하는 정다각형은 정오각형이다.

교과서 기출 베스트 2회 | 52쪽~53쪽

1 8	2 ②	3 ③	4 ④
5 ①	6 ②	7 ③	8 40°
9 6			

1 구하는 다각형을 n각형이라 하면

$180° \times (n-2) = 1080°$

$180° \times n - 360° = 1080°$

$180° \times n = 1440° \quad \therefore n=8$

따라서 구하는 다각형은 팔각형이므로 변의 개수는 8이다.

2 육각형의 내각의 크기의 합은

$180° \times (6-2) = 720°$이므로

$(\angle x + 40°) + 130° + 110° + 120° + (\angle x + 20°) + \angle x = 720°$

$3\angle x = 300° \quad \therefore \angle x = 100°$

3 어떤 다각형의 내부의 한 점에서 각 꼭짓점을 연결하였을 때 12개의 삼각형이 생겼으므로 어떤 다각형은 오른쪽 그림과 같은 십이각형이다.

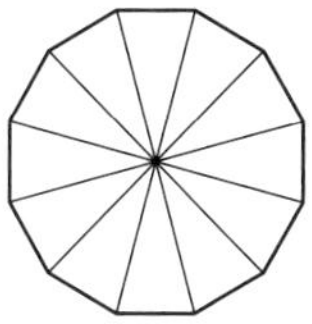

따라서 십이각형의 내각의 크기의 합은

$180° \times (12-2) = 1800°$

4 구하는 정다각형을 정n각형이라 하면

$\frac{180° \times (n-2)}{n} = 140°$

$180° \times n - 360° = 140° \times n$

$40° \times n = 360° \quad \therefore n=9$

따라서 구하는 정다각형은 정구각형이다.

5 $70° + 80° + \angle x + 80° = 360°$이므로

$\angle x = 130°$

6

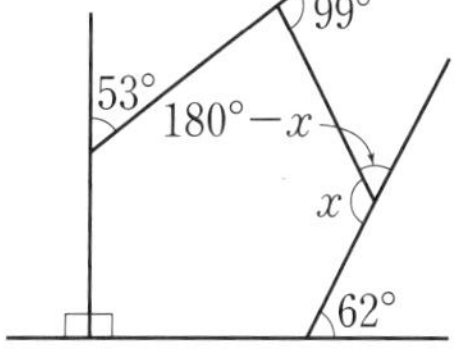

$53° + (180° - 90°) + 62° + (180° - \angle x) + 99° = 360°$이므로

$\angle x = 124°$

7 구하는 정다각형을 정n각형이라 하면 한 꼭짓점에서 그을 수 있는 대각선의 개수가 5이므로

$n-3=5 \quad \therefore n=8$

따라서 정팔각형의 한 외각의 크기는

$\frac{360°}{8} = 45°$

8 정구각형 트랙의 둘레를 따라 달릴 때 진행 방향의 왼쪽으로 돌아야 하는 각은 정구각형의 외각이다.

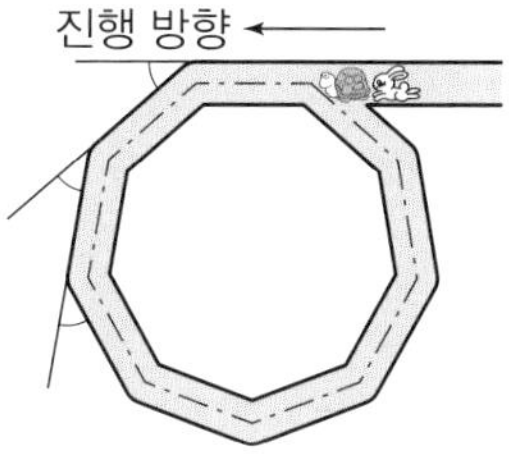

따라서 정구각형의 한 외각의 크기는 $\frac{360°}{9} = 40°$이므로

거북이와 토끼는 진행 방향의 왼쪽으로 40°씩 돌아야 한다.

9 (정 n각형의 한 외각의 크기)

$= 180° \times \frac{1}{2+1} = 180° \times \frac{1}{3} = 60°$

따라서 $\frac{360°}{n} = 60°$이므로 $n=6$

6일

누구나 100점 테스트 1회 | 54쪽~55쪽

1 ④	**2** ②	**3** ②	**4** ⑤
5 ㉠, ㉣	**6** ③	**7** $\angle x=45°$, $\angle y=85°$	
8 ④	**9** $70°$	**10** $120°$	

1 ④ $\overrightarrow{BA}$와 $\overrightarrow{BC}$는 시작점은 같지만 방향이 다르므로 $\overrightarrow{BA} \neq \overrightarrow{BC}$

2 평각의 크기는 $180°$이므로
$60°+\angle x+(3\angle x-12°)=180°$
$48°+4\angle x=180°$, $4\angle x=132°$ $\quad \therefore \angle x=33°$

3 $3\angle x+10°=4\angle x-30°$이므로 $\angle x=40°$

4 ⑤ 점 D와 $\overline{AB}$ 사이의 거리는 $\overline{AD}$의 길이와 같으므로 8 cm이다.

5 ㉡, ㉢ 한 점에서 만난다.
㉤ 평행하다.
따라서 꼬인 위치에 있는 것은 ㉠, ㉣이다.

7 오른쪽 그림에서
$\angle x=45°$ (엇각)
$\angle y+45°=130°$ (동위각)
이므로
$\angle y=85°$

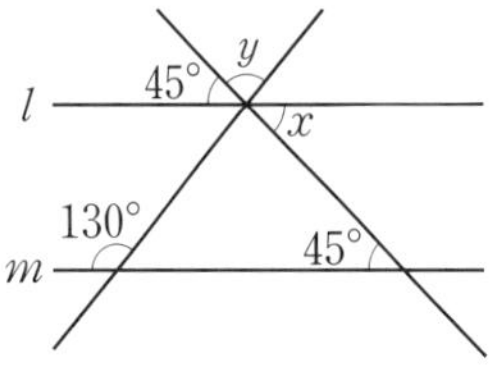

8 ④ $180°-125°=55°$, 즉 동위각의 크기가 같지 않으므로 두 직선 l, m은 서로 평행하지 않다.

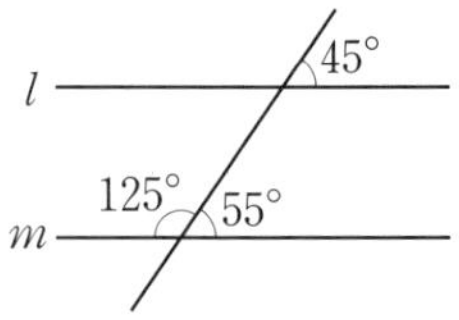

9 오른쪽 그림과 같이 $l \,/\!/\, m \,/\!/\, p \,/\!/\, q$가 되도록 두 직선 p, q를 그으면
$\angle x=40°+30°=70°$

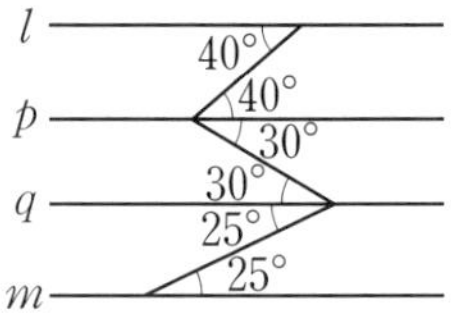

10

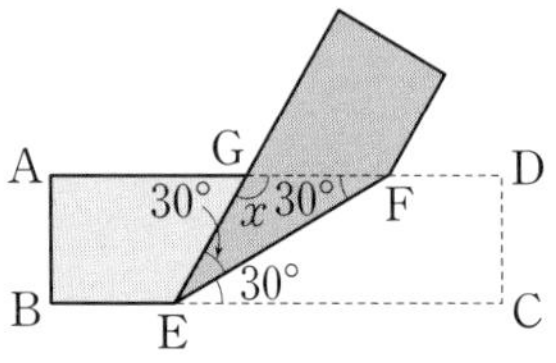

$\overline{AD} /\!/ \overline{BC}$이므로
$\angle GFE=\angle FEC=30°$ (엇각)
이때 $\angle FEG=\angle FEC=30°$ (접은 각)이므로
$\triangle GEF$에서
$\angle x+30°+30°=180°$ $\quad \therefore \angle x=120°$

누구나 100점 테스트 2회 | 56쪽~57쪽

1 ⑤	**2** $\overline{AB}$	**3** ②	**4** ⑤
5 ③	**6** ④, ⑤	**7** $95°$	**8** 십일각형
9 ①	**10** ④		

1 ㉠ 두 선분의 길이를 비교할 때에는 컴퍼스를 사용한다.
㉡ 두 점을 지나는 선분이나 직선을 그릴 때에는 눈금 없는 자를 사용한다.
따라서 옳은 것은 ㉢, ㉣이다.

3 ② $\angle A$가 $\overline{BC}$, $\overline{CA}$의 끼인각이 아니므로 $\triangle ABC$가 하나로 정해지지 않는다.

4 ⑤ $\angle F=\angle B=65^\circ$이므로 사각형 EFGH에서
$130^\circ+65^\circ+\angle G+90^\circ=360^\circ$ $\quad\therefore \angle G=75^\circ$

5 ③ 한 변의 길이가 같고 그 양 끝 각의 크기가 각각 같으므로 주어진 삼각형과 합동이다.

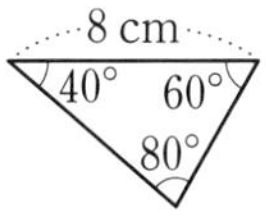

7 $\angle x=54^\circ+41^\circ=95^\circ$

8 구하는 다각형을 n각형이라 하면
$180^\circ\times(n-2)=1620^\circ$
$180^\circ\times n-360^\circ=1620^\circ$
$180^\circ\times n=1980^\circ$ $\quad\therefore n=11$
따라서 구하는 다각형은 십일각형이다.

9 $70^\circ+110^\circ+\angle x+80^\circ=360^\circ$이므로
$\angle x=100^\circ$

10 정십오각형의 한 외각의 크기는
$\dfrac{360^\circ}{15}=24^\circ$

서술형·사고력 테스트 | 58쪽~59쪽

1 주영, 이유는 풀이 참조
2 $l /\!/ n$, $p /\!/ q$, 이유는 풀이 참조 **3** 풀이 참조
4 8 km **5** (1) 720° (2) 120° (3) 60°

1 두 반직선이 같으려면 시작점과 방향이 모두 같아야 한다. …… (가)
$\overrightarrow{AB}$와 $\overrightarrow{BA}$는 시작점과 방향이 모두 다르므로 같은 반직선이 아니다.
따라서 잘못 설명한 학생은 주영이다. …… (나)

채점 기준	비율
(가) 두 반직선이 같을 조건 말하기	50 %
(나) 주영이가 틀린 이유 말하기	50 %

2 엇각의 크기가 61°로 같으므로
$l /\!/ n$ …… (가)
동위각의 크기가 61°로 같으므로
$p /\!/ q$ …… (나)

채점 기준	비율
(가) $l /\!/ n$임을 설명하기	50 %
(나) $p /\!/ q$임을 설명하기	50 %

3 삼각형은 다음 세 가지 경우에 모양과 크기가 하나로 정해진다.
① 세 변의 길이가 주어지는 경우 …… (가)
② 두 변의 길이와 그 끼인각의 크기가 주어지는 경우 …… (나)
③ 한 변의 길이와 그 양 끝 각의 크기가 주어지는 경우 …… (다)

채점 기준	비율
(가) 세 변의 길이가 주어지는 경우임을 알기	30 %
(나) 두 변의 길이와 그 끼인각의 크기가 주어지는 경우임을 알기	35 %
(다) 한 변의 길이와 그 양 끝 각의 크기가 주어지는 경우임을 알기	35 %

4 $\triangle ABR$와 $\triangle PQR$에서

$\angle BAR = \angle QPR$

$\overline{AR} = \overline{PR}$

$\angle BRA = \angle QRP$ (맞꼭지각)

$\therefore \triangle ABR \equiv \triangle PQR$ (ASA 합동) …… (가)

따라서 $\overline{AB} = \overline{PQ} = 8$ km이므로 A 지점에서 B 지점까지의 거리는 8 km이다. …… (나)

채점 기준	비율
(가) $\triangle ABR \equiv \triangle PQR$임을 설명하기	70 %
(나) A 지점에서 B 지점까지의 거리 구하기	30 %

5 (1) 정육각형의 내각의 크기의 합은

$180° \times (6-2) = 720°$

따라서 벤젠 고리의 내각의 크기의 합은 720°이다. …… (가)

(2) 정육각형의 한 내각의 크기는

$\frac{180° \times (6-2)}{6} = 120°$

따라서 벤젠 고리의 한 내각의 크기는 120°이다. …… (나)

(3) 정육각형의 한 외각의 크기는

$\frac{360°}{6} = 60°$

따라서 벤젠 고리의 한 외각의 크기는 60°이다. …… (다)

채점 기준	비율
(가) 벤젠 고리의 내각의 크기의 합 구하기	35 %
(나) 벤젠 고리의 한 내각의 크기 구하기	35 %
(다) 벤젠 고리의 한 외각의 크기 구하기	30 %

창의·융합·코딩 **테스트** | 60쪽~61쪽

1 (1) 10 m (2) 5 m

2 서로 다른 두 직선 l, m이 다른 한 직선 n과 만날 때, 동위각의 크기가 같으면 두 직선은 서로 평행하다.
따라서 $\angle a = \angle b$이면 $l \parallel m$이다.

3 (1) ㉡ → ㉠ → ㉢ (2) 5배

4 (1) 정십각형 (2) 1440°

1 (1) 1등으로 달리고 있는 선수는 점 B의 위치에 있는 선수이므로 3등으로 달리고 있는 선수는 점 C의 위치에 있는 선수이다.

$\overline{AC} = 2\overline{BC}$이므로

$\overline{BC} = \frac{1}{2}\overline{AC} = \frac{1}{2} \times 20 = 10$ (m)

따라서 1등으로 달리고 있는 선수와 3등으로 달리고 있는 선수 사이의 거리는 10 m이다.

(2) 1등으로 달리고 있는 선수는 점 B의 위치에 있는 선수이므로 2등으로 달리고 있는 선수는 점 D의 위치에 있는 선수이다.

$\overline{CD} = \overline{BD}$이므로

$\overline{BD} = \frac{1}{2}\overline{BC} = \frac{1}{2} \times 10 = 5$ (m)

따라서 1등으로 달리고 있는 선수와 2등으로 달리고 있는 선수 사이의 거리는 5 m이다.

3 (2) 북극성은 $\overline{AB}$의 길이를 5배 연장한 곳에 있으므로 $\overline{BC}$의 길이는 $\overline{AB}$의 길이의 5배이다.

4 (1) 구하는 정다각형을 정n각형이라 하면 한 내각의 크기가 144°이므로

$\frac{180° \times (n-2)}{n} = 144°$

$180° \times n - 360° = 144° \times n$

$36° \times n = 360°$ $\therefore n = 10$

따라서 찢어지기 전의 종이는 정십각형이다.

(2) 정십각형의 내각의 크기의 합은

$180° \times (10-2) = 1440°$

7일

중간고사 기본 테스트 1회 | 62쪽~65쪽

1 ②	2 ③	3 ②	4 ④
5 ①	6 ③	7 ③	8 ④
9 ⑤	10 ①, ④	11 ③	12 ④
13 ⑤	14 ③	15 ③	16 ⑤
17 ④	18 $\angle A=75°$, $\overline{ED}=4$ cm		
19 23414	20 27		

1 주어진 입체도형에서

(교점의 개수)=(꼭짓점의 개수)=7

(교선의 개수)=(모서리의 개수)=12

(면의 개수)=7

따라서 $a=7$, $b=12$, $c=7$이므로

$a+b+c=7+12+7=26$

2 $\overline{BA}\neq\overline{AC}$이므로 아래로 한 칸

→ $\overline{AB}\neq\overline{AC}$이므로 아래로 한 칸

→ $\overleftrightarrow{AC}=\overleftrightarrow{CA}$이므로 오른쪽으로 한 칸

→ $\overleftrightarrow{BC}=\overleftrightarrow{BA}$이므로 오른쪽으로 한 칸

→ 

3

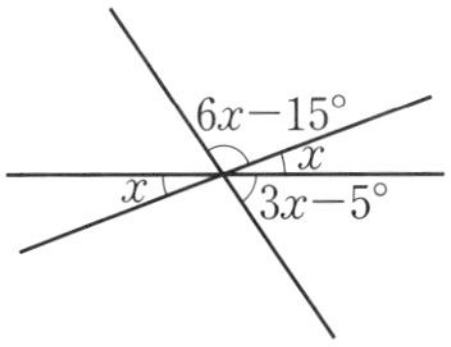

위 그림에서

$(6\angle x-15°)+\angle x+(3\angle x-5°)=180°$이므로

$10\angle x-20°=180°$, $10\angle x=200°$

$\therefore \angle x=20°$

4 ④ 면 ABFE에 수직인 모서리는 $\overline{AD}$, $\overline{BC}$, $\overline{FG}$, $\overline{EH}$의 4개이다.

5 $\angle x$의 엇각의 크기는 $180°-125°=55°$

$\angle y$의 동위각의 크기는 $105°$

6 오른쪽 그림에서

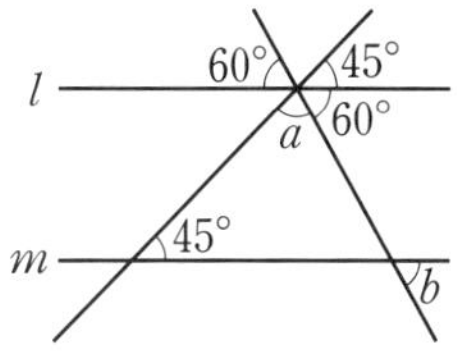

$\angle a=180°-(45°+60°)$

$=75°$

$\angle b=60°$ (동위각)

$\therefore \angle a-\angle b=75°-60°=15°$

7 ③ $180°-125°=55°$, 즉 엇각의 크기가 같지 않으므로 두 직선 l, m은 서로 평행하지 않다.

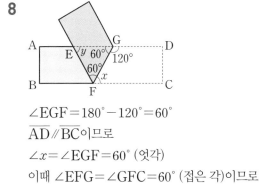

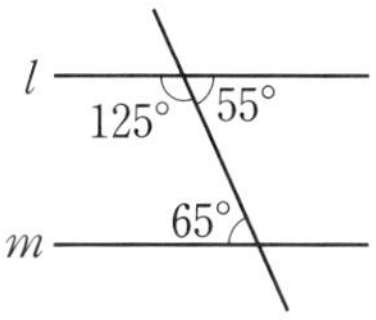

8

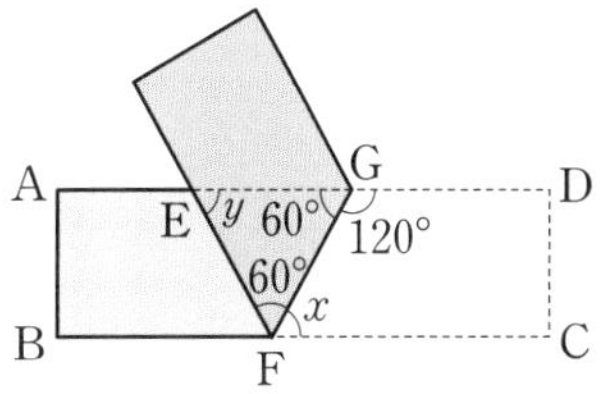

$\angle EGF=180°-120°=60°$

$\overline{AD}/\!/\overline{BC}$이므로

$\angle x=\angle EGF=60°$ (엇각)

이때 $\angle EFG=\angle GFC=60°$ (접은 각)이므로

$\triangle EFG$에서

$\angle y+60°+60°=180°$ $\therefore \angle y=60°$

$\therefore \angle x+\angle y=60°+60°=120°$

9 ⑤ 작도 순서는 ㉠ → ㉢ → ㉡ → ㉣ → ㉤이다.

10 ① 삼각형의 세 변의 길이가 주어졌으므로 $\triangle ABC$가 하나로 정해진다.

② 세 각의 크기가 주어질 때에는 모양은 같고 크기가 다른 삼각형이 무수히 많이 그려진다.

③ 두 변의 길이와 그 끼인각이 아닌 다른 한 각의 크기가 주어졌으므로 △ABC가 하나로 정해지지 않는다.

④ $\angle C=180^\circ-(20^\circ+40^\circ)=120^\circ$, 즉 한 변의 길이와 그 양 끝 각의 크기가 주어졌으므로 △ABC가 하나로 정해진다.

⑤ $\overline{CA}>\overline{AB}+\overline{BC}$, 즉 가장 긴 변의 길이가 나머지 두 변의 길이의 합보다 크므로 삼각형이 그려지지 않는다.

따라서 △ABC가 하나로 정해지는 것은 ①, ④이다.

11 ㉢에서 나머지 한 각의 크기는

$180^\circ-(35^\circ+45^\circ)=100^\circ$

따라서 두 변의 길이가 각각 같고 그 끼인각의 크기가 같으므로 ㉢과 ㉥은 합동이다.

12 아랑 : 네 내각의 크기가 같은 사각형은 직사각형이다.

나람 : 꼭짓점이 8개인 정다각형은 정팔각형이다.

13 구하는 다각형을 n각형이라 하면

$n-3=9$ $\therefore n=12$

따라서 구하는 다각형은 십이각형이다.

14 △ABC에서 $\angle ACD=28^\circ+43^\circ=71^\circ$

△ECD에서 $\angle x=71^\circ+52^\circ=123^\circ$

15 오각형의 내각의 크기의 합은

$180^\circ\times(5-2)=540^\circ$이므로

$\angle x+140^\circ+100^\circ+95^\circ+110^\circ=540^\circ$

$\therefore \angle x=95^\circ$

16 $80^\circ+55^\circ+(180^\circ-\angle x)+120^\circ=360^\circ$이므로

$\angle x=75^\circ$

17 (한 외각의 크기)$=180^\circ\times\dfrac{1}{3+1}=180^\circ\times\dfrac{1}{4}=45^\circ$

구하는 정다각형을 정n각형이라 하면

$\dfrac{360^\circ}{n}=45^\circ$ $\therefore n=8$

따라서 구하는 정다각형은 정팔각형이다.

18 $\triangle ABC\equiv\triangle DEF$이므로

$\angle A=\angle D=180^\circ-(55^\circ+50^\circ)=75^\circ$ ······ (가)

$\overline{ED}=\overline{BA}=4$ cm ······ (나)

채점 기준	비율
(가) ∠A의 크기 구하기	50 %
(나) $\overline{ED}$의 길이 구하기	50 %

19 ㉠ 오각형의 한 꼭짓점에서 그을 수 있는 대각선의 개수는 $5-3=2$

㉡ 오각형의 한 꼭짓점에서 대각선을 그었을 때 만들어지는 삼각형의 개수는 $5-2=3$

㉢ 한 꼭짓점에서 그을 수 있는 대각선의 개수가 1인 다각형을 n각형이라 하면

$n-3=1$ $\therefore n=4$

즉 구하는 다각형은 사각형이므로 변의 개수는 4

㉣ 칠각형의 대각선의 개수는

$\dfrac{7\times(7-3)}{2}=14$ ······ (가)

따라서 ㉠~㉣에 해당하는 숫자는 차례대로 2, 3, 4, 14이므로 잠금장치를 열기 위해 눌러야 하는 다섯 자리 수는 23414이다. ······ (나)

채점 기준	비율
(가) ㉠~㉣에 해당하는 숫자 각각 구하기	각 20 %
(나) 잠금장치를 열기 위해 눌러야 하는 다섯 자리 수 구하기	20 %

20 구하는 정다각형을 정n각형이라 하면
한 내각의 크기가 140°이므로

$\dfrac{180^\circ \times (n-2)}{n} = 140^\circ$

$180^\circ \times n - 360^\circ = 140^\circ \times n$

$40^\circ \times n = 360^\circ \qquad \therefore n = 9$

즉 구하는 정다각형은 정구각형이다. …… (가)

따라서 정구각형의 대각선의 개수는

$\dfrac{9 \times (9-3)}{2} = 27$ …… (나)

채점 기준	비율
(가) 한 내각의 크기가 140°인 정다각형 구하기	50 %
(나) (가)에서 구한 정다각형의 대각선의 개수 구하기	50 %

중간고사 기본 테스트 ②회

66쪽~69쪽

1 ①, ⑤	**2** ③	**3** ④	**4** ④
5 ②	**6** ③	**7** ④	**8** ④
9 ⑤	**10** ②	**11** ①	**12** ②
13 ④	**14** ⑤	**15** ③	**16** ③
17 ④	**18** 16 cm		
19 (1) ㉠ 180° ㉡ 75° (2) 35°			**20** 15

1 시작점과 방향이 모두 같아야 같은 반직선이므로 $\overrightarrow{AB}$와 같은 것은 ①, ⑤이다.

2 맞꼭지각의 크기는 서로 같으므로

$42^\circ + 90^\circ = 3\angle x \qquad \therefore \angle x = 44^\circ$

3 ④ 점 B와 $\overline{DC}$ 사이의 거리는 $\overline{BC}$의 길이와 같으므로 6 cm이다.

4 오른쪽 그림과 같이 각 꼭짓점을 A~P라 하자. 이때 파란색으로 칠해진 면인 면 DLME에 포함되는 모서리는 $\overline{DL}$, $\overline{LM}$, $\overline{EM}$, $\overline{DE}$의 4개

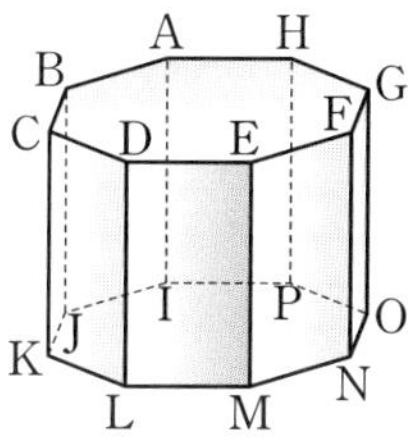

면 DLME에 평행한 모서리는

$\overline{AI}$, $\overline{BJ}$, $\overline{CK}$, $\overline{FN}$, $\overline{GO}$, $\overline{HP}$, $\overline{AH}$, $\overline{IP}$의 8개

따라서 $a=4$, $b=8$이므로

$a+b=4+8=12$

5 (i) $\angle a = 70^\circ$이면 동위각의 크기가 같으므로 $l /\!/ m$이다.

(ii) $\angle b = 110^\circ$이면 $\angle c = 180^\circ - 110^\circ = 70^\circ$
즉 엇각의 크기가 같으므로 $l /\!/ m$이다.

(iii) $\angle c = 70^\circ$이면 엇각의 크기가 같으므로 $l /\!/ m$이다.

(iv) $\angle d = 110^\circ$이면 $\angle c = 180^\circ - 110^\circ = 70^\circ$
즉 엇각의 크기가 같으므로 $l /\!/ m$이다.

(v) $\angle e = 70^\circ$ (맞꼭지각)이므로 $\angle d + \angle e = 180^\circ$이면
$\angle d = 110^\circ \qquad \therefore \angle c = 180^\circ - 110^\circ = 70^\circ$
즉 엇각의 크기가 같으므로 $l /\!/ m$이다.

따라서 $l /\!/ m$임을 설명할 수 있는 것을 표에서 모두 골라 그 칸을 색칠하면 다음 그림과 같으므로 나오는 한글 자음은 ㄴ이다.

$\angle a = 70^\circ$	$\angle a = \angle c$	$\angle b = \angle d$
$\angle b = 110^\circ$	$\angle e = 70^\circ$	$\angle c + 70^\circ = 180^\circ$
$\angle c = 70^\circ$	$\angle d = 110^\circ$	$\angle d + \angle e = 180^\circ$

6 오른쪽 그림과 같이 $l /\!/ m /\!/ n$이 되도록 직선 n을 그으면

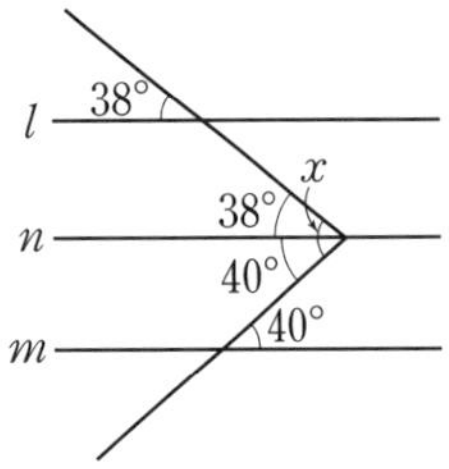

$\angle x = 38^\circ + 40^\circ = 78^\circ$

7 ㉡ ∠B의 크기를 알면 삼각형의 두 변의 길이와 그 끼인각의 크기가 주어지므로 △ABC가 하나로 정해진다.

㉣ $\overline{AC}$의 길이를 알면 삼각형의 세 변의 길이가 주어지므로 △ABC가 하나로 정해진다.

따라서 비밀의 방을 열기 위해 필요한 열쇠를 모두 고른 것은 ④이다.

8 ① $4 < 2+3$ ② $7 < 3+5$

③ $5 < 4+4$ ④ $10 = 4+6$

⑤ $9 < 5+7$

따라서 삼각형의 세 변의 길이가 될 수 없는 것은 ④이다.

9 ① $\angle A = \angle E = 85^\circ$

② $\angle G = \angle C = 60^\circ$

③ 사각형 EFGH에서

$\angle H = 360^\circ - (60^\circ + 85^\circ + 90^\circ) = 125^\circ$

④ $\overline{BC} = \overline{FG} = 9\text{ cm}$

⑤ $\overline{GH}$의 길이는 알 수 없다.

따라서 옳지 않은 것은 ⑤이다.

10 △ABO와 △DCO에서

$\overline{AB} = \overline{DC}$, $\angle ABO = \angle DCO$,

$\angle AOB = \angle DOC$ (맞꼭지각)이므로

$\angle BAO = 180^\circ - (\angle ABO + \angle AOB)$

$= 180^\circ - (\angle DCO + \angle DOC)$

$= \angle CDO$

따라서 △ABO≡△DCO (ASA 합동)이므로

$\overline{OC} = \overline{OB} = 3\text{ cm}$

11 십이각형의 한 꼭짓점에서 그을 수 있는 대각선의 개수는

$12 - 3 = 9$

12 $(\angle x + 50^\circ) + 40^\circ = 3\angle x + 30^\circ$이므로

$2\angle x = 60^\circ$ $\therefore \angle x = 30^\circ$

13 △ABC에서 $68^\circ + 2● + 2▲ = 180^\circ$이므로

$2● + 2▲ = 112^\circ$, $2(● + ▲) = 112^\circ$

$\therefore ● + ▲ = 56^\circ$

△DBC에서 $\angle x + ● + ▲ = 180^\circ$이므로

$\angle x + 56^\circ = 180^\circ$ $\therefore \angle x = 124^\circ$

14 육각형의 내각의 크기의 합은

$180^\circ \times (6-2) = 720^\circ$이므로

$\angle a + 130^\circ + 120^\circ + 115^\circ + \angle b + 105^\circ = 720^\circ$

$\therefore \angle a + \angle b = 250^\circ$

15 ② 팔각형의 대각선의 개수는 $\dfrac{8 \times (8-3)}{2} = 20$

③ 정십이각형의 한 내각의 크기는

$\dfrac{180^\circ \times (12-2)}{12} = 150^\circ$

⑤ 칠각형의 한 꼭짓점에서 그을 수 있는 대각선의 개수는 $7 - 3 = 4$

따라서 옳지 않은 것은 ③이다.

16 (정팔각형의 한 외각의 크기)$= \dfrac{360^\circ}{8} = 45^\circ$

17 (한 외각의 크기)$=180^\circ\times\frac{1}{5+1}=180^\circ\times\frac{1}{6}=30^\circ$

구하는 정다각형을 정n각형이라 하면

$\frac{360^\circ}{n}=30^\circ$ $\therefore n=12$

따라서 구하는 정다각형은 정십이각형이므로 대각선의 개수는

$\frac{12\times(12-3)}{2}=54$

18 두 점 M, N은 각각 $\overline{AB}$, $\overline{BC}$의 중점이므로

$\overline{AB}=2\overline{MB}$, $\overline{BC}=2\overline{BN}$ …… (가)

$\therefore \overline{AC}=\overline{AB}+\overline{BC}$
$=2\overline{MB}+2\overline{BN}$
$=2(\overline{MB}+\overline{BN})$
$=2\overline{MN}$
$=2\times8=16$ (cm) …… (나)

채점 기준	비율
(가) $\overline{AB}=2\overline{MB}$, $\overline{BC}=2\overline{BN}$임을 알기	40 %
(나) $\overline{AC}$의 길이 구하기	60 %

19 (1) 삼각형의 세 내각의 크기의 합은 180°이므로 ㉠에 알맞은 각의 크기는 180°이다. …… (가)

$\triangle ABC$에서 $\angle ACB=180^\circ-(60^\circ+45^\circ)=75^\circ$이므로 ㉡에 알맞은 각의 크기는 75°이다. …… (나)

(2) $\triangle DCE$에서 $\angle DCE=\angle ACB=75^\circ$ (맞꼭지각)이므로 $\angle x=180^\circ-(75^\circ+70^\circ)=35^\circ$ …… (다)

채점 기준	비율
(가) ㉠에 알맞은 각의 크기 구하기	30 %
(나) ㉡에 알맞은 각의 크기 구하기	30 %
(다) $\angle x$의 크기 구하기	40 %

20 정십팔각형의 한 외각의 크기는 $\frac{360^\circ}{18}=20^\circ$이므로

$a=20$ …… (가)

십각형의 대각선의 개수는 $\frac{10\times(10-3)}{2}=35$이므로

$b=35$ …… (나)

$\therefore b-a=35-20=15$ …… (다)

채점 기준	비율
(가) a의 값 구하기	40 %
(나) b의 값 구하기	40 %
(다) $b-a$의 값 구하기	20 %

중간

memo

기말 대비

정답과 풀이

1일 원과 부채꼴

시험지 속 **개념 문제** | 9쪽, 11쪽

1 ④ 2 인영 3 (1) 30 (2) 8π 4 36π cm^2
5 34 6 (1) 14π cm (2) 49π cm^2
7 (1) $l=4\pi$ cm, $S=12\pi$ cm^2 (2) $l=2\pi$ cm, $S=4\pi$ cm^2
8 8 cm 9 100° 10 $\frac{27}{2}\pi$ cm^2 11 10π cm

1 ④ ∠BOD는 $\overset{\frown}{BD}$의 중심각이다.

2 인영 : 한 원에서 현의 길이는 중심각의 크기에 정비례하지 않는다.

3 (1) 한 원에서 부채꼴의 호의 길이는 중심각의 크기에 정비례하므로
$2:6=x°:90°$에서
$1:3=x:90$
$3x=90$ $\quad\therefore x=30$
(2) 한 원에서 부채꼴의 호의 길이는 중심각의 크기에 정비례하므로
$x:4\pi=120°:60°$에서
$x:4\pi=2:1$ $\quad\therefore x=8\pi$

4 한 원에서 부채꼴의 넓이는 중심각의 크기에 정비례하므로 부채꼴 COD의 넓이를 S cm^{2}라 하면
$18\pi:S=50°:100°$에서
$18\pi:S=1:2$ $\quad\therefore S=36\pi$
따라서 부채꼴 COD의 넓이는 36π cm^{2}이다.

5 $x=40$, $y=6$이므로
$x-y=40-6=34$
참고 한 원에서
(1) 중심각의 크기가 같은 두 부채꼴의 현의 길이는 같다.
(2) 현의 길이가 같은 두 부채꼴의 중심각의 크기는 같다.

6 (1) (원의 둘레의 길이)$=2\pi\times7=14\pi$ (cm)
(2) (원의 넓이)$=\pi\times7^2=49\pi$ (cm^2)

7 (1) $l=2\pi\times6\times\frac{120}{360}=4\pi$ (cm)
$S=\pi\times6^2\times\frac{120}{360}=12\pi$ (cm^2)
(2) $l=2\pi\times4\times\frac{90}{360}=2\pi$ (cm)
$S=\pi\times4^2\times\frac{90}{360}=4\pi$ (cm^2)

8 부채꼴의 반지름의 길이를 r cm라 하면
$2\pi r\times\frac{90}{360}=4\pi$ $\quad\therefore r=8$
따라서 부채꼴의 반지름의 길이는 8 cm이다.

9 부채꼴의 중심각의 크기를 $x°$라 하면
$\pi\times6^2\times\frac{x}{360}=10\pi$ $\quad\therefore x=100$
따라서 부채꼴의 중심각의 크기는 100°이다.

10 (넓이)$=\frac{1}{2}\times9\times3\pi=\frac{27}{2}\pi$ (cm^2)

11 부채꼴의 호의 길이를 l cm라 하면

(반지름의 길이)$=\frac{1}{2}\times8=4$ (cm)이므로

$\frac{1}{2}\times4\times l=20\pi \quad \therefore l=10\pi$

따라서 부채꼴의 호의 길이는 10π cm이다.

교과서 기출 베스트 1회 | 12쪽~13쪽

1 $x=4\pi, y=3\pi$	2 $160°$	3 10 cm
4 ②	5 24π cm, 48π cm^2	6 15π cm^2
7 $(9\pi+8)$ cm	8 $(50\pi-100)$ cm^2	

1 $\widehat{AB}:\widehat{CD}=\angle AOB:\angle COD$이므로

$x:\pi=120°:30°$에서

$x:\pi=4:1 \quad \therefore x=4\pi$

(부채꼴 AOB의 넓이) : (부채꼴 COD의 넓이)

$=\angle AOB:\angle COD$이므로

$12\pi:y=120°:30°$에서

$12\pi:y=4:1$

$4y=12\pi \quad \therefore y=3\pi$

2 $\widehat{AB}:\widehat{BC}:\widehat{CA}=4:3:2$이므로

$\angle AOB=360°\times\frac{4}{4+3+2}=360°\times\frac{4}{9}=160°$

3 $\overline{AC}/\!/\overline{OD}$이므로

$\angle CAO=\angle DOB=40°$

(동위각)

$\overline{OC}$를 그으면 △AOC에서

$\overline{OA}=\overline{OC}$이므로

$\angle ACO=\angle CAO=40°$

$\therefore \angle AOC=180°-(40°+40°)=100°$

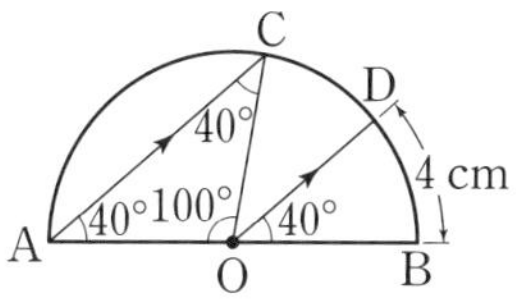

$\widehat{AC}:\widehat{DB}=\angle AOC:\angle DOB$이므로

$\widehat{AC}:4=100°:40°$에서

$\widehat{AC}:4=5:2$

$2\widehat{AC}=20 \quad \therefore \widehat{AC}=10$ (cm)

4 ① $\overline{AO}=\overline{BO}$이지만 $\overline{AB}\neq\overline{AO}$이다.

② 한 원에서 부채꼴의 호의 길이는 중심각의 크기에 정비례하므로 $\widehat{AB}=3\widehat{CD}$

③ 한 원에서 현의 길이는 중심각의 크기에 정비례하지 않는다.

④ 한 원에서 삼각형의 넓이는 중심각의 크기에 정비례하지 않는다.

⑤ 한 원에서 부채꼴의 넓이는 중심각의 크기에 정비례하므로 부채꼴 COD의 넓이는 부채꼴 AOB의 넓이의 $\frac{1}{3}$배이다.

따라서 옳은 것은 ②이다.

5 (색칠한 부분의 둘레의 길이)

=(큰 원의 둘레의 길이)+(작은 원의 둘레의 길이)

$=2\pi\times8+2\pi\times4$

$=16\pi+8\pi$

$=24\pi$ (cm)

(색칠한 부분의 넓이)

=(큰 원의 넓이)−(작은 원의 넓이)

$=\pi\times8^2-\pi\times4^2$

$=64\pi-16\pi$

$=48\pi$ (cm^2)

6 부채꼴의 반지름의 길이를 r cm라 하면

$2\pi r\times\frac{150}{360}=5\pi \quad \therefore r=6$

따라서 부채꼴의 반지름의 길이는 6 cm이므로

(부채꼴의 넓이)$=\pi\times6^2\times\frac{150}{360}=15\pi$ (cm^2)

7

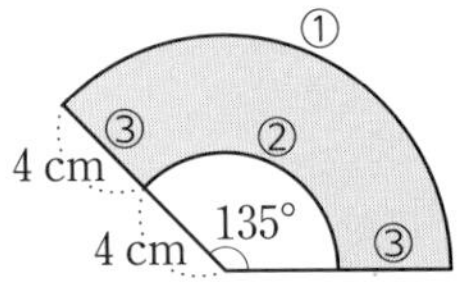

(색칠한 부분의 둘레의 길이)

$=①+②+③\times 2$

$=2\pi\times 8\times\frac{135}{360}+2\pi\times 4\times\frac{135}{360}+4\times 2$

$=6\pi+3\pi+8$

$=9\pi+8\ (\text{cm})$

8

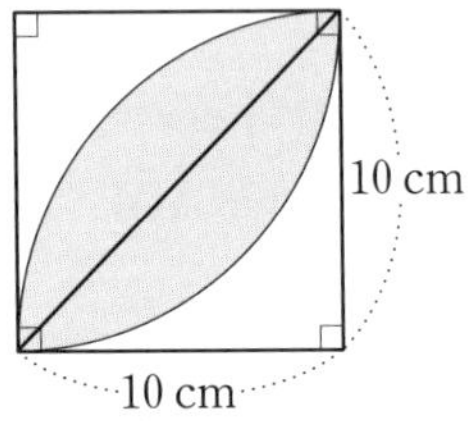

위 그림과 같이 보조선을 그으면

(색칠한 부분의 넓이)

$=\Bigg($ 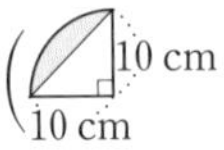 $-$ 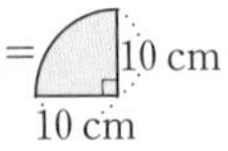 $-$ 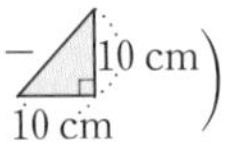 $\Bigg)\times 2$

$=\left(\pi\times 10^2\times\frac{90}{360}-\frac{1}{2}\times 10\times 10\right)\times 2$

$=(25\pi-50)\times 2$

$=50\pi-100\ (\text{cm}^2)$

교과서 기출 베스트 2회 | 14쪽~15쪽

1 22시	2 6 cm	3 35 cm	4 ②
5 27π cm²	6 126°	7 $(6\pi+6)$ cm	
8 $(144-24\pi)$ cm²		9 405π cm²	

1 부채꼴에서 1시간 간격의 호의 길이를 1이라 하면 '기상 및 아침'을 나타내는 부채꼴의 호의 길이는 2이다. 이때 'TV 보기'를 나타내는 부채꼴의 호의 길이를 x라 하면

$2 : x=30° : 45°$에서

$2 : x=2 : 3 \qquad \therefore x=3$

따라서 'TV 보기'가 끝나는 시각은 $19+3=22$(시)이다.

2 $\widehat{AB} : \widehat{BC} : \widehat{AC}=3 : 5 : 10$이므로

$\angle AOB=360°\times\frac{3}{3+5+10}=360°\times\frac{3}{18}=60°$

이때 원 O의 반지름의 길이를 r cm라 하면

$2\pi r\times\frac{60}{360}=2\pi \qquad \therefore r=6$

따라서 원 O의 반지름의 길이는 6 cm이다.

3 $\overline{AB}/\!/\overline{CD}$이므로

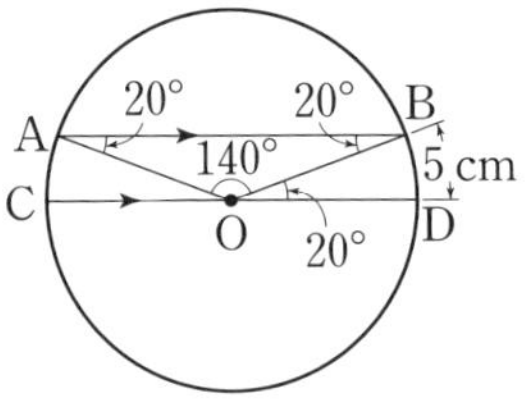

$\angle OBA=\angle BOD=20°$ (엇각)

$\overline{OA}$를 그으면 $\triangle AOB$에서

$\overline{OA}=\overline{OB}$이므로

$\angle OAB=\angle OBA=20°$

$\therefore \angle AOB=180°-(20°+20°)=140°$

$\widehat{AB} : \widehat{BD}=\angle AOB : \angle BOD$이므로

$\widehat{AB} : 5=140° : 20°$에서

$\widehat{AB} : 5=7 : 1 \qquad \therefore \widehat{AB}=35\ (\text{cm})$

4 ① $\angle AOC=\angle COD$인지 알 수 없으므로 $\widehat{AC}=\widehat{CD}$인지 알 수 없다.

② $\angle AOC=2\angle DOE$이므로 $\widehat{AC}=2\widehat{DE}$이다.

③, ④ 한 원에서 현의 길이는 중심각의 크기에 정비례하지 않는다.

⑤ 한 원에서 삼각형의 넓이는 중심각의 크기에 정비례하지 않는다.

따라서 옳은 것은 ②이다.

5 $\pi \times \overline{OA}^2 = 9\pi$에서

$\overline{OA}^2 = 9$ $\quad \therefore \overline{OA} = 3\ (cm)\ (\because \overline{OA} > 0)$

즉 $\overline{OB} = 2\overline{OA} = 2 \times 3 = 6\ (cm)$이므로

(색칠한 부분의 넓이)

$=(\overline{OB}$를 반지름으로 하는 원의 넓이)

$-(\overline{OA}$를 반지름으로 하는 원의 넓이)

$= \pi \times 6^2 - \pi \times 3^2$

$= 36\pi - 9\pi$

$= 27\pi\ (cm^2)$

6 부채꼴의 중심각의 크기를 $x°$라 하면

$2\pi \times 10 \times \frac{x}{360} = 7\pi \qquad \therefore x = 126$

따라서 부채꼴의 중심각의 크기는 126°이다.

7

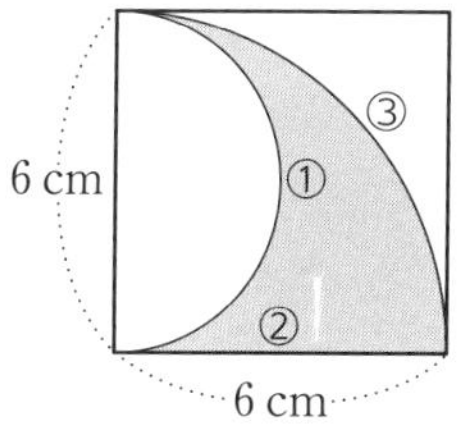

(색칠한 부분의 둘레의 길이)

$=①+②+③$

$= 2\pi \times 3 \times \frac{1}{2} + 6 + 2\pi \times 6 \times \frac{90}{360}$

$= 3\pi + 6 + 3\pi$

$= 6\pi + 6\ (cm)$

8

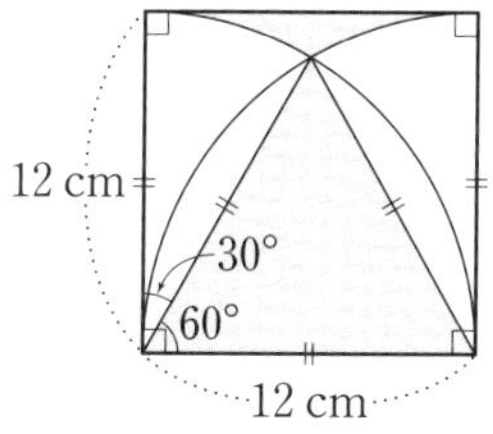

(색칠한 부분의 넓이)

$= 12 \times 12 - \left(\pi \times 12^2 \times \frac{30}{360}\right) \times 2$

$= 144 - 24\pi\ (cm^2)$

9 ($\overline{AB}$가 지나간 부분의 넓이)

$= \pi \times 36^2 \times \frac{120}{360} - \pi \times 9^2 \times \frac{120}{360}$

$= 432\pi - 27\pi$

$= 405\pi\ (cm^2)$

2일 다면체와 회전체

시험지 속 개념 문제 | 19쪽, 21쪽

1 ㉠, ㉤	2 ③, ④	3 ③	4 ㉠, ㉡, ㉤
5 민수 : ㉠, ㉢, ㉤ 지영 : ㉠, ㉡, ㉣			6 ③
7 ⑤	8 (1) 원 (2) 사다리꼴		9 ③, ⑤

1 ㉡, ㉣, ㉥ 평면도형이다.

㉢ 곡면이 있으므로 다면체가 아니다.

따라서 다면체는 ㉠, ㉤이다.

2 ① 오각뿔 – 삼각형

② 사각뿔대 – 사다리꼴

⑤ 정육면체 – 정사각형

따라서 다면체와 그 다면체의 옆면의 모양이 바르게 짝지어진 것은 ③, ④이다.

3 ③ 꼭짓점의 개수는 10이다.

4 정다면체는 정사면체, 정육면체, 정팔면체, 정십이면체, 정이십면체의 5가지 뿐이다.

따라서 정다면체는 ㉠, ㉡, ㉤이다.

6 ③ 다각형으로만 둘러싸인 다면체이다.

8 사다리꼴을 직선 l을 축으로 하여 1회전 시킬 때 생기는 입체도형은 오른쪽 그림과 같다.

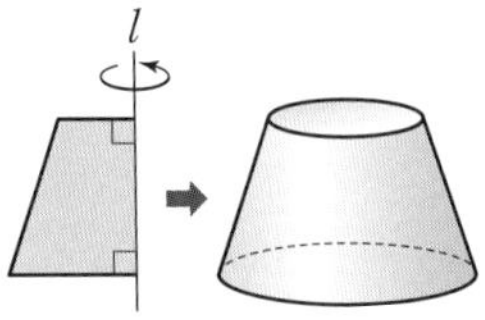

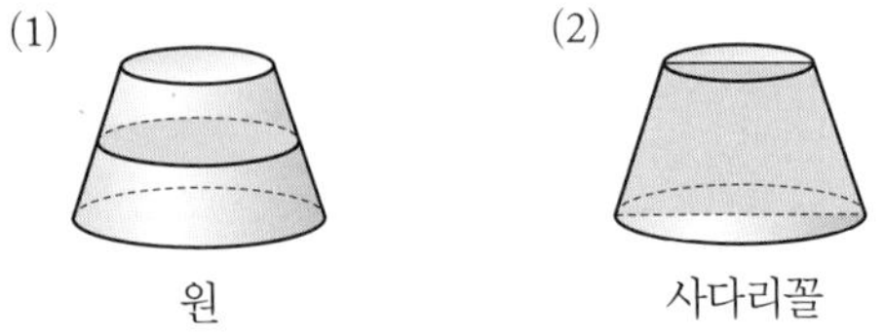

9 ① 구의 회전축은 무수히 많다.

② 원뿔대의 전개도는 다음 그림과 같으므로 옆면은 사다리꼴이 아니다.

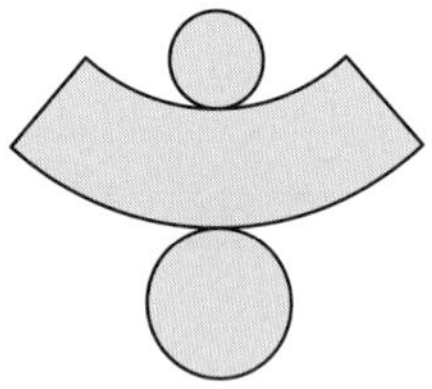

④ 직사각형의 한 변을 회전축으로 하여 1회전 시킬 때 생기는 입체도형은 다음 그림과 같은 원기둥이다.

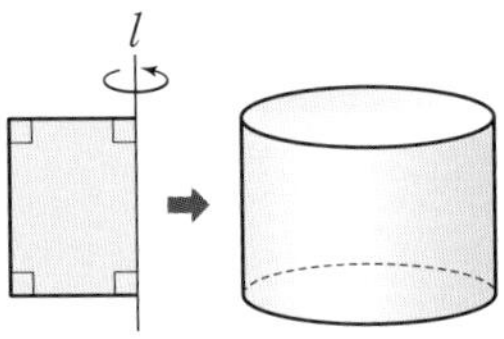

따라서 옳은 것은 ③, ⑤이다.

교과서 기출 베스트 1회 | 22쪽~23쪽

1 5개	2 혜민	3 사각기둥	4 정팔면체
5 ㉠, ㉢, ㉥	6 ③	7 ③	8 ⑤

1 다면체는 ㉡, ㉢, ㉣, ㉥, ㉧의 5개이다.

2 각 다면체의 면의 개수는 다음과 같다.

윤수 : 사각뿔 ➞ 5

유미 : 삼각기둥 ➞ 5

미혜 : 삼각뿔대 ➞ 5

승준 : 정사면체 ➞ 4

혜민 : 사각기둥 ➞ 6

따라서 면의 개수가 가장 많은 다면체를 말한 학생은 혜민이다.

3 (가), (나)에서 두 밑면이 서로 평행하고 옆면의 모양이 직사각형인 다면체는 각기둥이다.

(다)에서 면의 개수가 6이므로 구하는 다면체는 사각기둥이다.

4 (가)에서 모든 면의 모양이 정삼각형인 정다면체는 정사면체, 정팔면체, 정이십면체이다.

(나)에서 모서리의 개수가 12이므로 구하는 정다면체는 정팔면체이다.

7 ③ 원뿔 ― 이등변삼각형

8 ⑤ 원뿔대를 회전축을 포함하는 평면으로 자를 때 생기는 단면의 모양은 사다리꼴이다.

교과서 기출 베스트 2회 | 24쪽~25쪽

1 ⑤	2 ②	3 육각뿔대	4 ④
5 3개	6 ②	7 ①	8 ⑤

1 ⑤ 원기둥은 곡면으로 둘러싸인 부분이 있으므로 다면체가 아니다.

2 각 다면체의 모서리의 개수는 다음과 같다.
① 21 ② 24 ③ 12
④ 16 ⑤ 20
따라서 모서리의 개수가 가장 많은 것은 ②이다.

3 두 밑면이 서로 평행하고 옆면의 모양이 사다리꼴인 다면체는 각뿔대이다. 이때 팔면체인 각뿔대는 육각뿔대이다.

4 (가), (나)에서 각 면이 모두 합동인 정다각형이고, 각 꼭짓점에 모인 면의 개수가 같은 다면체이므로 정다면체이다.
(가)에서 면의 모양이 정삼각형인 정다면체는 정사면체, 정팔면체, 정이십면체이다.
(나)에서 각 꼭짓점에 모인 면의 개수가 5인 정다면체는 정이십면체이다.

5 회전체는 ㉠, ㉡, ㉣의 3개이다.

6 ①
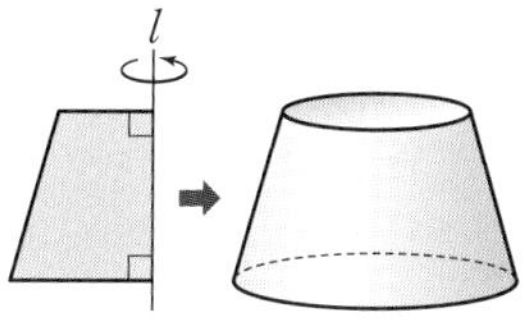

②
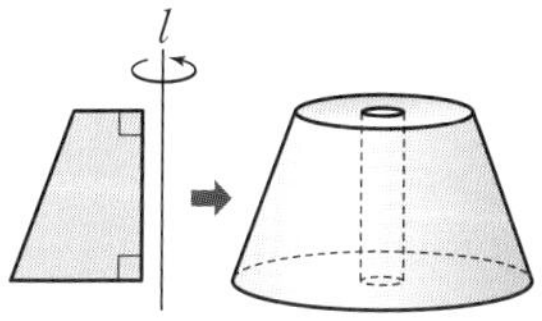

③
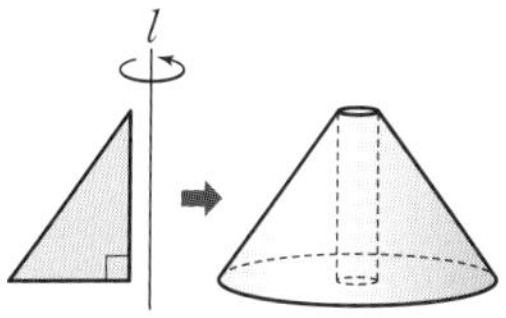

④
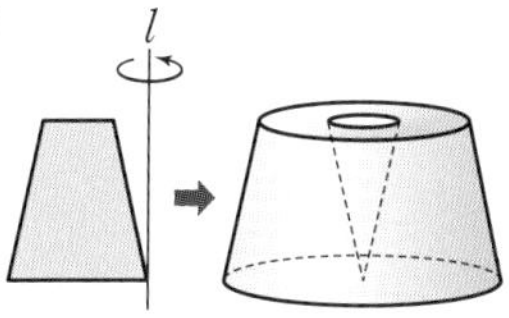

⑤
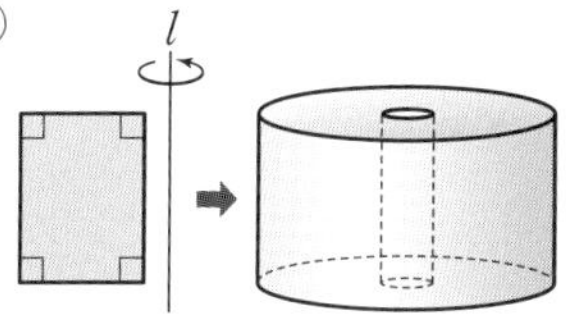

따라서 주어진 입체도형이 생기는 것은 ②이다.

7 어떤 평면으로 잘라도 그 단면의 모양이 항상 원이 되는 회전체는 구이다.

8 ① 모선은 회전하면서 옆면을 만드는 선분이다.
②, ③ 회전축에 따라 만들어지는 입체도형이 다를 수 있다.
예
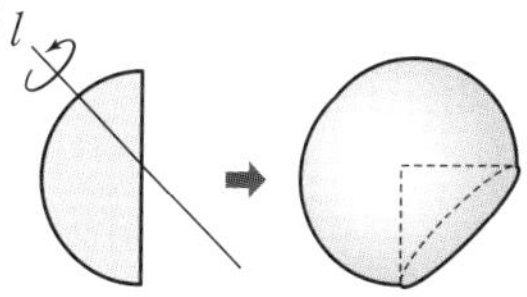

④ 회전축에 수직인 평면으로 자른 단면의 경계는 항상 원이지만 합동은 아니다.
따라서 옳은 것은 ⑤이다.

3일 입체도형의 겉넓이와 부피

시험지 속 개념 문제 | 29쪽, 31쪽

1 (1) $84\ cm^2$ (2) $188\ cm^2$
2 (1) $42\pi\ cm^2$ (2) $150\pi\ cm^2$
3 (1) $75\ cm^3$ (2) $105\ cm^3$
4 (1) $160\pi\ cm^3$ (2) $108\pi\ cm^3$
5 (1) $96\ cm^2$ (2) $52\pi\ cm^2$ 6 (1) $4\ m^3$ (2) $1.5\pi\ m^3$
7 $365\ cm^2$ 8 $90\pi\ cm^2$ 9 (1) $140\ cm^3$ (2) $84\pi\ cm^3$
10 겉넓이 : $144\pi\ cm^2$, 부피 : $288\pi\ cm^3$

1 (1) $(겉넓이)=\left(\frac{1}{2}\times3\times4\right)\times2+(3+4+5)\times6$
$=12+72$
$=84\ (cm^2)$
(2) $(겉넓이)=(4\times6)\times2+(4+6+4+6)\times7$
$=48+140$
$=188\ (cm^2)$

2 (1) $(겉넓이)=(\pi\times3^2)\times2+2\pi\times3\times4$
$=18\pi+24\pi$
$=42\pi\ (cm^2)$
(2) $(겉넓이)=(\pi\times5^2)\times2+2\pi\times5\times10$
$=50\pi+100\pi$
$=150\pi\ (cm^2)$

3 (1) $(부피)=\left(\frac{1}{2}\times5\times5\right)\times6=75\ (cm^3)$
(2) $(부피)=\left\{\frac{1}{2}\times(4+6)\times3\right\}\times7=105\ (cm^3)$

4 (1) $(부피)=(\pi\times4^2)\times10=160\pi\ (cm^3)$
(2) $(부피)=(\pi\times3^2)\times12=108\pi\ (cm^3)$

5 (1) $(겉넓이)=6\times6+\left(\frac{1}{2}\times6\times5\right)\times4$
$=36+60$
$=96\ (cm^2)$
(2) $(겉넓이)=\pi\times4^2+\pi\times4\times9$
$=16\pi+36\pi$
$=52\pi\ (cm^2)$

6 (1) $(부피)=\frac{1}{3}\times(2\times2)\times3=4\ (m^3)$
(2) $(부피)=\frac{1}{3}\times(\pi\times1.5^2)\times2=1.5\pi\ (m^3)$

7 $(겉넓이)=5\times5+10\times10+\left\{\frac{1}{2}\times(5+10)\times8\right\}\times4$
$=25+100+240$
$=365\ (cm^2)$

8 $(겉넓이)=\pi\times3^2+\pi\times6^2+(\pi\times6\times10-\pi\times3\times5)$
$=9\pi+36\pi+45\pi$
$=90\pi\ (cm^2)$

9 (1) (부피)=(큰 사각뿔의 부피)−(작은 사각뿔의 부피)
$=\frac{1}{3}\times(6\times8)\times10-\frac{1}{3}\times(3\times4)\times5$
$=160-20$
$=140\ (cm^3)$
(2) (부피)=(큰 원뿔의 부피)−(작은 원뿔의 부피)
$=\frac{1}{3}\times(\pi\times6^2)\times8-\frac{1}{3}\times(\pi\times3^2)\times4$
$=96\pi-12\pi$
$=84\pi\ (cm^3)$

10 (겉넓이)$=4\pi\times6^2=144\pi$ (cm^2)

(부피)$=\frac{4}{3}\pi\times6^3=288\pi$ (cm^3)

교과서 기출 베스트 1회

32쪽~33쪽

1 180 cm^2	2 ②	3 60π cm^3	4 72π cm^3
5 224 cm^2	6 700π cm^3	7 300π cm^2	8 9π cm^3

1 (겉넓이)$=\left\{\frac{1}{2}\times(6+3)\times4\right\}\times2+(6+4+3+5)\times8$

$=36+144$

$=180$ (cm^2)

2 (겉넓이)$=(\pi\times3^2)\times2+2\pi\times3\times9$

$=18\pi+54\pi$

$=72\pi$ (cm^2)

3 (부피)$=\left(\pi\times6^2\times\frac{60}{360}\right)\times10=60\pi$ (cm^3)

4 밑면인 원의 반지름의 길이를 r cm라 하면

$2\pi r=6\pi$에서 $r=3$

$\therefore$ (부피)$=(\pi\times3^2)\times8=72\pi$ (cm^3)

5 (겉넓이)$=8\times8+\left(\frac{1}{2}\times8\times10\right)\times4$

$=64+160$

$=224$ (cm^2)

6 (부피)=(큰 원뿔의 부피)−(작은 원뿔의 부피)

$=\frac{1}{3}\times(\pi\times10^2)\times24-\frac{1}{3}\times(\pi\times5^2)\times12$

$=800\pi-100\pi$

$=700\pi$ (cm^3)

7 (겉넓이)$=(4\pi\times10^2)\times\frac{1}{2}+\pi\times10^2$

$=200\pi+100\pi$

$=300\pi$ (cm^2)

8 (부피)$=\left(\frac{4}{3}\pi\times3^3\right)\times\frac{1}{4}=9\pi$ (cm^3)

교과서 기출 베스트 2회

34쪽~35쪽

1 ④	2 ⑤	3 6	4 ③
5 71π cm^2	6 ②		
7 (1) 144000π cm^3 (2) 7200π cm^2			
8 8000π cm^3			

1 (겉넓이)$=\left\{\frac{1}{2}\times(6+12)\times4\right\}\times2$

$+(6+5+12+5)\times6$

$=72+168$

$=240$ (cm^2)

2 회전체는 오른쪽 그림과 같으므로

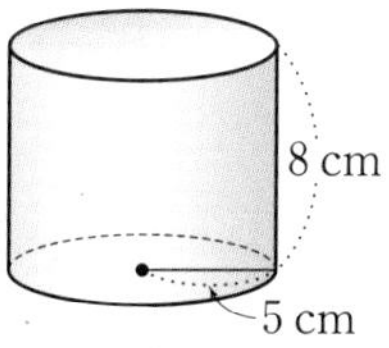

(겉넓이)$=(\pi\times5^2)\times2$

$+2\pi\times5\times8$

$=50\pi+80\pi$

$=130\pi$ (cm^2)

3 (부피)=(밑넓이)×(높이)이므로

$36=\frac{1}{2}\times(3\times4)\times x$

$36=6x$ $\therefore x=6$

4 주어진 전개도로 만들어지는 입체도형은 원뿔이다.
즉 밑면인 원의 반지름의 길이를 r cm라 하면
(옆면인 부채꼴의 호의 길이)=(밑면인 원의 둘레의 길이)
이므로
$2\pi \times 12 \times \frac{120}{360} = 2\pi r \quad \therefore r=4$
따라서 밑면의 넓이는 $\pi \times 4^2 = 16\pi$ (cm²)

5 (겉넓이)$=\pi \times 2^2 + \pi \times 5^2 + (\pi \times 5 \times 10 - \pi \times 2 \times 4)$
$=4\pi + 25\pi + 42\pi$
$=71\pi$ (cm²)

6 (원뿔의 부피)$=\frac{1}{3} \times (\pi \times 3^2) \times 9$
$=27\pi$ (cm³)
원기둥의 높이를 x cm라 하면
(원기둥의 부피)$=(\pi \times 6^2) \times x$
$=36\pi x$ (cm³)
즉 $27\pi = 36\pi x$이므로 $x=\frac{3}{4}$
따라서 원기둥의 높이는 $\frac{3}{4}$ cm이다.

7 (1) (필요한 흙의 부피)=(반구의 부피)
$=\left(\frac{4}{3}\pi \times 60^3\right) \times \frac{1}{2}$
$=144000\pi$ (cm³)
(2) (상추를 심을 수 있는 부분의 넓이)
=(반구의 겉넓이)
$=(4\pi \times 60^2) \times \frac{1}{2}$
$=7200\pi$ (cm²)

8 (부피)$=\left(\frac{4}{3}\pi \times 20^3\right) \times \frac{3}{4} = 8000\pi$ (cm³)

4일 줄기와 잎 그림과 도수분포표, 히스토그램

시험지 속 개념 문제
39쪽, 41쪽

1 (1) 풀이 참조 (2) 2 (3) 21회
2 (1) 25명 (2) 7명 (3) 20점대
3 (1) 1시간 (2) 4 (3) 3시간 이상 4시간 미만
4 나영, 중현 **5** 풀이 참조 **6** 풀이 참조
7 (1) 10점 (2) 5 (3) 25명 (4) 70점 이상 80점 미만
8 나은

1 (1) 줄넘기 기록 (1|0은 10회)

줄기	잎
1	0 2 5 8
2	0 1 2 5 8
3	1 7 7
4	2 2 3

2 (1) (전체 학생 수)$=1+7+10+5+2$
$=25$(명)
(2) 점수가 10점대인 학생 수는 10점, 13점, 14점, 16점, 17점, 17점, 19점의 7명이다.
(3) 가장 많이 분포된 학생의 점수대는 잎의 개수가 가장 많은 20점대이다.

3 (1) (계급의 크기)$=1-0=2-1=3-2=4-3$
$=1$(시간)
(2) 계급의 개수는 0시간 이상 1시간 미만, 1시간 이상 2시간 미만, 2시간 이상 3시간 미만, 3시간 이상 4시간 미만의 4이다.
(3) 도수가 가장 큰 계급은 도수가 11명인 3시간 이상 4시간 미만이다.

4 나영 : (전체 학생 수)$=3+5+7+6+4=25$(명)
중현 : 도수가 가장 큰 계급은 50 kg 이상 55 kg 미만이다.

5

수학 공부 시간(분)	학생 수(명)
0이상 ~ 20미만	2
20 ~ 40	4
40 ~ 60	3
60 ~ 80	5
80 ~ 100	4
100 ~ 120	2
합계	20

6

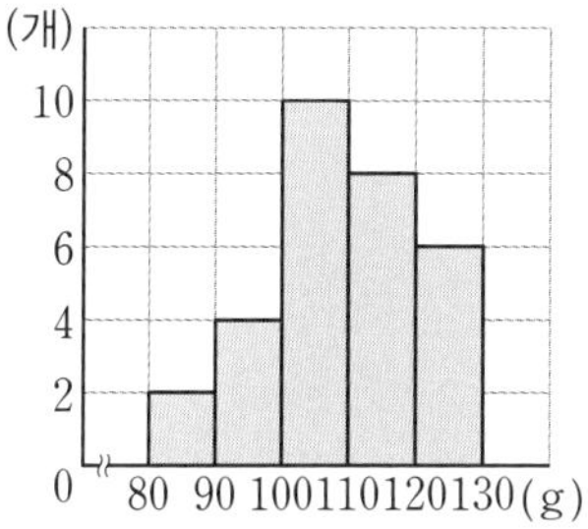

7 (1) (계급의 크기)$=60-50=70-60=80-70$
$=90-80=100-90$
$=10$(점)

(2) 계급의 개수는 50점 이상 60점 미만, 60점 이상 70점 미만, 70점 이상 80점 미만, 80점 이상 90점 미만, 90점 이상 100점 미만의 5이다.

(3) (전체 학생 수)$=3+7+8+5+2=25$(명)

(4) 도수가 가장 큰 계급은 도수가 8명인 70점 이상 80점 미만이다.

8 미혜 : 가로축에는 계급의 양 끝 값을 차례로 써넣는다.
범수 : 각 계급에 속하는 직사각형의 가로의 길이는 일정하다.
지나 : 세로축에는 도수를 차례로 써넣는다.
따라서 바르게 설명한 학생은 나은이다.

기말

교과서 기출 베스트 1회 | 42쪽~43쪽

1 (1) 9명 (2) 34회	2 ④	3 ③
4 진수	5 ㉠	6 60 %

1 (1) 팔굽혀펴기 횟수가 30회 이상인 학생 수는 30회, 31회, 31회, 32회, 34회, 35회, 37회, 42회, 45회의 9명이다.

(2) 팔굽혀펴기 횟수가 많은 쪽에서부터 크기순으로 나열하면 45회, 42회, 37회, 35회, 34회, …이므로 횟수가 5번째로 많은 학생의 횟수는 34회이다.

2 ④ 도수분포표

3 $A=30-(5+7+4+2)=12$

③ 도수가 가장 큰 계급은 10분 이상 20분 미만이고 그 계급의 도수는 12명이다.

④ 통학 시간이 30분 이상인 학생 수는 $4+2=6$(명)이므로
$\frac{6}{30}\times 100=20\ (\%)$

⑤ 통학 시간이 10분 미만인 학생 수는 5명, 20분 미만인 학생 수는 $5+12=17$(명), 30분 미만인 학생 수는 $5+12+7=24$(명)이므로 통학 시간이 짧은 쪽에서 18번째인 학생이 속하는 계급은 20분 이상 30분 미만이고 그 계급의 도수는 7명이다.

따라서 옳지 않은 것은 ③이다.

4 지혜 : (전체 학생 수)$=1+3+6+11+9+1=31$(명)

승규 : (계급의 크기)$=45-40=50-45=\cdots=70-65$
$=5$ (kg)

소희 : 몸무게가 65 kg 이상인 학생 수는 1명, 60 kg 이상인 학생 수는 $9+1=10$(명)이므로 몸무게가 5번째로 무거운 학생이 속하는 계급은 60 kg 이상 65 kg 미만이고 그 계급의 도수는 9명이다.

진수 : 몸무게가 45 kg 이상 55 kg 미만인 학생 수는 $3+6=9$(명)

따라서 바르게 말한 학생은 진수이다.

5 ㉠ 히스토그램은 변량을 구간으로 나누기 때문에 변량의 실제 값은 알 수 없다.
따라서 수면 시간이 가장 많은 학생의 수면 시간은 알 수 없다.

㉡ (계급의 크기)$=5-2=8-5=11-8=14-11$
$=3$(시간)

㉢ 수면 시간이 8시간 이상인 학생 수는 $7+3=10$(명)

따라서 알 수 없는 것은 ㉠이다.

6 (전체 학생 수)$=3+7+8+5+2=25$(명)

영어 성적이 70점 이상인 학생 수는 $8+5+2=15$(명)이므로

$\frac{15}{25}\times 100=60$ (%)

교과서 기출 베스트 ②회 | 44쪽~45쪽

1 (1) 20명 (2) 6명 (3) 32	2 ⑤	3 ⑤
4 1	5 ⑤	6 ④
7 (1) 30명 (2) 10명	8 26 %	

1 (1) (전체 학생 수)$=4+7+5+4=20$(명)

(2) 읽은 책의 수가 12권 이상 23권 미만인 학생 수는 12권, 12권, 14권, 17권, 18권, 21권의 6명이다.

(3) 가장 많이 읽은 학생의 책의 수는 34권
가장 적게 읽은 학생의 책의 수는 2권
따라서 $a=34$, $b=2$이므로
$a-b=34-2=32$

2 ② (전체 선생님 수)$=2+6+5+2=15$(명)

⑤ 40대 선생님 수는 5명이므로
$\frac{5}{15}\times 100=33.3\cdots$ (%)

따라서 옳지 않은 것은 ⑤이다.

3 ⑤ 도수분포표를 만들 때 계급의 크기는 모두 같아야 한다.

4 $x=33-(7+9+10+6)=1$

5 ② $A=30-(5+12+4+1)=8$

⑤ 성적이 90점 이상인 학생 수는 1명, 80점 이상인 학생 수는 $4+1=5$(명), 70점 이상인 학생 수는 $12+4+1=17$(명)이므로 성적이 6번째로 높은 학생이 속해 있는 계급은 70점 이상 80점 미만이고 그 계급의 도수는 12명이다.

따라서 옳지 않은 것은 ⑤이다.

6 ④ 무게가 110 g 이상 120 g 미만인 계급의 도수는 10개이다.

⑤ 무게가 94 g인 레드향이 속한 계급은 90 g 이상 100 g 미만이고 그 계급의 도수는 8개이다.

따라서 옳지 않은 것은 ④이다.

7 (1) (전체 학생 수)$=4+6+10+8+2=30$(명)
(2) (수학 성적이 70점 미만인 학생 수)$=4+6=10$(명)

8 (전체 관객 수)$=10+15+12+8+5=50$(명)
기다린 시간이 50분 이상인 관객 수는
$8+5=13$(명)
$\therefore \frac{13}{50}\times 100=26\ (\%)$

5일 도수분포다각형과 상대도수

시험지 속 개념 문제 | 49쪽, 51쪽

1 (1) $A=5$, $B=3$ (2) 풀이 참조
2 (1) 2편 (2) 35명 (3) 12편 이상 14편 미만 (4) 4명
3 $A=5$, $B=0.25$ 4 (1) 풀이 참조 (2) 풀이 참조
5 준수 6 ㉡, ㉢

1 (2)

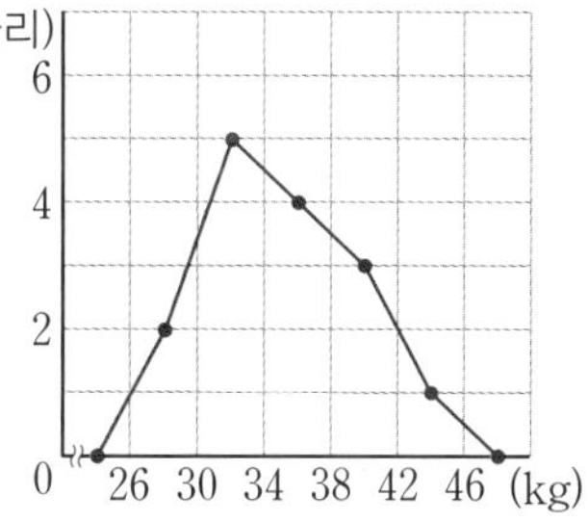

2 (1) (계급의 크기)$=4-2=6-4=\cdots=14-12$
$=2$(편)
(2) (전체 학생 수)$=5+8+11+7+3+1=35$(명)
(3) 도수가 가장 작은 계급은 도수가 1명인 12편 이상 14편 미만이다.
(4) 관람한 영화의 수가 10편 이상인 학생 수는
$3+1=4$(명)

3 $A=20-(3+4+6+2)=5$
$B=\frac{5}{20}=0.25$

4 (1)

기록(회)	학생 수(명)	상대도수
5이상 ~ 10미만	6	0.12
10 ~ 15	10	0.2
15 ~ 20	12	0.24
20 ~ 25	14	0.28
25 ~ 30	8	0.16
합계	50	1

(2)

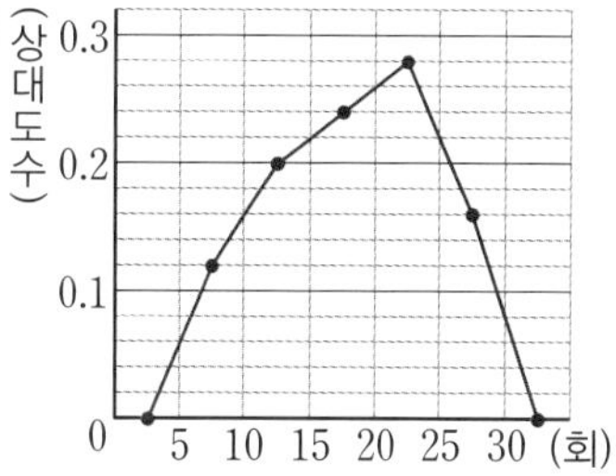

6 ㉠ 1반 학생 수와 2반 학생 수는 알 수 없다.
㉡ 읽은 책의 수가 6권 이상 8권 미만인 계급의 상대도수는 1반이 0.4, 2반이 0.15이므로 학생의 비율은 1반이 2반보다 더 높다.
㉢ 2반의 그래프가 1반의 그래프보다 오른쪽으로 더 치우쳐 있으므로 대체적으로 2반 학생들이 1반 학생들보다 책을 더 많이 읽었다고 볼 수 있다.
따라서 옳은 것은 ㉡, ㉢이다.

교과서 기출 베스트 1회 | 52쪽~53쪽

1 소희, 지훈, 하은	2 ⑤	3 0.36
4 $A=0.15$, $B=50$, $C=56$, $D=0.28$, $E=200$, $F=1$		
5 55 %	6 1학년	

1 민서 : 계급의 개수는 6이다.
소희 : (계급의 크기)$=50-40=60-50=\cdots=100-90$
$=10$(점)
지훈 : (전체 학생 수)$=3+7+9+6+3+2=30$(명)
성적이 60점 이상 80점 미만인 학생 수는
$9+6=15$(명)이므로
$\frac{15}{30}\times100=50$ (%)
민준 : 성적이 가장 높은 학생이 속하는 계급은 90점 이상 100점 미만이지만 성적은 알 수 없다.
하은 : 성적이 90점 이상인 학생 수는 2명, 80점 이상인 학생 수는 $3+2=5$(명), 70점 이상인 학생 수는 $6+3+2=11$(명)이므로 성적이 10번째로 높은 학생이 속하는 계급은 70점 이상 80점 미만이다.
따라서 바르게 설명한 학생은 소희, 지훈, 하은이다.

2 (남학생 수)$=2+5+8+5+3+4+2+1=30$(명)
(여학생 수)$=4+6+12+4+4=30$(명)
① 전체 학생 수는 $30+30=60$(명)
② 남학생 수와 여학생 수는 서로 같다.
③ 여학생과 남학생의 계급의 개수는 각각 5, 8로 같지 않다.
④ 키가 155 cm 이상인 여학생 수는 $4+4=8$(명), 남학생 수는 $3+4+2+1=10$(명)이므로 남학생이 여학생보다 더 많다.
⑤ 키가 150 cm 이상 155 cm 미만인 여학생 수는 12명, 남학생 수는 5명이므로 여학생이 남학생보다 7명 더 많다.
따라서 옳은 것은 ⑤이다.

3 $A=25-(1+4+8+3)=9$
따라서 몸무게가 50 kg 이상 55 kg 미만인 계급의 상대도수는 $\frac{9}{25}=0.36$

4 분식점에 간 횟수가 3회 이상 5회 미만인 계급의 도수가 16명, 상대도수가 0.08이므로
(전체 학생 수)$=\frac{16}{0.08}=200$(명) $\therefore E=200$
$A=\frac{30}{200}=0.15$
$B=0.25\times200=50$
$C=200-(16+30+50+48)=56$
$D=\frac{56}{200}=0.28$
$F=1$

5 등교하는 데 걸리는 시간이 30분 이상인 계급의 상대도수가 $0.35+0.15+0.05=0.55$이므로
$0.55\times100=55$ (%)

6 1학년의 그래프가 2학년의 그래프보다 왼쪽으로 더 치우쳐 있으므로 1학년이 2학년보다 달리기 기록이 더 좋다고 할 수 있다.

교과서 기출 베스트 2회 | 54쪽~55쪽

1 ②, ③	2 26 ℃ 이상 28 ℃ 미만		
3 (1) 1반 : 20명, 2반 : 20명 (2) 2반			4 8명
5 34	6 ④	7 24 %	8 남학생

1 ① (계급의 크기)$=50-40=60-50=\cdots=100-90$
$=10$(점)
② (전체 학생 수)$=5+9+11+7+3+1=36$(명)
③ 성적이 70점 이상인 학생 수는 $7+3+1=11$(명)
④ 도수가 가장 작은 계급은 도수가 1명인 90점 이상 100점 미만이다.
⑤ 전체 학생 수는 36명이고 성적이 60점 이상 80점 미만인 학생 수는 $11+7=18$(명)이므로
$\frac{18}{36}\times 100=50$ (%)
따라서 옳지 않은 것은 ②, ③이다.

2 기온이 28 ℃ 이상인 날은 4일, 26 ℃ 이상인 날은 $8+4=12$(일)이므로 기온이 높은 쪽에서 8번째인 기온이 속하는 계급은 26 ℃ 이상 28 ℃ 미만이다.

3 (1) (1반 학생 수)$=2+4+8+5+1=20$(명)
(2반 학생 수)$=3+6+9+2=20$(명)
(2) 2반의 그래프가 1반의 그래프보다 오른쪽으로 더 치우쳐 있으므로 2반의 성적이 더 좋다고 할 수 있다.

4 상대도수의 합은 항상 1이므로 통학 거리가 4 km 이상 5 km 미만인 계급의 상대도수는
$1-(0.36+0.28+0.23+0.11)=0.02$
따라서 통학 거리가 4 km 이상 5 km 미만인 학생 수는
$0.02\times 400=8$(명)

5 통화 시간이 10분 이상 20분 미만인 계급의 도수가 5명, 상대도수가 0.1이므로
(전체 학생 수)$=\frac{5}{0.1}=50$(명)
$A=0.2\times 50=10$
통화 시간이 30분 이상 40분 미만인 계급의 도수가
$50-(10+5+15+8)=12$(명)이므로
$B=\frac{12}{50}=0.24$
$\therefore A+100B=10+100\times 0.24=34$

6 가장 많은 학생이 속하는 계급은 7시간 이상 8시간 미만이고 그 계급의 상대도수가 0.3이므로 학생 수는
$0.3\times 800=240$(명)

7 읽은 책의 수가 5권 이상 15권 미만인 계급의 상대도수가 $0.09+0.15=0.24$이므로
$0.24\times 100=24$ (%)

8 키가 150 cm 이상인 계급의 상대도수는
여학생이 $0.35+0.2+0.05=0.6$,
남학생이 $0.3+0.4+0.1=0.8$
이므로 키가 150 cm 이상인 학생의 비율은 남학생이 더 높다.

기말

6일

누구나 100점 테스트 1회 | 56쪽~57쪽

1 25	2 ②, ④	3 6π cm	4 36°
5 ⑤	6 ③	7 ②	8 ③
9 $48\pi\ \text{cm}^3$	10 $10100\pi\ \text{m}^2$		

1 $\widehat{AB}:\widehat{CD}=\angle AOB:\angle COD$이므로
$16:4=100^\circ:x^\circ$에서 $4:1=100:x$
$4x=100 \quad \therefore x=25$

2 ① $\angle AOC=2\angle BOD$이므로 $\widehat{AC}=2\widehat{BD}$
② 한 원에서 현의 길이는 중심각의 크기에 정비례하지 않는다.
③ $\angle BOC=180^\circ-90^\circ=90^\circ$, 즉 $\angle AOC=\angle BOC$이므로 $\widehat{AC}=\widehat{BC}$
④ 한 원에서 삼각형의 넓이는 중심각의 크기에 정비례하지 않는다.
⑤ $\angle AOC=2\angle BOD$이므로
(부채꼴 AOC의 넓이)=2×(부채꼴 BOD의 넓이)
따라서 옳지 않은 것은 ②, ④이다.

3 (호의 길이)$=2\pi\times9\times\frac{120}{360}=6\pi$ (cm)

4 $2\pi\times10\times\frac{x}{360}=2\pi$ $\quad\therefore x=36$
따라서 $\angle x$의 크기는 36°이다.

5 ⑤ 칠각뿔대의 옆면의 모양은 사다리꼴이다.

6 정다면체의 한 꼭짓점에 모인 면의 개수는 각각 다음과 같다.
① 3 ② 3 ③ 4 ④ 3 ⑤ 5
따라서 한 꼭짓점에 모인 면의 개수가 4인 정다면체는 ③이다.

7 만들어지는 회전체는 원뿔이고, 원뿔을 회전축에 수직인 평면으로 자를 때 생기는 단면의 모양은 원이다.

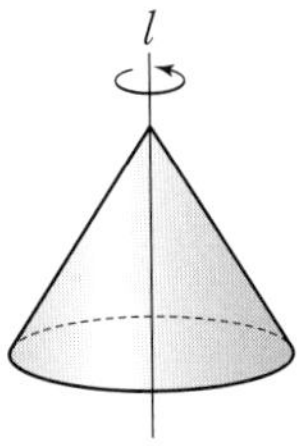

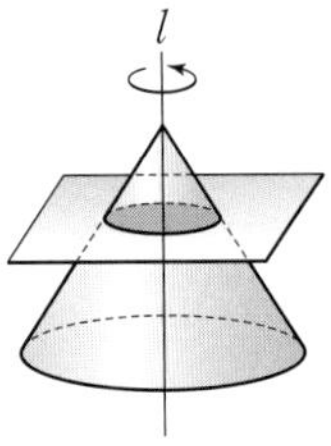

8 (겉넓이)$=(\pi\times2^2)\times2+2\pi\times2\times4$
$=8\pi+16\pi$
$=24\pi$ (cm^2)
(부피)$=(\pi\times2^2)\times4$
$=16\pi$ (cm^3)

9 (부피)$=\frac{1}{3}\times(\pi\times4^2)\times9$
$=48\pi$ (cm^3)

10 (5번째 별의 겉넓이)$=4\pi\times5^2=100\pi$ (m^2)
6번째 별의 반지름의 길이는 $5\times10=50$ (m)이므로
(6번째 별의 겉넓이)$=4\pi\times50^2=10000\pi$ (m^2)
따라서 5번째 별의 겉넓이와 6번째 별의 겉넓이의 합은
$100\pi+10000\pi=10100\pi$ (m^2)

누구나 100점 테스트 2회 | 58쪽~59쪽

1 24 %	**2** ④	**3** ④	**4** 30명
5 20 %	**6** ②, ⑤	**7** 18편	
8 $A=20$, $B=0.05$, $C=0.5$, $D=1$			**9** 75 %
10 14명			

1 (전체 학생 수)
$=2+2+3+3+3+2+2+1+1+3+2+1$
$=25$(명)
생일이 10월 1일 이후인 학생 수는 $3+2+1=6$(명)이므로
$\frac{6}{25}\times100=24$ (%)

2 ② $A=30-(4+8+5+3)=10$
③ 통학 시간이 30분 이상인 학생 수는 $5+3=8$(명)

④ 통학 시간이 가장 긴 학생의 통학 시간은 알 수 없다.
⑤ 통학 시간이 10분 미만인 학생 수는 4명, 20분 미만인 학생 수는 $4+8=12$(명)이므로 통학 시간이 짧은 쪽에서 5번째인 학생이 속하는 계급은 10분 이상 20분 미만이고 그 계급의 도수는 8명이다.
따라서 옳지 않은 것은 ④이다.

3 ① 이 그림과 같은 그래프를 히스토그램이라 한다.
② 계급의 크기는 10점이다.
③ (조사한 학생 수)$=2+5+9+12+8+4=40$(명)
⑤ 과학 성적이 60점 이상 80점 미만인 학생 수는
$9+12=21$(명)
따라서 옳은 것은 ④이다.

4 (전체 학생 수)$=3+6+8+7+4+2=30$(명)

5 몸무게가 60 kg 이상인 학생 수는 $4+2=6$(명)이므로
$\frac{6}{30}\times 100=20$ (%)

6 ① 계급의 개수는 6이다.
③ 저축한 금액이 2만 원인 학생이 3명인지는 알 수 없다.
④ 도수가 가장 작은 계급은 도수가 1명인 6만 원 이상 7만 원 미만이다.
⑤ 저축한 금액이 3만 5천 원인 학생이 속하는 계급은 3만 원 이상 4만 원 미만이고 그 계급의 도수는 13명이다.
따라서 옳은 것은 ②, ⑤이다.

7 상영 시간이 120분 미만인 영화 수는
$2+4+5+7=18$(편)

8 $A=40-(2+8+6+4)=20$
$B=\frac{2}{40}=0.05$
$C=\frac{20}{40}=0.5$
상대도수의 합은 항상 1이므로 $D=1$

9 수학 점수가 70점 이상인 계급의 상대도수가
$0.5+0.15+0.1=0.75$이므로
$0.75\times 100=75$ (%)

10 기록이 11초 이상 13초 미만인 계급의 상대도수가 $0.4+0.3=0.7$이므로 기록이 11초 이상 13초 미만인 학생 수는
$20\times 0.7=14$(명)

서술형·사고력 **테스트** | 60쪽~61쪽

1 A 피자 **2** (1) 120° (2) 4π cm
3 (1) 4 (2) $\frac{32}{3}$ cm³ **4** (1) 풀이 참조 (2) 풀이 참조

1 (A 피자 한 조각의 넓이)$=\pi\times 18^2\times\frac{1}{6}$
$=54\pi$ (cm²) ······ ㈎
(B 피자 한 조각의 넓이)$=\pi\times 20^2\times\frac{1}{8}$
$=50\pi$ (cm²) ······ ㈏
따라서 A 피자 한 조각의 넓이가 B 피자 한 조각의 넓이보다 크므로 정환이는 A, B 두 가지의 피자 중 A 피자 한 조각을 선택해야 더 많은 양을 먹을 수 있다. ······ ㈐

채점 기준	비율
㈎ A 피자 한 조각의 넓이 구하기	40 %
㈏ B 피자 한 조각의 넓이 구하기	40 %
㈐ 정환이가 선택해야 하는 피자 구하기	20 %

2 (1) 부채꼴의 중심각의 크기를 $x°$라 하면

$\pi\times6^2\times\frac{x}{360}=12\pi$ $\therefore x=120$

따라서 부채꼴의 중심각의 크기는 120°이다. …… (가)

(2) (부채꼴의 호의 길이) $=2\pi\times6\times\frac{120}{360}$

$=4\pi$ (cm) …… (나)

채점 기준	비율
(가) 부채꼴의 중심각의 크기 구하기	50 %
(나) 부채꼴의 호의 길이 구하기	50 %

3 (1) □ 안에 공통으로 들어갈 수는 정육면체의 한 모서리의 길이와 같으므로 4이다. …… (가)

(2) (잘라낸 입체도형의 부피) $=\frac{1}{3}\times\left(\frac{1}{2}\times4\times4\right)\times4$

$=\frac{32}{3}$ (cm^3) …… (나)

채점 기준	비율
(가) □ 안에 공통으로 들어갈 수 구하기	50 %
(나) 잘라낸 입체도형의 부피 구하기	50 %

4 (1) 계급의 크기가 10세이므로 도수분포표를 완성하면 다음과 같다.

회원의 나이(세)	회원 수(명)
10이상 ~ 20미만	1
20 ~ 30	3
30 ~ 40	9
40 ~ 50	5
50 ~ 60	2
합계	20

…… (가)

(2) 도수분포다각형을 완성하면 다음과 같다.

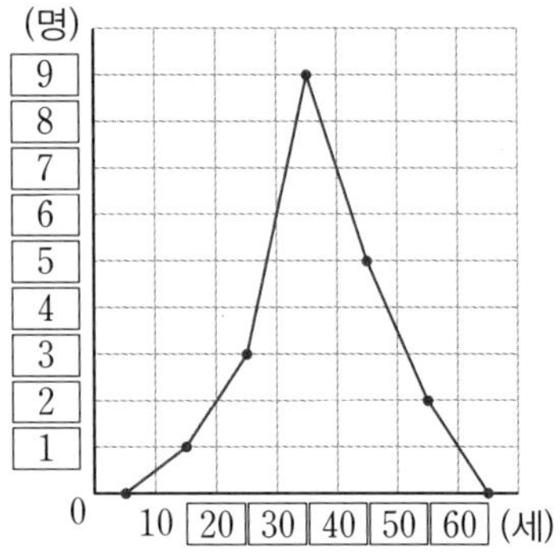

…… (나)

채점 기준	비율
(가) 도수분포표 완성하기	50 %
(나) 도수분포다각형 완성하기	50 %

창의·융합·코딩 테스트 | 62쪽~63쪽

1 $\frac{41}{2}\pi\ \text{cm}^2$ **2** 6 cm **3** 56.7 L **4** 하은

1

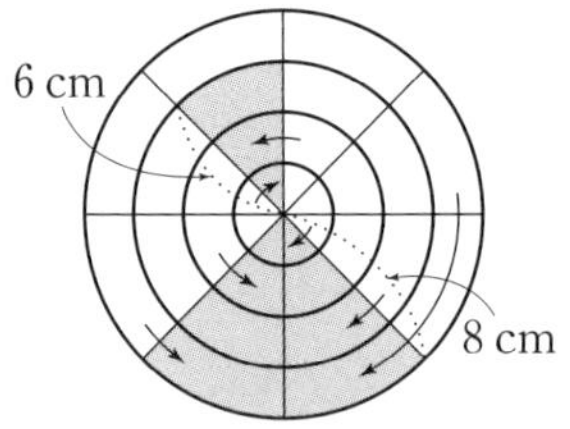

색칠한 부분들을 옆으로 이동하면 위의 그림과 같으므로

(필요한 색종이의 넓이)

=(큰 부채꼴의 넓이)+(작은 부채꼴의 넓이)

$=\left(\pi\times8^2\times\frac{2}{8}\right)+\left(\pi\times6^2\times\frac{1}{8}\right)$

$=16\pi+\frac{9}{2}\pi=\frac{41}{2}\pi$ (cm^2)

2 높이를 x cm라 하면

(부피) $=\frac{1}{3}\times(10\times10)\times x=200$

$\frac{100}{3}x=200$ $\therefore x=6$

따라서 모래 피라미드의 높이는 6 cm이다.

3 (물의 부피)=(큰 원기둥의 부피)−(작은 원기둥의 부피)

$=(3\times25^2)\times36-(3\times10^2)\times36$

$=67500-10800$

$=56700\ (\text{cm}^3)$

따라서 큐−드럼으로 한 번에 옮길 수 있는 물의 부피는 $56700\ \text{cm}^3$, 즉 56.7 L이다.

4 민준 : 2반의 그래프가 1반의 그래프보다 오른쪽으로 더 치우쳐 있으므로 2반 학생들의 인터넷 사용 시간이 1반 학생들의 인터넷 사용 시간보다 길다고 할 수 있다.

하은 : 1반에서 인터넷 사용 시간이 90분 미만인 계급의 상대도수는 $0.3+0.4=0.7$

2반에서 인터넷 사용 시간이 90분 미만인 계급의 상대도수는 $0.2+0.3=0.5$

즉 인터넷 사용 시간이 90분 미만인 학생의 비율은 1반이 2반보다 높다.

소희 : 1반에서 인터넷 사용 시간이 120분 이상인 학생 수는 $30\times0.1=3$(명)

2반에서 인터넷 사용 시간이 120분 이상인 학생 수는 $20\times0.15=3$(명)

즉 인터넷 사용 시간이 120분 이상인 학생 수는 1반과 2반이 같다.

따라서 바르게 말한 학생은 하은이다.

7일

기말고사 기본 테스트 1회 | 64쪽~67쪽

1 ③	2 ③	3 ⑤	4 ④
5 ②	6 ②	7 ④	8 ④
9 B 참치 캔	10 ②	11 ①	12 ②
13 ①	14 ③, ④	15 ④	16 ②
17 ⑤	18 15	19 (1) 10π cm (2) 150°	
20 12명			

1 $4:x=20°:120°$에서

$4:x=1:6\quad\therefore x=24$

$4:8=20°:y°$에서

$1:2=20:y\quad\therefore y=40$

2 ㉠, ㉡ $\angle BOC=180°-90°=90°$

즉 $\angle AOB=\angle BOC$이므로 $\overline{AB}=\overline{BC}$, $\widehat{AB}=\widehat{BC}$

㉢ 한 원에서 현의 길이는 중심각의 크기에 정비례하지 않는다.

㉣ $\angle BOC=3\angle COD$이므로 $\widehat{BC}=3\widehat{CD}$

㉤ 한 원에서 삼각형의 넓이는 중심각의 크기에 정비례하지 않는다.

㉥ $\angle AOB=3\angle COD$이므로

(부채꼴 AOB의 넓이)=3×(부채꼴 COD의 넓이)

따라서 옳은 것은 ㉠, ㉡, ㉣, ㉥이다.

3 $(\text{넓이})=\pi\times9^2\times\frac{240}{360}=54\pi\ (\text{cm}^2)$

4

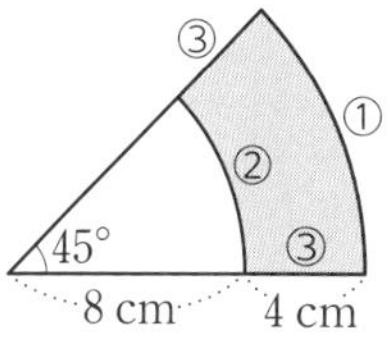

(색칠한 부분의 둘레의 길이)

=①+②+③×2

$=2\pi\times12\times\frac{45}{360}+2\pi\times8\times\frac{45}{360}+4\times2$

$=3\pi+2\pi+8$

$=5\pi+8\ (\text{cm})$

5 ㉠ 팔면체 ㉡ 구면체 ㉢ 칠면체 ㉣ 팔면체

따라서 팔면체는 ㉠, ㉣이다.

6 ②

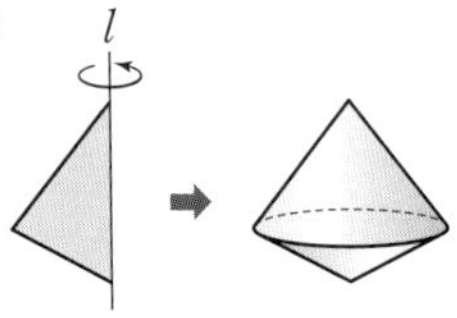

8 ① 각뿔대의 옆면의 모양은 사다리꼴이다.
② 모든 면이 합동인 정다각형이고, 각 꼭짓점에 모인 면의 개수가 같은 다면체를 정다면체라 한다.
③ 원뿔대의 밑면의 개수는 2이다.
⑤ 원뿔을 회전축을 포함한 면으로 자른 단면은 이등변 삼각형이다.
따라서 옳은 것은 ④이다.

9 (A 참치 캔의 겉넓이)$=(\pi\times6^2)\times2+2\pi\times6\times2$
$=72\pi+24\pi$
$=96\pi\ (\text{cm}^2)$
(B 참치 캔의 겉넓이)$=(\pi\times3^2)\times2+2\pi\times3\times8$
$=18\pi+48\pi$
$=66\pi\ (\text{cm}^2)$
B 참치 캔이 A 참치 캔보다 겉넓이가 더 작으므로 알루미늄이 더 적게 든다.
따라서 B 참치 캔을 선택했다.

10 (겉넓이)$=5\times5+\left(\frac{1}{2}\times5\times8\right)\times4$
$=25+80=105\ (\text{cm}^2)$

11 (부피)=(큰 원뿔의 부피)−(작은 원뿔의 부피)
$=\frac{1}{3}\times(\pi\times8^2)\times6-\frac{1}{3}\times(\pi\times4^2)\times3$
$=128\pi-16\pi=112\pi\ (\text{cm}^3)$

12 (한 조각의 넓이)$=(4\pi\times4^2)\times\frac{1}{2}=32\pi\ (\text{cm}^2)$

13 사람들이 가장 적게 분포한 나이대는 잎의 개수가 가장 적은 줄기이므로 30대이다.

14 ③ 도수가 가장 큰 계급은 도수가 12명인 120 cm 이상 150 cm 미만이다.
④ 제자리멀리뛰기 기록이 180 cm 이상인 학생 수는 $5+1=6$(명)
⑤ 제자리멀리뛰기 기록이 150 cm 미만인 학생 수는 $5+10+12=27$(명)
따라서 옳지 않은 것은 ③, ④이다.

15 ① 계급의 개수는 6이다.
② (조사한 사람 수)$=2+3+5+7+2+1=20$(명)
③ 도수가 가장 큰 계급의 도수는 7명이다.
④ 버스를 기다리는 시간이 15분 미만인 사람 수는 $2+3=5$(명)
⑤ 버스를 기다리는 시간이 25분 이상인 사람 수는 $2+1=3$(명)이므로
$\frac{3}{20}\times100=15\ (\%)$
따라서 옳은 것은 ④이다.

16 ② 계급의 개수는 6이다.
③ (조사한 회원 수)$=5+7+10+8+4+2=36$(명)
④ 작성한 후기 수가 5개 이상인 회원 수는 $4+2=6$(명)
따라서 옳지 않은 것은 ②이다.

17 TV 시청 시간이 9시간 미만인 계급의 상대도수가 $0.05+0.25=0.3$이므로
$0.3\times100=30\ (\%)$

18 △AOC에서 $\overline{OA}=\overline{OC}$이므로

$\angle OCA=\angle OAC=36^\circ$

$\therefore \angle AOC=180^\circ-(36^\circ+36^\circ)=108^\circ$

한편 $\angle BOC=180^\circ-108^\circ=72^\circ$이고 ······ (가)

$\overset{\frown}{AC}:\overset{\frown}{CB}=\angle AOC:\angle COB$이므로

$x:10=108^\circ:72^\circ$에서

$x:10=3:2,\ 2x=30 \quad \therefore x=15$ ······ (나)

채점 기준	비율
(가) ∠AOC, ∠BOC의 크기 각각 구하기	50 %
(나) x의 값 구하기	50 %

19 (1) 옆면인 부채꼴의 호의 길이는 밑면인 원의 둘레의 길이와 같으므로

$2\pi\times5=10\pi$ (cm) ······ (가)

(2) 옆면인 부채꼴의 중심각의 크기를 x°라 하면

$2\pi\times12\times\frac{x}{360}=10\pi \quad \therefore x=150$

따라서 옆면인 부채꼴의 중심각의 크기는 150°이다. ······ (나)

채점 기준	비율
(가) 옆면인 부채꼴의 호의 길이 구하기	30 %
(나) 옆면인 부채꼴의 중심각의 크기 구하기	70 %

20 $A=1-(0.05+0.35+0.2+0.1)=0.3$ ······ (가)

따라서 한 달간 읽은 책의 수가 3권 이상 6권 미만인 학생 수는

$0.3\times40=12$(명) ······ (나)

채점 기준	비율
(가) A의 값 구하기	50 %
(나) 한 달간 읽은 책의 수가 3권 이상 6권 미만인 학생 수 구하기	50 %

기말고사 기본 테스트 2회

68쪽~71쪽

1 ④	2 ②	3 ③	4 ③
5 ③	6 ①	7 ⑤	8 ②
9 ②	10 ③	11 ①	12 ③
13 ④	14 ③	15 ③, ⑤	16 ⑤
17 ③	18 2π cm²	19 8 cm	20 40 %

1 $\angle COD=5\angle AOB$이므로

(부채꼴 COD의 넓이)=5×(부채꼴 AOB의 넓이)

$=5\times8=40$ (cm²)

2 $\overline{AC}\,/\!/\,\overline{OD}$이므로

$\angle CAO=\angle DOB=30^\circ$ (동위각)

오른쪽 그림과 같이 $\overline{OC}$를 그으면 △AOC에서

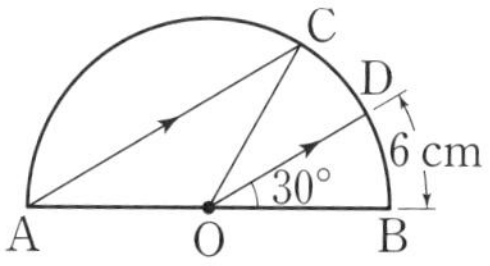

$\overline{OA}=\overline{OC}$이므로

$\angle ACO=\angle CAO=30^\circ$

$\therefore \angle AOC=180^\circ-(30^\circ+30^\circ)=120^\circ$

$\overset{\frown}{AC}:\overset{\frown}{DB}=\angle AOC:\angle DOB$이므로

$\overset{\frown}{AC}:6=120^\circ:30^\circ$에서

$\overset{\frown}{AC}:6=4:1 \quad \therefore \overset{\frown}{AC}=24$ (cm)

3 (호의 길이)$=2\pi\times9\times\frac{40}{360}=2\pi$ (cm)

(넓이)$=\pi\times9^2\times\frac{40}{360}=9\pi$ (cm²)

4 (색칠한 부분의 넓이)

=(큰 부채꼴의 넓이)−(작은 부채꼴의 넓이)

$=\pi\times6^2\times\frac{60}{360}-\pi\times3^2\times\frac{60}{360}$

$=6\pi-\frac{3}{2}\pi$

$=\frac{9}{2}\pi$ (cm²)

5 ㉡ 육각뿔의 모서리의 개수는 $2\times6=12$
㉢ 오각기둥의 꼭짓점의 개수는 $2\times5=10$
따라서 옳은 것은 ㉠, ㉣이다.

6 ㈎에서 각 꼭짓점에 모인 면의 개수가 3인 정다면체는 정사면체, 정육면체, 정십이면체이다.
㈏에서 모든 면이 합동인 정삼각형인 정다면체는 정사면체, 정팔면체, 정이십면체이다.
따라서 ㈎, ㈏를 모두 만족하는 정다면체는 정사면체이다.

7 ①

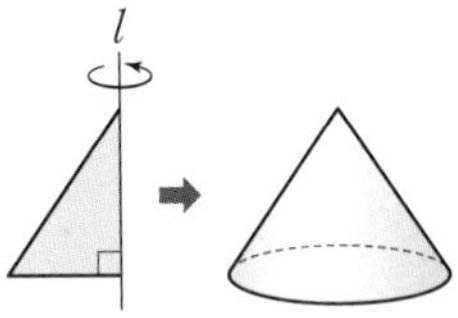

②

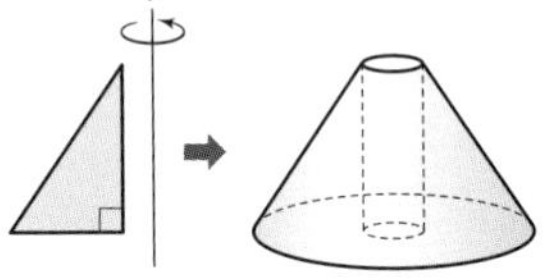

③

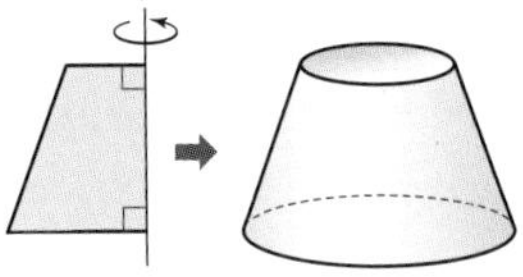

④

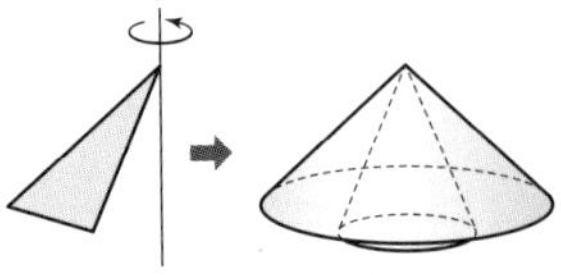

⑤

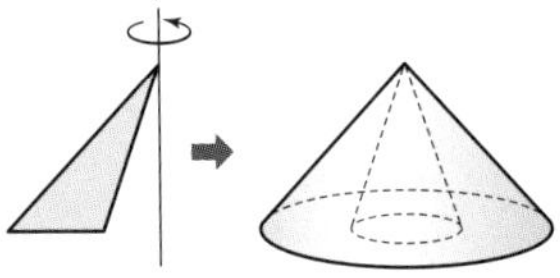

따라서 주어진 회전체가 생기는 것은 ⑤이다.

8 ② 반구 − 반원

9 구하는 물의 부피는 밑면이 사다리꼴인 사각기둥의 부피와 같으므로
$(\text{물의 부피})=\left\{\frac{1}{2}\times(1+2)\times40\right\}\times30$
$=1800\ (\text{m}^3)$

10 사각뿔의 높이를 x cm라 하면
$(\text{부피})=\frac{1}{3}\times(\text{밑넓이})\times(\text{높이})$이므로
$144=\frac{1}{3}\times(9\times6)\times x$
$18x=144\qquad\therefore x=8$
따라서 사각뿔의 높이는 8 cm이다.

11 $(\text{겉넓이})=3\times3+6\times6+\left\{\frac{1}{2}\times(3+6)\times5\right\}\times4$
$=9+36+90$
$=135\ (\text{cm}^2)$

12 $(\text{부피})=\left(\frac{4}{3}\pi\times9^3\right)\times\frac{1}{2}=486\pi\ (\text{cm}^3)$

13 일반 고속버스 중에서 배차 시간이 3번째로 빠른 버스는 7시 20분 버스이다. 이때 전체에서 배차 시간이 빠른 순서대로 나열하면 6시, 6시 20분, 6시 40분, 7시, 7시 10분, 7시 20분, …이므로 전체에서는 6번째로 빠른 버스이다.

14 ㉠ $A=30-(2+4+8+10)=6$
㉡ 계급의 개수는 5이다.
㉣ 체육 점수가 가장 낮은 학생의 점수는 알 수 없다.
따라서 옳은 것은 ㉠, ㉢, ㉤의 3개이다.

15 ① 계급의 개수는 6이다.
② 계급의 크기는 1만 원이다.
③ (조사한 학생 수)$=3+6+21+17+12+1=60$(명)
④ 가장 많이 저축한 학생의 저축액은 알 수 없다.
따라서 옳은 것은 ③, ⑤이다.

16 (전체 학생 수)$=7+16+14+9+4=50$(명)
멀리뛰기 기록이 160 cm 이상 180 cm 미만인 학생 수는 16명이므로 160 cm 이상 180 cm 미만인 계급의 상대도수는
$\frac{16}{50}=0.32$

17 지훈 : 상대도수의 분포를 나타낸 그래프에서 도수의 총합은 알 수 없으므로 1반과 2반의 학생 수가 같은지 알 수 없다.
유리 : 1반에서 사회 성적이 70점 이상인 계급의 상대도수가 $0.35+0.3+0.05=0.7$
2반에서 사회 성적이 70점 이상인 계급의 상대도수가 $0.35+0.25+0.15=0.75$
따라서 70점 이상인 학생의 비율은 2반이 1반보다 높다.
종민 : 상대도수의 합은 항상 1이고 계급의 크기가 같으므로 1반과 2반 각각의 상대도수의 분포를 나타낸 그래프와 가로축으로 둘러싸인 부분의 넓이가 같다.
서희 : 50점 이상 60점 미만인 학생 수는 어느 반이 많은지 알 수 없다.
따라서 잘못 말한 학생은 지훈, 서희이다.

18 $\overset{\frown}{AB}:\overset{\frown}{BC}:\overset{\frown}{CA}=2:3:4$이므로
$\angle AOB=360^\circ\times\frac{2}{2+3+4}$
$=360^\circ\times\frac{2}{9}=80^\circ$ …… (가)
따라서 부채꼴 AOB의 넓이는
$\pi\times3^2\times\frac{80}{360}=2\pi\ (cm^2)$ …… (나)

채점 기준	비율
(가) ∠AOB의 크기 구하기	50 %
(나) 부채꼴 AOB의 넓이 구하기	50 %

19 (원뿔의 부피)$=\frac{1}{3}\times(\pi\times4^2)\times6$
$=32\pi\ (cm^3)$ …… (가)
원기둥의 높이를 x cm라 하면
(원기둥의 부피)$=(\pi\times2^2)\times x$
$=4\pi x\ (cm^3)$ …… (나)
즉 $32\pi=4\pi x$이므로 $x=8$
따라서 원기둥의 높이는 8 cm이다. …… (다)

채점 기준	비율
(가) 원뿔의 부피 구하기	40 %
(나) 원기둥의 부피 구하기	40 %
(다) 원기둥의 높이 구하기	20 %

20 (전체 학생 수)$=3+3+6+7+6=25$(명) …… (가)
윗몸일으키기 횟수가 35회 이상인 학생 수는 35회, 35회, 38회, 39회, 41회, 42회, 44회, 46회, 47회, 47회의 10명이다. …… (나)
따라서 윗몸일으키기 횟수가 35회 이상인 학생은 전체의 $\frac{10}{25}\times100=40\ (\%)$ …… (다)

채점 기준	비율
(가) 전체 학생 수 구하기	40 %
(나) 윗몸일으키기 횟수가 35회 이상인 학생 수 구하기	40 %
(다) 윗몸일으키기 횟수가 35회 이상인 학생이 전체의 몇 %인지 구하기	20 %

memo